MICHAEL C

Barry Tr

und die überflüssig

D0511646

Buch

Barry Trotter feiert seinen achtunddreißigsten Geburtstag, aber er
hat größere Probleme: Sein elfjähriger Sohn Nigel soll nach Hogwash gehen, verspürt aber keinerlei Ehrgeiz, ein großer, mächtiger
Zauberer zu werden. Was Hermeline und Barry, seine Eltern, nicht
ahnen: Nigel besitzt nicht die geringsten magischen Fähigkeiten, er
haßt Zauberei, hält Hexer durch die Bank für Spinner und
wünscht sich nichts mehr, als ein ganz normaler Schüler zu sein und
weiter auf eine ganz normale Schule zu gehen. Alternativ würde er
gern von Außerirdischen entführt werden. Aber die nehmen ihn
nicht mit. Also liefern ihn Hermeline und Barry persönlich zur Ein-
schulung ab. Und wie zu erwarten war, ruft die bloße Anwesenheit
von Barry die Mächte der Finsternis auf den Plan: Der neue Direktor Drafi Malfies stürzt bei der Begrüßung der Neuankömmlinge vor den Augen der Schüler in den Tod. Aber wer steckt dahinter, wo Lord Valumart doch seit geraumer Zeit der beste Freund
von Barry ist? Barry und Hermeline werden zu Interimsdirektoren
der Zauberschule ernannt und stürzen sich auf ihre alten Tage
noch einmal in ein Abenteuer wie zu ihren besten Zeiten …

Autor

Michael Gerber, geboren 1970, ist Amerikaner, aber das ist nicht
schlimm, weil er nämlich Monty Python gut findet und amerikani-
sche Komiker doof, sich selbst vielleicht einmal ausgenommen. Er
schreibt unter anderem für den *New Yorker* und das *Wall Street Jour-
nal*. Bekannt wurde er durch seine Raymond-Carver-Parodie
»What We Talk About When We Talk About Doughnuts« (»Wovon wir reden, wenn wir von Doughnuts reden«), und landete mit
dem ersten Band seiner Harry-Potter-Parodie einen großen Über-
raschungsbestseller.
Weitere Bücher von Michael Gerber sind bei Goldmann in Vor-
bereitung.

Von Michael Gerber außerdem bei Goldmann lieferbar:

Barry Trotter und die schamlose Parodie. Roman (45815)

Michael Gerber
(ja, der schon wieder)

und die
überflüssige Fortsetzung

Deutsch von
Heinrich Anders und Tina Hohl

GOLDMANN

Die Originalausgabe erschien 2003 unter dem Titel
»Barry Trotter and the Unnecessary Sequel«
bei Gollancz, London

FSC
Mix
Produktgruppe aus vorbildlich
bewirtschafteten Wäldern und
anderen kontrollierten Herkünften
Zert.-Nr. SGS-COC-1940
www.fsc.org
© 1996 Forest Stewardship Council

Verlagsgruppe Random House FSC-DEU-0100
Das FSC-zertifizierte Papier *München Super* für Taschenbücher
aus dem Goldmann Verlag liefert Mochenwangen Papier.

1. Auflage
Taschenbuchausgabe November 2005
Wilhelm Goldmann Verlag, München
in der Verlagsgruppe Random House GmbH
Copyright © der Originalausgabe 2003 by Michael Gerber
Copyright © der deutschsprachigen Ausgabe 2004
by Europa Verlag GmbH, Hamburg
Umschlaggestaltung: Design Team München
Umschlagillustration © Mark Gmehling
Satz: Buch-Werkstatt GmbH, Bad Aibling
Druck: GGP Media GmbH, Pößneck
An · Herstellung: Str.
Printed in Germany
ISBN-10: 3-442-46017-4
ISBN-13: 978-3-442-46017-5

www.goldmann-verlag.de

Für Kate,
die ein untrügliches Gespür dafür hat, was lustig ist
und was nicht, und für all die Trotter-Fans, die einen
zweiten Band gefordert haben

… und natürlich für SIE!

HINWEIS FÜR SENSIBLE LESER

Dieses Buch enthält äußerst drastische Schilderungen sexueller Handlungen, häufig ohne Kuscheln. Die unnötig detailbesessene Vulgärsprache – und nicht zuletzt die Schaubilder – machen dieses Buch für sensible Leser VÖLLIG UNGEEIGNET.

Tatsächlich sollte nur jenes kleine Häuflein Perverser dieses Buch kaufen, die sich unbedingt mit schweißnassen Händen ausmalen müssen, wie die geliebten Ikonen ihrer Kindheit es unter den fadenscheinigsten Vorwänden in jeder nur vorstellbaren Art und Weise miteinander treiben. Die Betreffenden wissen schon, wer gemeint ist.

Der Verlag

HE, SIE!

Dieses Buch ist eine Parodie. Jegliche Ähnlichkeit mit urheberrechtsgeschützten Figuren und Stoffen sowie lebenden oder toten Personen, die nicht der Satire dient, ist zufällig und nicht beabsichtigt. Das Buch ist nicht von J. K. Rowling, Bloomsbury Books, Warner Bros. oder einem der anderen Urheberrechtsinhaber oder Lizenznehmer der Harry-Potter-Bücher oder -Filme autorisiert worden. Es besteht keinerlei Verbindung zwischen diesem Buch und den Genannten, und es soll auch nicht der Eindruck erweckt werden, als bestünde ein solcher. Natürlich könnte auch dieser Hinweis satirisch sein, doch in dem Fall muß jeder selbst entscheiden, was er davon zu halten hat.

INHALT

Kapitel eins

EIN GEBURTSTAG
UND EIN BUCH

Barry Trotters Geburtstage waren schon immer total in die Hose gegangen. Im Alter von achtunddreißig Jahren hatte er sich darauf verlegt, sich auf perverse Weise etwas darauf einzubilden – so wie er als Teenager seinen schäbigen Aufzug und als Twen seinen gnadenlosen Sarkasmus kultiviert hatte. »Du willst ein *Geschenk*, Junge?« hatte sein Onkel Werner immer böse geknurrt. »Ich könnte darauf verzichten, dich umzubringen. Wie wäre *das* als Geschenk?« Gewiß, am Ende hatte Barry Oberwasser gehabt – aber Erinnerungen kann man nicht demütigen, in den Wahnsinn treiben und schlußendlich kreuzigen.

Heutzutage lief es auch nicht viel besser. Er konnte damit rechnen, von Lonald Measly, seinem Freund mit dem Hundehirn, den soundsovielten Quietsche-Hydranten aus Gummi zu bekommen. Ein Postbote in Schutzkleidung würde ihm ein paar absolut tödliche Bonbons von Ferd und irgendeinen fiesen Scherzartikel von Jorge bringen. Sein Patenonkel Serious Blech würde ihm einen Brief schicken, der kein Geld enthielt, sondern in dem er um welches bat. Und er würde etwas unglaublich Praktisches und Todlangweiliges von Hermeline Cringer bekommen, seiner Frau. Was mochte es wohl dieses Jahr sein? Die Andeutungen, die sie in letzter Zeit gemacht hatte, deuteten auf einen selbstreinigenden

11

Wok hin. Jetzt, wo sie Kinder hatten, konnte er noch nicht mal auf ein Strip-O-Gram hoffen.

»Achtunddreißig hätte ich also geschafft, aber Hunderte von diesen elenden Misttagen stehen mir noch bevor«, sagte Barry und schaltete seinen Computer im Zauberallerleiministerium aus, wo er als stellvertretender Hilfsuntervizesekretär für Muddelbeziehungen arbeitete. Vorhin hatte er – wie üblich Zeit vertrödelnd – »achtunddreißig« in die Zaubersuchmaschine *prest.org* eingegeben: »Nostradamus zufolge symbolisiert diese Zahl den wenig bekannten Fünften Reiter der Apokalypse, die Langeweile.«

Offenbar hatte seine Familie seinen Geburtstag komplett vergessen. Hermeline hatte, wie sie immer wieder betonte, ihr *eigenes Leben.* Momentan bedeutete das, eine in sämtlichen Regionalausgaben des *Tagessalbader* erscheinende Ratgeberkolumne zu schreiben: »Hermeline hilft«. In aufgekratztem Ton machte sie darin Vorschläge, wie sich Muddelutensilien zum Hexen verwenden ließen. »Braucht man für einen Zaubertrank einen Pferdehuf, kann man statt dessen auch auf Gelatine aus dem Supermarkt zurückgreifen!« Dienstags und donnerstags schwebte Hermeline die fünf Minuten nach Oxford hinein, um einem Gorilla namens Audrey das Zaubern beizubringen. Das Experiment war Bestandteil ihrer Doktorarbeit in Kryptozoologie.* Und in ihrer spärlichen Freizeit, also an den meisten Wochenenden, den Abenden und in der Badewanne, übersetzte sie *Das Buch der bekanntesten Zau-*

---

* Einem Gorilla das Zaubern beizubringen war in der Zauberwelt so ungefähr das Illegalste, was man tun konnte – es sei denn, man spaltete die Zeit in siebzehn verschiedene Dimensionen auf und beging in allen gleichzeitig Verbrechen. Barry sah es als sein Verdienst an, daß Hermeline, die ehemalige Musterschülerin, zu einer solchen Rebellin geworden war, aber andererseits war Neugier schon immer ihre hervorste-

bersprüche in 133+. Wenn man noch die ständige Beaufsichtigung und Erziehung ihrer Kinder Nigel (elf) und Fiona (drei) dazurechnete, hätte jeder normale Mensch ein Auge zugedrückt, wenn sie mal seinen Geburtstag vergessen hätte.

Aber Barry war nicht normal. Jeder seiner Geburtstage war ein Minenfeld unausgesprochener Erwartungen – und Barry schreckte nicht davor zurück, in den Sexstreik zu treten, wenn man ihn nicht zufriedenstellte. An jedem 31. Juli versetzte sie Barrys morgendlichen Darjeeling mit Pu-Ber-Tee, um sein kindliches Gemüt zu besänftigen. Beim Gedanken daran, wie sich ein »ungedopter« Barry aufführen würde, schauderte Hermeline. Den Ehemann zu behexen war zwar verpönt (wegen der Willensfreiheit oder irgend so einer Lappalie), aber mit Barry Trotter verheiratet zu sein erforderte nun einmal drastische Maßnahmen. Außerdem konnte ein mächtiger Zauberer, wenn er die Beherrschung verlor, ein ganzes Ökosystem durcheinanderbringen. Jede Ehe hat ihre eigenen Regeln, und für Hermeline lautete eine davon, daß gelegentliche kleinere Sünden um ihres Seelenheils und des Allgemeinwohls willen erlaubt waren.

Um kurz nach vier fiel Hermeline ein, daß ihr Mann Geburtstag hatte – nur anderthalb Stunden, bevor er nach Hause kam. Die Kinder wurden sofort angewiesen, Karten zu basteln (wenn nötig, würde Hermeline sie rasch mit einem Goldige-Ungeschicklichkeit-Zauber verhexen), und sie selbst schickte Eulen an sämtliche Freunde.

chendste Eigenschaft gewesen. Barry mußte zugeben, daß der Gorilla schwindelerregend schnell lernte. Nach nur sechs Monaten beherrschte Audrey einige der tödlichsten Zaubersprüche, die in der Welt der Magie bekannt sind, im Schlaf. Von da an wagte es keiner mehr, ihre Katze »All-Ball« zu ärgern. (Allerdings lästerten sie hinter Audreys Rükken über ihren beknackten Namen.)

Während sie auf Antwort wartete, gab Hermeline ihrer aktuellen Kolumne den letzten Schliff. Ihr fehlten noch zehn Wörter. »Eine alte, unverzauberte Strumpfhose kann sehr, sehr, sehr nützlich sein«, tippte sie und berührte mit ihrem Zauberstab den Monitor – sogleich wurde der Text an ihren Redakteur geschickt, einen mürrischen alten Hexenmeister namens Clagton, der nach Druckerschwärze und Pomade aus Fledermausblut roch.

Die nächste Stunde verbrachte Hermeline damit, hektisch Dinge herbeizuzaubern – ein paar Geschenke, eine Torte, einige Hütchen und Dekorationsmaterial. Da alles irgendwo herkommen mußte, verschwanden diese Dinge aus diversen Muddelgeschäften, dem Magiefactum-Versandlager, einer Muddelbäckerei* und von der Party eines unglückseligen Siebenjährigen in China.

Nach und nach trudelten die Antworten ein, darunter auch eine Geburtstagskarte, die widerwillig von Saftsack, der boshaften alten Eule der Measlys, abgeliefert wurde. Offenbar angetrunken zockelte sie herein, wartete ab, ob Hermeline es wagen würde, ihr kein Leckerli zu geben, und hackte dann nach ihrer Halsschlagader, als sie es tat. Hermeline und Saftsack waren alte Feinde, und Hermeline hatte gerade einen Tennisschläger zur Hand. »Sag Ferd, er soll nächstes Mal Herpes schicken«, sagte Hermeline und beförderte Saftsack mit einem Überkopfball nach draußen.**

---

* Die wegen der Verletzung von Hygienevorschriften von der Schließung bedroht war. Die Zauberformel scherte das nicht – sie besorgte einem, was man haben wollte, ohne auf die Qualität zu achten. Daher war es wichtig, sich präzise auszudrücken. »Einen *hübschen* Mantel.« »Eine Geburtstagstorte *ohne* Rattenkot.«

** Die Measlys hatten kein Glück mit ihren Eulen. Lon hatte einmal ein winziges, analfixiertes Tier namens Prig besessen (kurz für Prigrigid), es jedoch kurz nach seiner Hundehirn-Transplantation aufgegessen.

Um Punkt fünf Uhr hatte sich eine Handvoll hastig herbeizitierter Gäste in dem kleinen Häuschen der Trotters versammelt. Lon war da, wie üblich beaufsichtigt von seiner Schwester Genny. Ferd und Jorge hatten sich durch Saftsack entschuldigen lassen – die Zwillinge waren gerade damit beschäftigt, für die NATO ein kleines, rebellisches Land in die Luft zu jagen. Dafür hatte Lord Valumart es geschafft zu kommen.

»Danke, Terry«, sagte Hermeline, als sie den Doofen Lord an der Tür begrüßte. »Barry wird sich freuen. Wir wissen ja, wie ungern du verreist.«

»Ich war gerade in der Gegend und hab ein paar unrentable Waisenhäuser geschlossen«, sagte Valumart. »Man gönnt sich ja sonst nichts, was?«

Hermeline lächelte schwach. Valumart war inzwischen noch reicher geworden, und mit jedem Pfund, jedem Dollar, jeder Drachme und jedem Zloty, den er einnahm, wurde er absonderlicher. Er lebte in der Penthouse-Suite des Nero's Garden, eines vornehmen Casino-Hotels in Hogsbleede, dem Sündenbabel der Zauberwelt. Valumart war der inoffizielle Bürgermeister und ungekrönte König der Stadt.*

Valumart, früher stets todschick in eine schwarze, mit falschen Orden gepflasterte Uniformjacke gekleidet, schlurfte

---

* Hogsbleede war eine vergoldete Kloake, ein abscheuliches Allerweltskaff, das seinen zweifelhaften Ruf allein der Macht des Lasters zu verdanken hatte. Zauberer waren leidenschaftliche Zocker, und daher machten die Spielkasinos das große Geld, solange sie ein Auge auf die Seher hatten (Mrs. Tralala z. B., die Wahrsagelehrerin von Hogwash, war an den Spieltischen *Medea non grata*). Was die fleischlichen Lüste betraf, beherrschten die Zauberprostituierten Tricks, bei denen dem Durchschnittsfreier (ob männlich oder weiblich) die Spucke wegblieb. Sie besaßen allesamt eine Lizenz als Inkubus oder Sukkubus und unterlagen der strengen Kontrolle durch eine Unterabteilung des Ministeri-

inzwischen mit Kleenex-Schachteln an den Füßen herum. Wenn ihm danach war, seine Fingernägel einen halben Meter lang wachsen zu lassen und eine OP-Maske zu tragen, wer wollte ihn daran hindern? Valumart gehörte fast die ganze Stadt, und bevor er als Finanzminister entlassen worden war, hatte er Hogsbleede noch schnell für autonom erklären lassen, so daß er nicht ausgeliefert werden konnte. Doch ein Fluch lag auf all dem Muddelgeld, und zwar der, daß ihm keiner zu widersprechen wagte. Valumart machte sich nicht einmal mehr die Mühe, einen tuntigen deutschen Akzent aufzusetzen.

Es mag Sie erstaunen, daß Der-der-stinkt auf Barry Trotters Geburtstagsparty auftaucht, aber Sie glauben gar nicht, wie sehr das ständige Bemühen, jemanden umzubringen, einer – sprechen wir's ruhig aus! – Liebesbeziehung ähnelt. Für Barry war er ein charmanter Filou, ein Schlangenölhändler, der in Wirklichkeit falsche Phönixtränen verkaufte. (Die zugehörigen Jingles, allesamt perfide Ohrwürmer, strotzten nur so vor mächtiger Doofer Magie: »Was höre ich, dich plagt / ein Schmerz, ein Aua, ein Wehweh? / Weine nicht, 's ist schnell passé! / Nimm Cryin' Flame als Tropf oder Dragee!«)

Valumart hatte stets ein Mitbringsel für die Kinder dabei – diesmal war es ein einarmiger Bandit, der auf magische Weise mit der US-Münze verbunden war. »Willst du einen Kunden fürs Leben, dann gewinn ihn als Kind!« sagte er immer.

ums (unter der Leitung von Marty Autsch). Die Prostituiertengewerkschaft war ungeheuer mächtig und zögerte nicht, im Bedarfsfall zu Maßnahmen à la Lysistrata zu greifen. Im Jahre 1612 hätte ein Streik sämtlicher Wichtel, die als Kartengeber beim Blackjack arbeiteten, dem aufstrebenden Hogsbleede fast das Genick gebrochen, als die SexarbeiterInnen aus Solidarität ebenfalls die Arbeit niederlegten. Das war ein schwerer Schlag für die Zauberer, und sie sahen sich gezwungen, auf die Forderungen der Wichtel einzugehen.

Sie alle warteten im Salon und lauschten auf Barrys Schritte. Da er Siebenmeilen-Budapester trug, hatten sie kaum eine Chance, ihn rechtzeitig zu hören.

Hermeline wandte sich Valumart zu, um ein bißchen Smalltalk zu machen, und gab sich alle Mühe, seinen seltsamen Körpergeruch aus ihrem Bewußtsein zu verdrängen. »Wie war die Reise?«

»Ich kann nicht klagen.« Hogsbleede zu verlassen war riskant für Valumart – die Muddel wollten ihn nicht nur wegen seiner Steuerschulden und diverser Schenkkreise und Pilotenspiele, sondern auch wegen eines Internetbetrugs im Zusammenhang mit angeblich in Nigeria festliegenden Geldern in den Knast werfen. Allerdings konnte er, wenn der Weihrauch wirklich irgendwann am Dampfen sein sollte, jederzeit verdunsten und ihnen im wahrsten Sinne des Wortes durch die Finger schlüpfen.

Valumart lachte und zeigte auf die rothaarige Fiona, die für ihr Alter schon sehr gut zaubern konnte. Sie levitierte gerade ihre Runenbausteine und schleuderte sie auf ihren großen Bruder Nigel, der versucht hatte, den einarmigen Banditen zu manipulieren.

»Au!« brüllte Nigel, als er einen ins Auge bekam. Dann traf ihn noch einer knapp überm Ohr. »Hör auf, Fi!«

Lon bemerkte den Streit und meldete sich hysterisch kläffend aus dem Badezimmer zu Wort. Er zelebrierte die Cocktailstunde, indem er sich ein Schlückchen aus der Toilette genehmigte.

»Psssst, Lon! Still!« ermahnte Genny* Measly ihren großen Bruder. Da sie immer noch unverheiratet war (Barry

---

* Kurz für »Genital«, den eher unglücklichen Geburtsnamen ihrer Mutter.

hatte schon lange den Verdacht, daß dies mit ihrem Zusammenstoß mit dem Basilispen zusammenhing), kümmerte sie sich um Lon, fütterte ihn und sorgte dafür, daß er regelmäßig Gassi ging.

Lachend ließ Fiona noch mehr Bausteine noch schneller durch die Luft fliegen. Nigel trug seine Beschwerde direkt beim obersten Gerichtshof vor. »Mum! Sag ihr, sie soll aufhören!«

»Hört auf zu streiten, ihr zwei.« Mit einem Finger brachte Hermeline ein schwebendes Tablett mit Zaubertränken dazu, auf dem Kaffeetisch zu landen. In einer Ecke hatten sich ein paar Geschenke über die Bar hergemacht und packten sich nun kichernd gegenseitig aus.

»Wir streiten uns gar nicht, sie wirft mit Bauklötzen nach mir. Das ist ein feiner, aber, wie ich meine, bedeutender Unterschied«, beschwerte sich Nigel. Er war ebenso wortgewandt wie seine Schwester magiebegabt und sollte in einem Monat an der Hogwash-Schule für Hexerei und Hokuspokus eingeschult werden. Abgesehen von dem berühmten Fragerufzeichen war er seinem Vater wie aus dem Gesicht geschnitten. Da Nigel kein solches Frühwarnsystem besaß, bekam er ständig vom Leben eins auf den Deckel.

Valumart wollte dem Jungen etwas Gutes tun. »Nigel, komm her«, sagte er, griff in seine Tasche und wühlte darin herum. »Ich möchte dir etwas geben, und zwar ...«, Valumart schaute nach, was er in der Hand hatte, »... einen Fussel. Er ist ...«, er hielt inne und suchte nach einem Verkaufsargument, »... äußerst magisch und ganz zauberhaft.«

»Nein, danke, ›Onkel‹ Terry«, sagte Nigel reserviert. »Ich hab schon genug Zauberzeug.« Er erblickte Valumarts ausgesprochen altmodisches Taschenmesser, ein Überbleibsel aus der Zeit, als dieser noch im Teutonenlook herumlief. Es sah wahnsinnig scharf aus und hatte am Ende einen kleinen Totenkopf. Manchmal braucht man kein Fragerufzeichen, um Gefahr zu wittern.

Doch der Doofe Lord ließ sich nicht von seinem Vorhaben abbringen und fuhr fort, in seiner Tasche zu kramen. »Nein, im Ernst. Ich habe etwas sehr Schönes für dich. Eine alte Kinokarte? Einen Zettel, auf dem …«, Valumart faltete ihn auseinander, »›Weltherrschaft übernehmen‹ steht?«

Nigel, der zu wohlerzogen war, um einem Erwachsenen gegenüber ausfallend zu werden, versuchte das Thema zu wechseln. »He, Mum, krieg ich rote Kontaktlinsen?«

Plötzlich kam Lon jaulend aus dem Badezimmer hereingestürzt. »Lonald, pssst!« sagte Genny. Lon lief zur Tür. In dem Loch, das seinen Kopf verunzierte, steckte ein kleiner Wimpel mit der handgeschriebenen Aufschrift »Happy Birthday, Barry«. Auf der Treppe ertönten Schritte, dann tippte jemand mit einem Zauberstab auf das Schloß, und Barry trat ein.

»Überraschung!« grölten alle, und die war gelungen. Barry lächelte.

Wie es sich für einen Erwachsenen gehört, war Barrys Ausbeute bescheiden, aber die Geschenke kamen von Herzen. Von Lon und Genny bekam er ein *Slicker*-Abo – Englands führende Wochenzeitung für Profi-Quaddatsch. Valumart schenkte ihm einen magischen Haarverdichtungskamm.

»Guck mal, wie toll der wirkt!« sagte Valumart und schüttelte seine langen, ungewaschenen Locken. Barrys Haare sahen genauso zerstrubbelt aus wie immer, nur daß er nicht mehr so viele davon hatte – oder sein Kopf war gewachsen, was keinen Sinn ergab. (Immerhin saß sein Bierhelm, den er sich als Schüler gebastelt hatte, immer noch wie angegossen.)

Fiona hatte ihm – natürlich mit Hilfe von Hermeline – einen gelben Flanellpyjama mit violetten Monden und Sternen besorgt. (Total schwul und ganz schön behindert[*], dachte Barry, aber er lächelte trotzdem.) Von Nigel bekam Barry ein Arschoskop, ein Gerät, mit dem man herausfinden konnte, ob jemand ein blöder Sack war. »Wie praktisch«, sagte er, und sein Sohn strahlte. Er hatte es selbst ausgesucht (oder, um genauer zu sein, seiner Mutter gesagt, was sie aus dem Magiefactum-Katalog herbeizaubern sollte).

»Das solltest du hier lieber nicht mit zur Arbeit nehmen«, sagte Hermeline. »Sonst schlägt es in einer Tour an. Gefällt dir das Quasselband?«

Barry war klug genug, die richtige Antwort zu geben: »Ja, es ist toll ... Und was macht man damit?«

»Ich dachte, es wäre beim Telefonieren vielleicht ganz nützlich«, sagte seine Frau. »Es ist ein kleines Bändchen, das man sich so über die Dsunge dsieht ...« Sie spannte es sich über die Finger und steckte sie sich in den Mund.

»Bäh, Hermi, wie eklig«, sagte Genny.

»Ich hätt's schon nicht getan«, sagte sie (aber das stimmte nicht – Hermeline gehörte zu der Sorte Mensch, die von fremden Tellern aß). »Damit beherrschst du immer die Sprache deines Gesprächspartners, welche es auch sei. Wie auch immer, dein richtiges Geschenk kriegst du heute nacht«, flüsterte sie und küßte ihn auf die Wange.

Das hatte Nigel gehört. »Das ist ja widerlich!« sagte er zutiefst angeekelt.

---

[*] Oder, um es politisch korrekter auszudrücken: »Diese Kleidung praktiziert einen alternativen Lebensstil und hat besondere Bedürfnisse!«

»Daff iff ja widalich!« äffte seine Schwester ihn nach.

»Und was machst du, um *die* zu verstehen?« fragte Genny.

»Darüber habe ich noch nie nachgedacht«, sagte Herme-line leicht angesäuert. »Vielleicht gibt's für so was Ohren-schützer?« Sie hatte den Verdacht, daß Genny sie nicht lei-den konnte, weil sie ihr Barry weggeschnappt hatte. Ja, Bar-ry war einmal ein guter Fang gewesen, auch wenn man ihm das heute nicht mehr ansah. Er kratzte sich im Schritt.

»Barry, nicht vor den Gästen«, flehte Hermeline.

»Heute ist mein Geburtstag, da kann ich machen, was ich will«, sagte er. Dann hielt er ein Partyhütchen hoch. »Wa-rum ist auf den Hütchen Mao drauf?«

Nach dem Kuchen (mit der Aufschrift »Herzlichen Glück-wunsch zur Pensionierung«) sagte Hermeline: »Es ist so ein schöner Abend. Warum verlegen wir die Party nicht in den Garten?« Bisher war alles gutgegangen, aber es war nur eine Frage der Zeit, daß Lon vor Aufregung auf den Teppich pie-seln würde.

Barry entschuldigte sich für einen Moment und ging in die Küche – wenn Valumart in der Nähe war, tat ihm immer seine Narbe weh. Das einzige, was dagegen half, war Her-melines Menstruations-Aspirin, das außerdem Blähungen vorbeugte.

Er stand gerade am Ausguß und warf ein paar Tabletten ein, als etwas vor dem Fenster seine Aufmerksamkeit er-regte.

»Hermeline, diese verdammte Göre ist wieder da!«

»Ach, laß sie in Ruhe, Barry«, sagte Hermeline. »Ich seh sie manchmal am College. Alle nennen sie Rabenaas.« Als Lehrer an dieser Schule mußte man ein ziemlich dickes Fell haben. Es wimmelte dort von kotzenden Erstsemestern, durchgeknallten amerikanischen Touristen und tollkühnen

Präpubertierenden, die unglaubliche Abenteuer in multidimensionalen Miltonschen Universen erlebten.

Barry ließ sich nicht erweichen. »He, du! Filzlaus! Verschwinde!« Es war ein kleines blondes Mädchen, das anständig gekleidet war, aber seltsam verwildert schien. »Und nimm dein Frettchen ...«

»Das ist kein Frettchen, Sie Wichser!« brüllte sie. »Das ist eine Inkarnation meiner Seele in Gestalt eines Tieres!«

»Jedenfalls kackt die Inkarnation deiner Seele in unseren Garten!« gab Barry zurück. Das Mädchen streckte ihm die Zunge heraus und kletterte dann über die Gartenmauer.

»Das wird auch immer schlimmer in diesem Viertel!« sagte Barry. »Erst die Hexe, die zwei Straßen weiter gewohnt hat ...« (Besagte Hexe war von Kindern gebraten und dann verspeist worden. Zum Glück deckte ihre Lebensversicherung auch den »Böswilligen Verzehr durch Minderjährige« ab.)

»Die Kinder, die das getan haben, wurden längst geschnappt«, sagte Hermeline. »Deutsche«, fügte sie bedeutungsschwanger hinzu, als würde das alles erklären.

Sie nahmen Stühle mit auf den Rasen hinaus. Barry kam an dem uralten Ford Ganglia der Measlys vorbei, der inzwischen Genny gehörte.* Durch ein offenes Fenster (ein Anreiz für Diebe, auf den bislang keiner angesprungen war) langte Barry hinein und betätigte den Unglaublichkeitsverstärker. Er war immer noch kaputt.

»Lon, weißt du noch, wie wir diese Schrottmühle in die

---

* Nachdem die Jungs es zu Schrott gefahren hatten, war das verwunschene Gefährt zehn Jahre lang im Vergessenen Wald umhergegondelt. Irgendwann hatte es einen herrenlosen Mini getroffen und mit ihm eine Horde Mopeds gezeugt. Der Ganglia mußte Alimente zahlen und war deshalb zu den Measlys zurückgekehrt.

Päderastenpappel geflogen haben?« sagte Barry plötzlich melancholisch. Er war geradezu süchtig nach alten Erinnerungen. »Danach konnte ich eine Woche lang nicht sitzen.«

»Ja«, sagte Lon geistesabwesend. Er hockte gerade auf allen vieren vor einem Baumstumpf und schnüffelte daran.

»Über dieses Gorgomobil habe ich nur Gutes gehört«, sagte Hermeline unvermittelt. Barry reagierte nicht. Ständig nervte sie ihn mit diesem Wagen, der unter Zauberern der letzte Schrei war. »Ich brauche ihn, weil er so sicher ist«, sagte sie immer, aber Barry hatte den Verdacht, daß sie ihn bloß haben wollte, weil Penelope Saggs so einen hatte. Penelope verdiente einen Haufen Geld damit, Grundstücke in anderen Dimensionen zu verkaufen.

»Nicht auf den Rasen pinkeln, Lon«, ermahnte Genny ihren Bruder. »Sonst geht das Gras ein.«

»Und die Muddel nebenan rufen die Bullen«, sagte Barry. Nach langen Jahren, in denen die Zauberer und Hexen sich stets vor den Muddeln versteckt gehalten hatten, lebten sie nunmehr mitten unter ihnen, und das zumeist in Harmonie. Aber auch die hatte ihre Grenzen, und daß Lon in aller Öffentlichkeit seinen Schniedel herausholte, ging definitiv zu weit.

Sie stellten ihre Stühle auf. »Setz dich neben Onkel Terry«, forderte Hermeline Nigel auf.

»Aber der will mir was in den Kopf gravieren«, flüsterte Nigel.

»Ach, schht«, sagte Hermeline. »Onkel Terry mag dich doch.«

»Nein, wirklich! Guck, er hat ein tragbares Brandmalereiset dabei!« Recht hatte er – ein Rauchwölkchen schlängelte sich gen Himmel, während Valumart »D-D-S ist der Größte« in die Armlehne der Sonnenliege brannte.

Hermeline machte eine wegwerfende Handbewegung. »Ach, er versucht bestimmt nur, komisch zu sein. Du weißt doch, was für einen seltsamen Humor er hat.«

»Aber Mum …«

»Kein Aber. Wir wollen ihn doch nicht kränken«, sagte Hermeline.

Nigel plumpste in seinen Stuhl und nahm mißmutig einen Schluck von seinem ekelerregenden Tanniswurzelsaft (er sollte ihm mehr Zauberkräfte verleihen). Lon drehte sich dreimal im Kreis und legte sich neben ihn. Fiona inspizierte einen alten Lolli, der im Gras lag, und wollte ihn sich gerade in den Mund stecken.

»Igitt!« sagte Hermeline. »Leg das wieder hin.«

»Will gitt!« erklärte Fiona empört. Sie brachte den Rocksaum ihrer Mutter zum Schwelen.

»Na, du willst wohl heute früh ins Bett?« drohte Hermeline. Der Schwelbrand verlosch.

Barry war wieder ins Haus gegangen und kam mit einer kleinen Schreibtafel wieder heraus. Er schrieb etwas darauf, dann stellte er sie neben sich und kippte sie himmelwärts.

Valumart las die Nachricht: »Nehmt mich als Versuchskaninchen! Ich will nur was zu essen.«

»Dad will sich von Außerirdischen entführen lassen«, erklärte Nigel ihm.

»Verzeihung«, sagte der Doofe Lord, »nur damit es keine Verwechslung gibt … Schließlich steht das Schild zwischen uns.« Er zeichnete einen Pfeil in die richtige Richtung. »Ich hasse diese kleinen Bastarde«, sagte Valumart. »Die lassen sich einfach nichts von mir verkaufen.«

»Wann hast du dich entschlossen, dich entführen zu lassen, Barry?« fragte Genny.

»Als sie mich in Hogwash gefeuert haben.« Sein Buch

Barry Trotter und die schamlose Parodie, entstanden während seiner Zeit als PR-Beauftragter für Hogwash, hatte der Schule tatsächlich eine Menge Publicity eingebracht, nur leider war sie durchweg negativ.

»Weißt du noch, was Nigel dich gefragt hat, als du uns erzählt hast, daß du dich entführen lassen willst?« sagte Hermeline. »›Springt was dabei raus?‹«

Alle lachten über den frühreifen Spruch, nur Nigel selbst nicht. Er hatte sich diese Frage ernsthaft gestellt.

Hermeline fuhr fort: »Ich hab' mich schon gefreut, ihn mal für eine Weile loszuwerden. Nach zwei Wochen sah es hier aus, als hätte die gesamte Wohnung einen epileptischen Anfall gehabt.«

»Ja, sie wollte mir sogar ein Lunchpaket packen. Aber leider ist nichts draus geworden. Sie haben mich nicht genommen.« Eine Woche lang hatte der Raumfahrer in spe mit einer kleinen Reisetasche voll Bier und Schokolade als Wegzehrung auf dem Rasen vor dem Haus gesessen.

»Die nehmen keine Zauberer«, sagte Hermeline. »Wahrscheinlich sind wir ihnen nicht gut genug.«

»Das ist doch Diskriminierung!« sagte Barry, nahm einen zornigen Schluck von seinem Eberklötenbrau und reckte die Faust in die Luft. »Rassisten!«

»Hast du's mal mit Umkehrpsychologie versucht?« fragte Genny hilfsbereit.

Das klang einleuchtend, daher wischte Barry die Tafel ab und schrieb »Bitte entführt mich NICHT« darauf.

»Raffiniert«, sagte Valumart. Man weiß oft nicht, ob er sich über einen lustig macht oder nicht, dachte Barry. Vielleicht hat er deshalb so wenig Freunde. »Wenn sie mich diesmal nicht nehmen, werde ich mich so richtig besaufen, eine fliegende Untertasse ausfindig machen und sie vollkotzen.«

»Verständlich«, sagte Valumart.

»Wie auch immer, ich bin froh, daß Barry jetzt einen Job hat«, sagte Hermeline. »Man kann schließlich nicht sein ganzes Leben damit zubringen, sich entführen zu lassen.«

»Wie gut, daß es das Ministerium gibt«, sagte Genny. »Nichts für ungut«, sagte sie zu Lord Valumart.

»Kein Problem«, antwortete Valumart. »Ohne das Zauberallerleiministerium geht es nun mal nicht.«

»Na ja, du mußt ja auch nicht meine Arbeit machen«, sagte Barry verbittert.

»Wieso? Was gab's denn heute zu tun?« fragte Valumart. Die Sonne ging langsam unter.

»Ich mußte so eine beknackte öffentliche Durchsage aufnehmen«, antwortete er. Auf Barry Trotter hörten die Muddel. Diesmal lautete die Botschaft: »Hütet euch vor falschen Zaubern!« In den letzten Jahren hatten Doofe Zauberer Geschäfte mit illegalen Zaubersprüchen gemacht, die auf alle erdenklichen Bedürfnisse der Muddel abgestimmt waren – von der Partnersuche bis zur Kfz-Reparatur. Dummerweise waren diese Zaubersprüche so oft von verschmierten Pergamenten voller altertümlicher Ausdrücke abgeschrieben worden, daß sie vor Fehlern strotzten. So landete ein Liebeszauber, der für das Mädchen von nebenan gedacht war, womöglich statt dessen beim eigenen großen Bruder. Oder eine Beschwörung, die einen größer machen sollte, machte die gesamte Umwelt etwas *kleiner.*

»Was genau hast du denn gesagt?« fragte Genny mit einem Hauch von Heldenverehrung. »Kannst du dich noch erinnern?«

»O Gott, das werd' ich nie vergessen«, sagte Barry. »Dreihundert Takes. ›Lest sie, tauscht sie, sammelt sie – nur wendet sie nicht an. Magie ist kein Spielzeug, und falsche Zauber können tödlich sein‹«, betete Barry mit glasigem Blick nach. »Hinter mir war eine ganze Wand von Fernsehern aufgebaut, und darauf lief eine Endlosschleife von so einem armen Kind, dem ein Kobold gerade die Augäpfel rauszog.«

»Uh, wie furchtbar.« Genny stand auf und reckte sich. »Also, Leute, wir gehen dann mal. Lon weckt mich immer in aller Herrgottsfrühe.«

»Schön, daß ihr gekommen seid, Genny«, sagte Barry. »Und danke, daß wir Lon nächsten Monat zum Klassentreffen mitnehmen dürfen.«

»Schon gut«, sagte Genny. »Ich glaube, das wird ihm Spaß machen, und offen gesagt bin ich ganz froh, mal ein bißchen Freizeit zu haben. Sich um einen Mann zu kümmern, der halb Kind, halb Hund ist, kann ganz schön aufreibend sein.«

»Du ahnst gar nicht, wie gut ich das verstehen kann«, sagte Hermeline. Barry stieß ihr den Ellbogen in die Rippen.

Nachdem Genny und Lon gegangen waren, fragte Barry Valumart: »Kommst du auch zum Klassentreffen?«

Der Doofe Lord lachte. »Natürlich nicht! Ich war doch nicht in deiner Klasse.«

»Schon, aber Sie haben so viel Zeit damit verbracht, uns nach dem Leben zu trachten … Wenn jemand es verdient, Ehrenmitglied zu werden, dann Sie«, sagte Hermeline.

»Ich hab' den Abschluß erst vier Jahre später gemacht, und ich darf auch hin«, sagte Barry.

»Aber ich bin nicht der große Barry Trotter«, sagte Valumart.

»Ich auch nicht«, sagte Barry mit einem spöttischen Grinsen. »Das, was in den Büchern steht, ist größtenteils Schwachsinn. Das weißt du doch.«

»Mir warst du jedenfalls stets einen Schritt voraus«, erwiderte Valumart. Für einen Oberschurken war Lord Valumart eigentlich ein ziemlich netter Typ. »Apropos Bücher«, sagte Valumart. »Ich hab' einen Anschlag auf dich vor. Ich möchte, daß du noch eins schreibst.«

»Warum?« fragte Barry. »Laut meiner letzten Tantiemenabrechnung haben wir noch keine zwanzig Exemplare verkauft.« (Das Papier hatte es ihm persönlich gesagt. Sie wissen schon – die gute alte Zauberwelt.)

»Und das werden wir auch nie«, sagte Valumart. »Genau deshalb bitte ich dich ja darum. ValuBooks braucht bis Ende des Jahres noch ein paar massive Verluste, sonst kriegt mich das Finanzamt am Arsch. Dieses verdammte ›Ich lebe meine Zaubersprüche‹ wird den Verkäufern geradezu aus den Händen gerissen.«

»Stimmt«, meldete Hermeline sich zu Wort. »Als ich das letzte Mal bei Busendouble war, haben sich die Leute richtiggehend darum geprügelt.«

»Einem Schüler aus meiner Klasse haben sie in der Missethat'schen Buchhandlung die Nase gebrochen.«

Valumart gluckste. Er fand es stets amüsant, wenn andere sich wehtaten. »Wie auch immer, ich muß irgendwie Geld loswerden, und da bist du mir natürlich gleich eingefallen.«

»Dann muß ich wohl danke sagen«, erwiderte Barry. »Woran hast du denn gedacht? An noch eine Parodie?«

»Gott, nein«, sagte Valumart. »So viel Geld kann ich nun auch wieder nicht entbehren. Ein kleiner Aufreger dürfte genügen – vielleicht eine Autobiographie oder so was?«

Valumart tippte eine Packung Zigaretten auf die Armlehne seines Stuhls und nahm eine heraus. Er bot sie Nigel an, der ablehnte.

»Warum rauchen Sie?« fragte Hermeline. »Das ist furchtbar ungesund.«

»An irgendwas muß man sich ja festhalten, und wenn ich's nicht täte, was hätte ich davon? Ich müßte vierhundert Jahre lang mit Muddeln zusammenleben«, sagte der Doofe Lord. Er zog seine OP-Maske herunter und zündete sich die Fluppe an. »Wie wär's mit einer Art Lebensbeichte, in der du rückhaltlos enthüllst, wie alles wirklich war?«

»Wie rückhaltlos?« fragte Hermeline mit einem Hauch von Besorgnis in der Stimme.

»Keine Angst, Hermeline, nicht *so* rückhaltlos«, sagte Valumart lächelnd. Seine Spitzel hatten ihm einmal eine einzeilig getippte Liste von Hermelines Schulschwärmen, Flirts, Liebeleien und Affären gegeben. Sie wog fünf Kilo.

»Ach, ich glaube nicht, daß sich irgend jemand dafür interessiert …«, begann Barry.

»Eben«, sagte Valumart, schüttelte sein Streichholz aus und warf es ins Gras. Da es verzaubert war, brannte es weiter. Doch das fiel nur Nigel auf, und den Rest des Abends kämpfte er allein gegen die Flamme – mit Spucke.

»Okay«, sagte Barry. »Ich werd' versuchen, mir was einfallen zu lassen.«

»Großartig«, sagte Valumart. »Tu das. Ich bin sicher, es wird der Ladenhüter des Jahrhunderts.«

Etwas erregte Hermelines Aufmerksamkeit. »He! Paß auf!«

Ein Klumpen Metall fiel vom Himmel und traf Barry mitten auf die Stirn.

»Au!« sagte Barry und hielt sich die Birne. Nigel hatte sich Fiona geschnappt und war unter seinen Stuhl gekrochen.

»Alles in Ordnung, Barry?« fragte Hermeline.

»Das sind diese verdammten Außerirdischen«, sagte Valumart. »Die haben's echt auf dich abgesehen.«

Barry rieb sich die Stelle – die bereits anzuschwellen begann – und drehte das Metallstück um. »Gib mir mal das Streichholz, Nigel«, sagte er. Barry musterte den Klumpen im flackernden Licht und las vor, was darin – in makelloser Schreibschrift – eingraviert war: »Wish you were here.«

Mit lautem Zischen traf ihn ein weiterer Metallklumpen, diesmal auf den Hintern, mit einer ebenso gespenstischen Zielsicherheit wie der erste. »Au! *Alpo!*« fluchte Barry. (Der Kinder wegen waren er und Hermeline übereingekommen, das Wort mit »S« stets durch den Namen ihres ehemaligen Schuldirektors zu ersetzen.) Er zog sofort seinen Zauberstab, zielte damit in die Richtung, aus der die Attacke kam, und brüllte: »*Aveda Neutrogena!*« Der berüchtigte Tod-durch-Feuchtigkeitscreme-Fluch spritzte hinaus in den pechschwarzen Himmel. Die Aliens waren jedoch zu weit weg, und für den Rest der Nacht regnete der Fluch in Form klebriger grüner Klumpen auf den gesamten Garten nieder.

Barry, dessen Rachedurst halbwegs gestillt war, betrachtete das neue Wurfgeschoß, auf dem nur ein einziges Wort zu lesen war.

»*Psyche!*«

Kapitel zwei
DIE SOKO MAGIE

Am nächsten Tag hatte Barry immer noch eine ziemliche Beule auf der Stirn. Er versuchte seine Haare darüberzukämmen, aber sie waren einfach zu schütter.

»Du siehst aus wie ein Belugawal«, sagte Hermeline.

»Das hilft mir auch nicht weiter«, stöhnte Barry genervt, während er mit Nigel aus der Haustür trat. Sie gingen zu einer speziellen VIP-Führung durch die SOKO Magie, das geheime Muddeldezernat, das versuchte, die Auswirkungen der Zauber- auf die Nichtzauberwelt zu minimieren. Auf die gleiche Weise verdiente Barry sein Geld, nur auf der anderen Seite. Nicht lange, nachdem er seinen Job angetreten hatte, hatte er einen Anruf von einem Mr. Nicholas Henratty bekommen, der ihn einlud, ihn einmal zu besuchen und sich anzusehen, wie »wir Muddel das Magieproblem anpacken«. Barry hatte eine Weile gebraucht, um sich in seinem Job zu akklimatisieren – Papierkram erledigen war eben etwas anderes als Quaddatsch spielen –, aber ein paar Monate später rief er Henratty zurück, um ihn beim Wort zu nehmen.

»Darf ich meinen Sohn mitbringen?« hatte Barry gefragt. »Ich weiß, bei Ihnen ist alles höchst geheim und so, aber er liebt Muddel.«

»Wie heißt er?« fragte Henratty. Er klang ziemlich fähig,

wie einer dieser tatkräftigen Beamten, die in der Lage sind, ihre Briefe notfalls auch mal selber zu tippen. Barry dagegen kämpfte immer noch mit den Feinheiten der Feststelltaste.

»Nigel«, sagte Barry.

»Nur wenn Nigel verspricht, alles, was er sieht, seinen Zaubererfreunden zu erzählen«, erwiderte Henratty. »Je mehr Zauberer wissen, was sie mit ihrer Zauberei alles anrichten, desto einfacher wird es für alle. Vor allem kommt es darauf an, die jungen Zauberer zu erreichen, bevor sie mit dem Zaubern beginnen. Wir müssen ihnen beibringen, daß kein Zauber ohne Folgen bleibt.«

»O ja, da haben Sie vollkommen recht.« Barry hatte plötzlich ein schlechtes Gewissen wegen all des Durcheinanders, das er in seinem Leben zweifelsohne schon verursacht hatte, und er verspürte den Wunsch, alles wiedergutzumachen. Doch gleich darauf bekam er ebenso große Lust auf das, was gerade in der Teeküche brutzelte. (Manchmal ist eine extrem kurze Aufmerksamkeitsspanne ein wahrer Segen). »Mittwochmorgen dann. Wir freuen uns.«

Ein Hexengebräu aus schwerer Schufterei, hartnäckigen Lügen und der Unaufmerksamkeit der Muddel hatte dafür gesorgt, daß die Zauberwelt jahrhundertelang geheim geblieben war – bis eine Muddeljournalistin namens J. G. Rollins einen verpickelten, unbeherrschten jungen Zauberer, der gerade die hormonellen Wirren der Pubertät durchlebte, für Millionen von Menschen zum Idol machte. Über Nacht wurde Barry Trotter zu einer internationalen Berühmtheit und einer Gefahr für Hotelzimmer in aller Welt. Und ebenso plötzlich wurden sämtliche Aspekte der Zauberwelt ans Licht der Öffentlichkeit gezerrt.

Immer wenn es so aussah, als würden die Wogen sich wieder glätten, und Menschen wie Dicky Dimsley oder Drafi Malfies sich wieder in Restaurants wagen konnten, ohne sich buttermesserschwenkender präpubertärer Fans erwehren zu müssen, kam ein neues Buch heraus, und eine weitere Welle der Trotter-Manie überrollte die Welt. Die unvermeidliche Flottille von Filmen machte Barry derart berühmt, daß er in einem denkwürdigen Monat einen Oscar sowie einen Grammy bekam und außerdem auserwählt wurde, als Power-Forward am NBA-All-Star-Game (was auch immer das sein mochte) teilzunehmen.

Der Erfolg war unbarmherzig, und er veränderte die Dinge für immer. J. G. wurde vom namenlosen Zauberergroupie, das beim Kongreß der Doofen Magier in Davos hinausgeworfen wurde, zu einer Frau, die um einen ganzen Sack voll Nullen reicher geworden war. Barry dagegen kam eher zu Ruhm denn zu Geld. Doch die großzügige J. G. sorgte dafür, daß ihm und seiner Frau niemals der Kesselreiniger ausging.

An diesen Verhältnissen war Barry zwar nicht ganz unschuldig, doch auch sein Kumpel Lord Valumart hatte einiges dazu beigetragen. Während Barrys gesamter grotesk langer Schulzeit hatte Der-der-stinkt versucht, den Jungen kaltzumachen – mit einer solchen Beharrlichkeit, daß Direktor Bumblemore sich schließlich weigerte, Mordversuche als Entschuldigung für die verspätete Abgabe von Hausarbeiten zu akzeptieren. Valumart trachtete Barry nur der Vollständigkeit halber nach dem Leben. Im Dezember 1980 hatte er Barrys Eltern getötet. Natürlich hatten ihn Schuldgefühle gequält, nachdem seine Privat-Concorde hoch über dem Rendlesham Forest mit dem verwunschenen VW-Bus der Trotters zusammengestoßen war. Aber dafür konnte er nichts, die psychedelische Bemalung des Busses machte diesen auf dem Radarschirm praktisch unsichtbar – so hieß es jedenfalls im Untersuchungsbericht. Trotzdem – als Priapus und Lunenestra Trotter* aus dem Weg geräumt waren, dachte Valumart, es sei für alle Beteiligten das beste, reinen Tisch zu machen, und seine Anwälte waren der gleichen Meinung: Ohne lästige Angehörige konnte es keinen Rechtsstreit geben.

Doch Barry erwies sich als zäh und verschlagen. Er offenbarte eine besondere Begabung für den uralten »Wie du mir, so ich dir«-Zauber. Schließlich wurde Valumart klar, daß es durchaus Vorteile hatte, den Jungen am Leben zu lassen. Nach dem gigantischen Erfolg des Films *Barry Trotter und der unvermeidliche Versuch abzusahnen* änderten Lord Valumart und seine Spießgesellen, die Dreckfresser, ihre Taktik. Sie hatten erkannt, daß sich mit dem Verkauf von Zauberutensilien an Muddel eine Menge Kohle verdienen ließ. Und so begannen sie, den nicht zauberkundigen Teil der Welt nach Strich und Faden auszunehmen.

Bei seinen früheren Untaten – Muzak, Kreditkarten, sogar dem Shock-Rock von Valid Tumor Alarm – war Valumart stets inkognito geblieben. Nun trug er seine Zauberkräfte hemmungslos zu Markte. Er wurde, um es mit der *Financial*

* Lily und James Trotter hatten sich diese albernen Namen – für sie der Gipfel der Coolness – zugelegt, um ihren Familien, die ihrer Verbindung ablehnend gegenüberstanden, zu beweisen, daß sie verantwortungsbewußte Erwachsene und reif für die Ehe waren. Leider führte das nur dazu, daß sie fortan durch das Rauschgiftdezernat der lokalen Polizei überwacht wurden. (1977 wurde Barrys Vater wegen Besitzes einer über den Eigenbedarf hinausgehenden Menge von Myrrhe festgenommen.) Bis zu ihrem Tod blieben sie treudoofe Anhänger der Patschuli- und Anti-Deodorant-Bewegung. Kennengelernt hatten sie sich 1974 bei einem Seals-and-Crofts-Konzert, auf dem Priapus versuchte, »Original Achtspurbänder von der Beatles-Reunion« zu verhökern.

Times zu sagen, der »Placebo-König der Welt«, der jederzeit gern mit irgendeinem komplett wirkungslosen Gebräu zur Hand war, das die Muddel gierig in sich hineinstürzten. Als zwölf von ihnen an einem seiner Zauber-Habanero-Klistiere starben, zeigte Valumart sich uneinsichtig: »Zauberprodukte können nur dem Schaden zufügen, der es verdient … Es liegt in ihrer Natur, daß sie durch die Muddelwissenschaft nicht zu erfassen sind. Man kann sie ebensowenig auf Bekömmlichkeit testen, wie ein Flugzeugmechaniker eine Inspektion bei einem fliegenden Teppich durchführen kann.«

Trotz alledem wurden Hexen und Zauberer dazu ermutigt, ihren Muddelfreunden und -nachbarn gegenüber ein »Coming Out« zu wagen, und die meisten von ihnen folgten dieser Empfehlung – mit dem Resultat, daß ihre Kleidung und ihr Verhalten immer konventioneller wurden. Vielleicht wollten sie sich die Muddel unterwerfen, indem sie sie zu Tode langweilten, aber der wahre Grund war wohl, daß es längst nicht soviel Spaß macht, sich verrückt anzuziehen und aufzuführen, wenn alle das tun. Wenn ganz normale Leute Dinge verhexen, herbeizaubern und levitieren, mit Tieren sprechen, in die Zukunft schauen, sich von hier nach da teleportieren oder sogar Laserstrahlen aus ihren Augen schießen lassen konnten (nach ein paar sorgfältig gewählten lateinischen oder jiddischen Worten, versteht sich), so der Gedanke, dann waren Zauberer und Hexen ganz normale Leute.

Die zwei Welten waren also zu einer geworden. Das alte Zauberallerleiministerium wurde nicht mehr gebraucht – nach dem Wirbel um Barry Trotter war der Versuch, die Welt der Magie vor den Muddeln geheimzuhalten, etwa so aussichtsreich wie der, den Atlantik mit einem Pappbecher leerzuschöpfen. Das Ministerium löste sich still und leise auf, und die wenigen Mitarbeiter, die blieben, wandten sich der Werbung zu, der Magie der Muddel. Integration lautete die Parole, und auch wenn nicht jeder Zauberer damit einverstanden war, konnte doch auch niemand mit einer Alternative aufwarten.

Zu der Handvoll Menschen, die dafür bezahlt wurden, die Assimilation zu fördern, gehörte auch unser gemeinsamer Freund, der berühmteste Zauberer der Welt, Barry Trotter. Jeder, der den echten Barry – und nicht nur J. G. Rollins' sehr viel sympathischere Schöpfung – kannte, wäre darüber entsetzt gewesen. Selbst mit achtunddreißig Jahren benahm sich Barry noch äußerst unreif. Die kurzen Phasen, in denen er sich vernünftig verhielt, waren die Ausnahme und nicht die Regel. Seine Neigung zu Habgier, Gefräßigkeit, Apathie und mangelnder Hygiene hatte sich zwar mit zunehmendem Alter etwas gelegt, doch das lag eher daran, daß ihm zunehmend die Energie fehlte, und nicht an einer charakterlichen Reifung. Nicht daß Barry ein schlechter Mensch war – er war stets bereit, einem eine erfundene Geschichte zu erzählen, einen schlechten Rat zu erteilen oder in etwas hineinzupfuschen. Er war wie eine Kanone, die sehr leicht losging. Eine sehr, sehr große Kanone mit Nuklearsprengköpfen, die auf dichtbesiedelte Gebiete feuerte. Zur Abendbrotzeit. Mit anderen Worten: ein Typ, den man auf keinen Fall mit den heiklen Beziehungen zwischen Muddeln und Zauberern betrauen möchte.

Denn trotz des guten Willens, der bei Muddeln und Zauberern durchaus vorhanden war – sie waren einfach zu verschieden. Ein Dickicht unausgesprochener Ängste stand zwischen ihnen: Die Mächtigen unter den Muddeln fürchteten die Macht der Zauberer, und die Zauberer lebten in Angst vor dem Pöbel. Leute wie Barry und Henratty taten alles, was in ihrer Macht stand, um dieses empfindliche System in der Balance zu halten, denn die Alternative war – nun ja, daran wollte lieber niemand denken.

Am Morgen ihres Ausflugs zur SOKO Magie war Nigel so aufgeregt, wie Barry ihn noch nie erlebt hatte. Er beschwerte sich nicht mal, als Fiona ihn wie üblich von oben bis unten mit Haferbrei bespritzte (sein Schulranzen starrte buchstäblich von dem Zeug).

Nigel war sogar bereit, mit dem Magischen Bus zu fahren. Dabei benutzte er nur höchst ungern magische Verkehrsmittel. Sie machten ihn nervös.

»Das verstehe ich nicht«, sagte Barry auf der Fahrt ins Londoner Stadtzentrum. »Ein Ford Ganglia ist doch viel gefährlicher.«

»Klar, wenn *du* fährst, schon«, sagte Nigel, ohne von seinem Comic-Heft aufzusehen.

»Früher oder später mußt du deine Phobien ja doch überwinden«, sagte Barry während der Fahrt.

»Ich weiß.« Nigel kratzte mit dem Daumennagel an einem Spritzer getrockneten Haferbreis.

»Das spielt sich alles bloß in deinem Kopf ab«, sagte Barry. Neben ihm spuckte der Geist von Keith Moon Champagner auf vorbeifahrende Autos.

»Und was ist mit diesen wissenschaftlichen Studien, denen zufolge Zaubern unfruchtbar macht?« fragte Nigel.

»Sehe ich so aus, als wäre ich unfruchtbar?« konterte Barry.

»Weiß nicht, ich hab' nie so genau hingeschaut«, sagte Nigel.

»Ich traue den sogenannten Wissenschaften der Muddel

nicht. Wenn mir allerdings ein renommierter Zauberer sagen würde: ›Paß auf, daß du deinen Zauberstab nicht zu dicht an dem Zauberstab in deiner Hose verstaust‹, dann würde ich mal drüber nachdenken.«

»Dann eben verrückt. Du kannst nicht leugnen, dass Magie einen verrückt macht«, sagte Nigel. »Guck dir Alpo an.«[*]

»Ein schlechtes Beispiel beweist noch gar nichts«, erwiderte Barry.

»Du, Mum, Onkel Serious, die Measlys – ihr Stöckchenschwinger habt doch 'ne Schraube locker.«

»Stöckchenschwinger ist ein häßliches Wort. Wie würde es dir gefallen, wenn ich einen deiner Muddelkumpel als Schmuddel bezeichnen würde?«

»Jedenfalls habt ihr alle 'nen Knall.«

Der präpubertären Entschiedenheit seines Sohnes hatte Barry nichts entgegenzusetzen, daher wechselte er das Thema. »Kann schon sein, aber früher oder später wirst du zaubern müssen.« Nigel reagierte nicht. Er war in eine Anzeige für verzauberte Spielzeugsoldaten vertieft. Die ungefähr fünftausend Mann schrien und kackten sich in die Hose.

---

[*] Nachdem er als Schulleiter von Hogwash abgelöst worden war, startete Alpo Bumblemore eine zweite Karriere auf Valumarts neuem Magie-Kabelkanal. Der »Kochduell«-ähnliche Alchemiewettbewerb, den Alpo moderierte, wurde jedoch nach nur drei unsehbaren Folgen wieder abgesetzt (»Neuer Zoff um den Kochtopf-Prof«, lästerte der *Schmirror*). Danach trat er in einer Reihe von Talkshows auf, aber auch diese Phase fand ein böses Ende. Bei einer Show zum Thema »Zauberer – die neuen Amish People?« warf der betrunkene Bumblemore einem anderen Gast, dem Zauberer Gandolt, mangelnde Prinzipienfestigkeit vor, weil dieser mit Led Zeppelin auf Tour gegangen war. Im Gegenzug beschuldigte Gandolt Bumblemore, er habe seinen »Look geklaut«, und die beiden kippten den Tisch um und begannen vor dem johlenden Studiopublikum miteinander zu raufen. Bumblemore unterlag. Gedemütigt verschwand er von der Bildfläche. Niemand wußte, wo er sich aufhielt, das Ministerium führte ihn als »vermißt (Achtung: Nervensäge)«.

Als sie bei der Londoner Adresse ankamen, die Henratty ihnen genannt hatte, sahen sie dort nichts als einen kleinen, gut gepflegten Rasen mit einem großen Baum darauf. Barry stieg über den niedrigen Eisenzaun und ging auf den Baum zu.

»Dad, auf dem Schild steht ›Rasen betreten verboten‹«, sagte Nigel mit einem ängstlichen Blick auf einen sich nähernden Polizisten.

»Das gilt nur für Hunde«, sagte Barry.

Diverse gebührenpflichtige Verwarnungen mit einer Gesamtsumme von fast 1000 Pfund später – Kriminalmeister Kyriakou übernahm, nachdem Hauptwachtmeister Cootes' Hand bei der Ausfertigung der vierzehnten Vorladung ermüdet war* – zog Barry schließlich auf die richtige Weise am richtigen Ast, und eine verborgene Tür glitt auf. »Komm mit«, sagte er, und dann stieg er mit Nigel eine Treppe zum Empfang hinab.

»Wir möchten zu Mr. Henratty«, sagte Barry.

»Bitte nehmen Sie Platz«, sagte die Rezeptionistin. »Ich sage ihm Bescheid, daß Sie da sind.«

Mr. Henratty war ein zerknitterter, gestreßt wirkender, leicht korpulenter Mann, jemand, den sein Job so sehr in Anspruch nahm, daß die Pflege des äußeren Erscheinungsbilds ein wenig zu kurz kam. Zum Beispiel rasierte er sich den Kopf, um keine Zeit fürs Haareschneiden zu ver-

---

* Das kam so: Barry betrat den Rasen, und die Bullen verwarnten ihn. Er wartete, bis er glaubte, sie würden nicht mehr hingucken, und versuchte es erneut. Sie schnappten ihn wieder. Er ließ sie durch Nigel ablenken. Sie schnappten ihn wieder. Er versuchte sich im Gebüsch zu verstecken. Sie schnappten ihn wieder. Er versuchte, so schnell er konnte, über den Rasen zu rennen … Na ja, und so weiter. Und nach alledem änderte Barry einfach mit einem Zauberspruch das Datum auf das Jahr 3017.

schwenden. Er besaß sieben identische Anzüge – für jeden Wochentag einen –, und beim Sprechen versuchte er so viele Kurzworte wie möglich zu verwenden. Bei all den Zauberern, die in einer Tour vor sich hin hexten, gab es viel zu tun, und die Zeit war stets knapp. Doch obwohl ihn der Job so sehr schaffte, hatte er sich ein inneres Strahlen bewahrt. Sein Gesicht hatte einen heiteren Ausdruck, besonders um den Mund, dessen Winkel stets nach oben zeigten, was ihm ein unablässig amüsiertes Aussehen verlieh. Nigel faßte gleich Zutrauen zu ihm – sie waren ungefähr gleich groß. Barry mochte ihn, weil er seine Vollglatze unter einem lächerlichen braunen Lockentoupet versteckte. Barry fühlte sich stets zu Menschen hingezogen, die sich ebenso offensichtlich etwas vormachten wie er selbst – und der Umstand, daß sein Schopf verglichen mit Henrattys geradezu ein Woodstock von Follikeln war, trug das seinige dazu bei.

»Freut mich, Sie beide kennenzulernen«, sagte Henratty und streckte seine tonerverschmierte Hand aus. »Kopierer kaputt«, sagte er, und dann zu Nigel: »Möchtest du eine Cola?«

»Ja!« sagte Nigel, froh, daß ihm ein Getränk angeboten wurde, dem nicht irgendein Zusatz zur Stärkung der Zauberkraft beigemischt worden war. Alles, was seine Mutter ihm zu trinken gab, schmeckte nach Weihrauch.

Das erste, was ihnen beim Betreten von Henrattys Büro ins Auge fiel, waren die Unmengen von Papier: Memoranden, Briefe, Fotokopien, Aufträge, Rapporte, Lageberichte – und hier und da sogar die Speisekarte eines Lieferservice. Der Schreibtisch verschwand unter riesigen Zettelhaufen, die immer wieder zu Boden rutschten, wo sie sich mit weiteren Haufen vermischten. Papierstapel, so hoch wie Barry lang war, lagen in jeder Ecke. Von der Tür zum Schreibtisch war eine Schneise geschlagen worden, aber sie war ständig in Gefahr, wieder verschüttet zu werden. Papier hing an Anschlagtafeln und quoll aus ächzenden Aktenschränken. Gelegentlich flatterte ein Blatt von einem Stapel herunter und wurde von einer leichten Brise aus der Klimaanlage durch die Luft gewirbelt. Der ganze Raum wirkte wie feindliches Territorium – das Papier gestattete ihnen, sich dort aufzuhalten, und es bestand kein Zweifel, daß es sie, wenn es ihm gefiel, jederzeit wieder hinauswerfen oder zu Brei quetschen konnte.

»Entschuldigen Sie die Unordnung«, sagte Henratty. »Die Arbeit hält mich ziemlich auf Trab. Ich glaube, da drüben sind zwei Stühle.« Der Mann deutete auf eine Ecke. »Graben Sie sie einfach aus.«

Memos! Rechnungen! Hauspost! Nigel hatte schon alles über diese Muddelparaphernalien gelesen, aber noch nie irgend etwas davon zu Gesicht bekommen. Er war hingerissen. Barry hingegen langweilte sich. Die Menschen auf den Familienfotos auf Henrattys Schreibtisch bewegten sich nicht, die Post-it-Zettel fluchten nicht, der Hefter heftete nicht sechsdimensional – wie um alles in der Welt hielt er das nur aus?

Nachdem sie Platz genommen hatten, fragte Henratty: »Barry, was wissen Sie über die Welt der Muddel?«

»Eine ganze Menge«, sagte Barry. »Ich bin dort aufgewachsen, bis ich so alt war wie Nigel.«

»Und dann sind Sie Zauberer geworden, nehme ich an?« fragte Henratty.

»Genau.«

»Wie alt sind Sie jetzt, Barry?«

»Seit gestern achtunddreißig.« Neben ihm schlürfte Nigel durch einen Strohhalm seinen Drink: den guten alten Maissirup mit hohem Fructose-Anteil, Karamelfarbstoff und Kohlensäurezusatz – Glückseligkeit pur.

»Na, herzlichen Glückwunsch. Unseren Statistiken zufolge haben Sie im Laufe der letzten siebenundzwanzig Jahre vierundfünfzigtausend Anrufe wegen Ladendiebstahls, Verlustmeldungen im Wert von über sechs Milliarden Pfund und mindestens zwanzig Einlieferungen in die Klapsmühle verursacht.«

»Wer, ich?« fragte Barry lächelnd.

»Das sind nur Durchschnittswerte. Und ich denke, es ist ziemlich klar, daß Sie alles andere als ein Durchschnittszauberer sind.«

»Ich kann Ihnen nicht folgen«, sagte Barry.

»Das geht den meisten Zauberern so«, erwiderte Henratty. »Sie können nichts dafür – schuld daran ist das antiquierte Schulsystem. Hogwash war auf dem richtigen Weg, aber jetzt besteht es doch wieder nur aus Geistern und Geheimgängen.«[*]

Barry war ein bißchen angesäuert. »Aber so ist es immer gewesen. Und so gefällt es uns.« Er zögerte. »Diese moderne Schule war so – kalt.«

---

[*] Nachdem die übermotivierten Special-Effects-Leute von Wagner Bros. Hogwash in Schutt und Asche gelegt hatten, war die Schule als noble, hochmoderne, architektonisch gnadenlos geradlinige Anlage wieder aufgebaut worden. Aber bald nach der Einweihung stellte man fest, daß der gesamte Bau sich veränderte und sich zu dem alten Haufen verwitterten, durch kalte Luftzüge zusammengehaltenen Granits zurückentwickelte, der er jahrhundertelang gewesen war. Es gab einen kleinen Skandal – Barry verdächtigte natürlich Snipe –, aber bald fand ein Team magischer Bauprüfer die Ursache heraus: Als Hogwash vor einem Jahrtausend errichtet worden war, hatten seine vier Gründer Martyria Muffelpuff, Godawfle Grittyfloor, Rotunda Radishgnaw und Spartan Silverfish das Gelände mit einem mächtigen Fluch belegt. Was auch immer an diesem Ort errichtet wurde, würde verfallen aussehen.

»Aber eine Zentralheizung ist doch bestimmt besser, als überall, wo man geht und steht, ein Feuer herbeizaubern zu müssen?« fragte Henratty milde.

»Ich meinte ›unpersönlich‹. Mr. Henratty, wenn wir Zauberer gern altmodisch sind, wenn wir die Dinge auf unsere Art tun möchten, dann ist das unsere Sache.«

»Leider nicht«, sagte Henratty. »Ich will ja nicht unhöflich sein. Mir ist klar, daß man Ihrem Volk nicht mit Logik beikommen kann. Aber es ist doch ganz einfach: Alles kommt irgendwoher. Wenn Sie einen Hamburger herbeizaubern, kommt er vom Teller eines Muddel.«

Barry war sprachlos. Darüber hatte er tatsächlich noch nie nachgedacht.

»In dem Fall ist das kein Problem – der Gast bekommt einfach einen neuen ›auf Kosten des Hauses‹. Aber wenn Sie zum Beispiel ein Auto herbeizaubern, dann sind die Folgen etwas ernster.«

»Sie meinen, jedesmal, wenn ich ein Auto herbeizaubere, verschwindet der Wagen irgendeines Muddel?« fragte Barry.

»Ja. Meistens meldet er ihn als gestohlen und bekommt

Es war ihnen sogar gelungen, das Gebäude baufällig wirken zu lassen, was bei Granit nicht ganz einfach ist. »Es gibt keinen Hinweis darauf, was sie dazu veranlaßt hat«, stand in dem Bericht, »aber wir vermuten, sie wollten damit erreichen, daß keines der vier Häuser jemals besser als die anderen wird. Jedenfalls läßt sich der Fluch nicht wieder aufheben.« Und so lösten sich die Computer und die Glasfaserkabel nach und nach in Luft auf, und die energiesparenden High-Tech-Fenster verwandelten sich wieder in Schießscharten mit schlierigen Scheiben. Sogar der dicke Scotchgard-Teppichboden verschwand Stück für Stück, bis die Schüler wieder über kalten Steinboden schlurften. Doch wie die meisten Kopien hatte auch diese gewisse kleine Fehler. Erstens war sie spiegelverkehrt, und außerdem wollte der Grittyfloor-Turm partout kein neues Dach herausbilden.

ihn ersetzt. Aber womöglich denkt der Betroffene, er hätte lediglich vergessen, wo er ihn abgestellt hat. ›Was bist du bloß für ein Idiot? Man kann doch kein Auto verlieren!‹ wird seine Frau dann möglicherweise sagen. So etwas kann eine Ehe kaputtmachen. Selbst wenn der Muddel ein lockerer Typ ist und sich sagt: ›Ach, wie gewonnen, so zerronnen‹, lebt er jetzt in einer Welt, in der Autos sich einfach in Luft auflösen. Und es sind schon aus weit unerheblicheren Gründen Menschen verrückt geworden.«

Nigel hörte auf zu schlürfen. »Was passiert, wenn ein Zauberer jemandem während der Fahrt das Auto wegzaubert?«

»Das gibt einen schönen Matschfleck«, sagte Henratty.

Nigel lachte. »Au.« Ihm war Cola in die Nase gestiegen.

»Sie sehen also, welch ungeheurer Schaden den Menschen durch Ihre Zauberei entsteht«, sagte Henratty. »Wenn die breite Öffentlichkeit je dahinterkommen sollte, daß hinter all dem Chaos – von verlorenen Schlüsseln bis zum Zweiten Weltkrieg – die Zauberer stecken, würden sie Sie ohne jeden Skrupel einfach ausradieren.«

Barry fiel der Unterkiefer herunter. »Der Zweite Weltkrieg? Wie …?«

»Das ist eine lange Geschichte. Ich hätte da ein Buch, falls es Sie interessiert.« Er nahm aus einer ganzen Schublade voller Bücher eins heraus und gab es Barry: *Magie – Der stille Tod*.

»Aber es ist doch keine Absicht …«, sagte Barry. »Ich meine, wir haben ja keine Ahnung, was wir anrichten.«

»Und da kommt die SOKO Magie ins Spiel – damit auch sonst niemand davon erfährt«, sagte Henratty. »Wir versuchen die Wahrheit zu vertuschen, damit Sie und Ihresgleichen am Leben bleiben.«

Henratty machte eine rhetorische Pause und sagte dann: »Möchten Sie sich mal umsehen?«

»Ja, gern«, sagte Barry, der eine leichte Übelkeit verspürte.

»Kann ich das hier mitnehmen?« fragte Nigel.

»Klar«, sagte Henratty. »Hey, ist das ein Doctor-Whom-Anstecker auf deinem Ranzen?«

»Ja.«

»Den fand ich auch toll, als ich ein kleiner Junge war. Wie er in seiner transportablen Toilette durch die Zeit reiste …«

»Ich hab' eine kleine Nachbildung des K. L. O.* auf meinem Schreibtisch«, sagte Barry. Nigel warf ihm einen finsteren Blick zu – dieser Muddel war *sein* spezieller Doctor-Whom-Freund, nicht Dads. Immer mußte sein Vater ihm seine Freunde abspenstig machen.

Henratty eskortierte sie in einen großen Raum, in dem mindestens zwanzig Männer und Frauen in mit Stellwänden abgeteilten Kabinen arbeiteten. Unaufhörlich klingelten Telefone. Am anderen Ende des Raums hing eine Weltkarte, auf der kleine rote Hexenhüte blinkten.

»Das ist das Medienkontrollzentrum«, sagte Henratty. »Wir sichten alle Muddelnachrichtenkanäle der Welt nach Hinweisen auf magische Vorkommnisse. Dann setzen wir die passende Gegeninformation in Umlauf. Nehmen Sie zum Beispiel die Kornkreise.«

»Ich weiß, wer …« Barry wollte gerade sagen, daß er die beiden kannte, die sie erfunden hatten, Ferd und Jorge Measly, doch dann besann er sich eines Besseren.

»Außerirdische, ja? Zumindest glaubt das alle Welt, dank unserer Arbeit«, sagte Henratty. »Als ob Außerirdische ihre

---

* Kosmisches Levitations-Objekt

45

Zeit mit solchem Schwachsinn vergeuden würden … Immer wenn so ein Zaubertrottel beschließt, die U-Bahn sei nicht gut genug, und mitten über London ein Stück fliegenden Teppichboden entrollt, rufen wir sofort die Polizei an und behaupten, wir hätten einen Außerirdischen gesehen. Manchmal basteln wir sogar extra ein Video zusammen.«

»Also, was das angeht, haben wir vorgesorgt«, sagte Barry. »Dafür hat das Zauberallerleiministerium doch seinen Gedächtniszauber …«

Henratty lachte rauh auf. »Barry, haben Sie eine Ahnung, wie viele Muddel die Leute von Ihrem Ministerium in ihren komischen Klamotten herumlaufen und ihre Zauberstäbe schwenken sehen? Wir mußten die ganze ›Men in Black‹-Legende erfinden, um das zu kompensieren. Während Sie *einem* Muddel die Erinnerungen wegzaubern, haben zwanzig andere gesehen, wie Sie durch die Gegend schleichen und sich merkwürdig verhalten, zum Beispiel mit Kartoffeln sprechen und ähnliches.«

»Ach«, sagte Barry geknickt.

»Ich wüßte ehrlich gesagt nicht, was wir machen würden, wenn wir die legendären kleinen, grünen Männchen nicht hätten«, sagte Henratty.

»Aliens gibt's wirklich«, sagte Nigel. »Mein Dad hat welche gesehen.«

»Tatsächlich?« sagte Henratty. »Bist du sicher, daß dir niemand was in die Cola getan hat?«

»Ja«, sagte Nigel gekränkt. Rhetorische Fragen brachten ihn stets durcheinander.

»Er sagt die Wahrheit«, sagte Barry. »In unserer Nachbarschaft werden ständig Leute entführt.«

»Aha«, sagte Henratty. »An Ihrer Stelle würde ich nicht darauf warten.«

Nigel meldete sich zu Wort: »Warum mögen die Leute Aliens lieber als Zauberer? Ich meine, inwiefern sind die besser?«

»Genau wissen wir es nicht, aber hast du schon mal was von Alien-Verbrennungen gehört?«

»Nein«, sagte Nigel. Dann gab seine Cola den Geist auf. (Sie lebte als Rülpser weiter.) »Darf ich noch eine?«

»Na klar«, sagte Henratty. »Am Ende des Flurs steht der Mitarbeiterkühlschrank, da kannst du dir eine rausholen.«

Nigel rannte schon mal vor, plötzlich in irgendein imaginäres Spiel vertieft, das darin bestand, in einer Tour zu hüpfen und dabei halblaut vor sich hin zu quasseln. Barry drehte sich zu Henratty um und sagte: »Hexenverbrennungen können uns nichts anhaben, wissen Sie. Das hat man uns in Hogwash eingebleut.«

»Haben Sie schon mal jemanden getroffen, der eine überlebt hat?« Henratty lächelte. »Dachte ich's mir. Aber trotzdem wird's immer wieder herumerzählt. Nur von den Geisteskrankheiten erzählt man Ihnen nichts. Oder der Unfruchtbarkeit.« Die beiden Männer gingen weiter den Korridor entlang.

»Nun, wenn Ihr Job hier so wichtig ist, warum ist dieses Gebäude dann so – durchschnittlich?« fragte Barry. Es war weder mit gotischen Wasserspeiern noch mit Strebebögen geschmückt.

»Das ist noch freundlich ausgedrückt. Es ist ein Loch«, sagte Henratty und pikste in ein paar wasserfleckige Deckenplatten, woraufhin ein Krümelschauer auf sie niederging. »Aber dies ist die Muddelwelt – für uns gibt es keine Schlösser. Die wichtigsten Entscheidungen werden an den schäbigsten Orten gefällt. Manchmal wünschte ich, ich wäre ein Zauberer. Und offensichtlich bin ich da nicht der einzige – nehmen Sie nur all die Menschen, die Ihre Bücher gelesen haben.«

»Ich muß sagen, daß ich mir darauf nicht mehr soviel einbilde, seit ich Sie kenne«, sagte Barry.

Nigel kehrte mit einer weiteren Cola zurück. Der erste Zucker- und Koffeinschub überkam ihn, und er zitterte und schwitzte wie ein Junkie.

Sie kamen an einer weiteren Tür vorbei, auf der stand: »Ruhe bitte – Therapiesitzung.«

»Manchmal verlangt die Situation nach etwas persönlicher Zuwendung«, flüsterte Henratty. »Wir haben allein in diesem Gebäude fünfzig Therapieräume.«

»Darf ich an der Tür lauschen?« Barry war unheilbar neugierig.

»Na klar«, sagte Henratty.

»Auf Ihrer Pensionierungsfeier ist also plötzlich der Kuchen verschwunden«, vernahm Barry eine wohlklingende, geduldige Stimme. »Da haben Sie sich bestimmt ziemlich schlecht gefühlt.« Nein, das kann nicht sein, dachte Barry.

»Es hat irgendwas mit dem einunddreißigsten Juli zu tun«, sagte eine andere Stimme, den Tränen nahe. »Jedes Jahr am einunddreißigsten Juli kommen mir Sachen abhanden.« Doch, es kann, dachte Barry.

»Haben Sie was dagegen, wenn ich hineingehe und diesem Muddel etwas Geld gebe? Ich fürchte, meine Frau hat …«

»Bitte nicht«, sagte Henratty bestimmt. »Nach derart traumatischen Erfahrungen tatsächlich einem leibhaftigen Zauberer gegenüberzustehen – das könnte böse ausgehen. Womöglich dreht er durch.«

Ein Stück weiter kamen sie zu einem Raum, in dem Banker versuchten, die Auswirkungen von Schätzen auf die Finanzmärkte der Muddel zu bekämpfen. »Beim Tod nur eines Drachen überschwemmen Unmengen von Gold und Silber mit einem Schlag den Markt – zum Beispiel 1929, nachdem Bastinado der Skrupellose diesen alten Schwedischen Fleischklops erschlagen hat. Plötzlich waren Schätze aus zwölfhundert Jahren im Umlauf. Alles stand Kopf, die Börsenmakler stürzten sich reihenweise aus den Fenstern ...«

»Komisch, ich hab' immer geglaubt, Bastinado wäre ein Held«, sagte Barry.

Im nächsten Zimmer saßen kleine Kinder in Umhängen mit spitzen Hüten auf dem Kopf.

»Sind das Zauberer?« fragte Nigel.

»Dafür sind sie zu jung«, sagte Barry.

»Dein Dad hat recht, Nigel. Das sind Muddel, die Fans von J. G. Rollins' Büchern sind. Ihre Eltern haben sie hergebracht, damit wir sie überzeugen, daß sie nicht Barry oder Hermeline sind. Daher würde ich Sie bitten, von dem Fenster wegzugehen. Wenn sie den echten Barry sehen, könnten sie einen psychotischen Anfall erleiden.«

»Irre«, sagte Nigel.

»Es ist wirklich traurig. J. G. persönlich finanziert unsere Anstrengungen. Unsere Erfolgsquote beträgt etwa achtundneunzig Prozent.« Sie bogen rechts ab und landeten vor einer Tür mit der Aufschrift »Verdeckte Ermittlungen«.

»Hoppla, falsch abgebogen«, sagte Henratty.

»Bewahren Sie hier die Schußwaffen auf?« fragte Nigel.

Henratty zögerte kurz. »Ähm ... ja.«

Barry war entsetzt. »Wozu in aller Welt brauchen Sie Schußwaffen?«

»Kommen Sie hier entlang«, sagte Henratty. »Nicht alle Zauberer sind so vernünftig wie Sie, Barry«, sagte er und winkte einer hübschen Kollegin zu, die vorbeiging. »Sie ist ein Werschirm, bei Vollmond verwandelt sie sich in einen Regenschirm. Verrückt, was?« flüsterte er. »Auf ihrer Familie lastet ein Fluch. Sie ist ein bißchen launisch, aber unglaublich, äh … nützlich.« Henratty schaute ihr sehnsüchtig hinterher. »Wo war ich stehengeblieben?«

»Sie sprachen davon, wie unvernünftig Zauberer sind«, sagte Barry, der sich fragte, wieviel von dem vorigen Absatz Nigel wohl begriffen hatte. Doch er brauchte sich keine Sorgen zu machen – offenbar ahmte der Junge gerade irgendwelche Karatebewegungen nach.

»Genau. Viele Zauberer sind nicht ganz dicht. Es gibt da eine Studie …«

»HA!« sagte Nigel. Henratty schaute sie fragend an.

»Genau darüber haben mein Sohn und ich auf dem Weg von Charlbury hierher gesprochen«, sagte Barry. »Ich habe ihm gesagt, daß ich das nicht glaube.«

»Das sollten Sie aber. Ein großer Teil der Zauberer, mit denen wir zu tun haben, sind gefährliche Irre. Manchmal, wenn ein griesgrämiger alter Taschenspieler sich partout nicht zur Vernunft bringen läßt, müssen wir ihn aus dem Verkehr ziehen – auch wenn das Zauberallerleiministerium das nicht gern sieht.«

»Sie geben ihm die Kugel?« schnaubte Barry. »Das glaube ich nicht.«

»Wir schießen mit Granaten«, sagte Henratty. »Jedesmal, wenn Sie etwas über ein ›Stadterneuerungsprojekt‹ lesen … Aber das ist nur der letzte Ausweg. Unsere Aufgabe hier bei der SOKO Magie ist es, Zauberern und Muddeln zu helfen, in Harmonie zu leben, und nicht, Leute wie Bumblemore in tausend Stücke zu sprengen.« Sie waren wieder in seinem Büro angelangt.

»Bumblemore ist doch nicht …?« Der ehemalige Schuldirektor wurde seit einer Weile vermißt.

»Über diese Person darf ich Ihnen keine Auskunft geben«, sagte Henratty bestimmt. »Das Zaubererschutzprogramm. Tut mir leid, daß ich davon angefangen habe – ich hätte ein anderes Beispiel wählen sollen.«

Nachdem sie sich wieder gesetzt hatten, sagte Henratty: »So. Haben Sie noch irgendwelche Fragen?«

»Darf ich …?« platzte Nigel heraus.

»Hol dir noch eine«, sagte Henratty. Er war froh, daß er nicht für die Zahnarztrechnungen des Jungen aufkommen mußte.

»Nein … Ich meine, das mache ich gern, aber ich wollte fragen, ob ich all meinen Freunden in der Schule davon erzählen darf?«

»Nigel fängt demnächst in Hogwash an«, sagte Barry.

Henratty lächelte. »Der große Moment. Ich wette, du bist ganz schön aufgeregt.«

»Eigentlich nicht«, sagte Nigel.

»Er ist ein bißchen nervös«, sagte Barry und wuschelte dem Jungen durch die Haare. Das haßte Nigel.

»Nun, ich kenne eine Menge Muddel, die nur allzugern mit dir tauschen würden, Nigel – praktisch jeder in diesem Haus. Wir alle arbeiten hier, weil wir Zauberer und Magie und das alles lieben – nur daß wir eben selbst nicht zaubern können. Ich kann noch nicht mal Ballontiere basteln!« sagte Henratty.

»Darf ich also? Es ihnen erzählen?«

»Du würdest uns damit sogar helfen«, lächelte Henratty. »Deine Generation ist es, die wir erreichen müssen. Je mehr junge Zauberer es gibt, die Safer Magic praktizieren, um so weniger Probleme bekommen wir in der Zukunft. Laß den Zauberstab im Zweifelsfall lieber stecken, Nigel.«

Sie lachten. Nachdem Nigel noch eine Cola und eine Anstecknadel mit der Aufschrift »Safe ist super« bekommen hatte, verließen Vater und Sohn das Gebäude.

»Setz deine Nasenbrille auf«, sagte Barry und reichte seinem Sohn eine alberne Faschingsmaske. »Wir wollen schließlich nicht, daß sich die Paparazzi auf uns stürzen.« Weit und breit war niemand zu sehen.

»Laß uns mit der U-Bahn fahren, Dad«, sagte Nigel.

»Muß das sein?« fragte Barry. Er haßte die U-Bahn der Zauberer und Hexen. Sie war magisch mit allen anderen U-Bahn-Netzen der Welt verbunden. Das hatte durchaus seinen Reiz, bis man mal an der falschen Haltestelle ausstieg und sich in São Paulo wiederfand. Wie verdammt skurril, hatte Barry das letzte Mal, als ihm das passiert war, verärgert gedacht. »Was die Zauberwelt gebrauchen könnte«, pflegte er zu sagen, »wäre etwas weniger Skurrilität und ein bißchen mehr Mundwasser.« Seine Auseinandersetzungen mit dem Amt für Skurrilität waren nicht mehr zu zählen.

»Aber nur auf Muddelebene«, sagte Barry. Auf die Zaubererebene gelangte man durch einen Stromkasten am Ende des Muddelbahnsteigs. Auf diese Weise konnten Zauberer aus der Dunkelheit des Tunnels auftauchen, ohne Verdacht zu erregen. Sie kleideten sich ohnehin wie Obdachlose.

Als sie in der U-Bahn saßen, schaute Barry sich um und sagte zu seinem Sohn: »Ich glaube, der Mann ist ein Animagi.«

»Jetzt komm aber, Dad«, sagte Nigel.

»Nein, denk doch mal nach: Henratty – Henne plus Ratte. Was ergibt das?«

»Bei Kentucky Fried Chicken Ärger mit dem Gesundheitsamt«, sagte Nigel lachend.

»Lach du nur«, sagte Barry. Mußte er sich von seinem eigenen Sohn verspotten lassen? »Außerdem ist allgemein bekannt, dass die meisten Animagi Arschlöcher sind. Der Plural von Anus ist Ani. Ani plus magi ergibt ›Zauberer, die Ärsche sind‹. Das ist Latein, das lernst du noch in der Schule.«

»Ich fand ihn sehr nett«, sagte Nigel.

»Er hat dich ja auch mit Koffein bestochen«, erwiderte Barry. »Steh auf, zur Pinkelgasse müssen wir hier aussteigen.«

Kapitel drei

DAS OBLIGATORISCHE BAHNSTEIGKAPITEL

Eines schönen Septembermorgens ungefähr drei Wochen später schoben zwei körperlose Arme einen mit Habseligkeiten beladenen Gepäckwagen über den berühmten Bahnsteig 3,14*.

Müll – berauschende Schriftrollen für den Einmalgebrauch, Chipstüten, Nieten vom Elfen-Toto – türmte sich vor den Rädern auf. Hin und wieder hielt der Wagen an, und die Arme verschwanden. Dann tauchte ein körperloser Turnschuh auf und versuchte den Müll aus dem Weg zu kicken. Eine magere Ratte huschte zwischen den Gleisen umher. »Wie kann man nur seinen Hausgeist aussetzen?« murmelte Nigel. Mehr oder weniger unter dem Tarncape seines Vaters verborgen, tätschelte er den Oktopus, der in einer mit Salzwasser gefüllten Tüte an seiner Taille hing. Sein Hausgeist, Chesterfield, antwortete mit einem gutgelaunten Plätschern.

Eins von Peter Potts Spezialkondomen jeder Geschmacksrichtung – »Nur zu Amüsierzwecken« – hatte sich um das rechte Vorderrad gewickelt. *Das* würde Nigel um keinen Preis berühren, noch nicht mal mit dem Fuß. Er stieß den Wagen mit aller Kraft vorwärts, und das Gummi riß.

* ... 15926535...

55

Nicht sehr strapazierfähig, aber zum Glück gab es für so etwas ja Zaubersprüche. Nicht daß Nigel welche kannte – jedesmal, wenn Hermeline Barry so lange nervte, bis er einen weiteren Aufklärungsversuch unternahm, war er schwer entsetzt, was sein Sohn schon alles durch Valumarts Zauberer-Kabelkanal ValuVision gelernt hatte.

»Das ist bloß gesunde Neugier«, sagte Nigels Mutter.

»Die hat er offensichtlich von seiner Mutter«, erwiderte Barry. »Erstaunlich, daß er keine Haare auf den Augäpfeln hat.«

Hermeline hatte einen ätzenden Gegenangriff gestartet, der vor allem auf Barrys bewegte sexuelle Vergangenheit abzielte. Mehrere höchst unerfreuliche Minuten später war sie erst halb mit dem Anfangsbuchstaben B durch, als Nigel entnervt von seinem Buch aufschaute und sagte: »Hallo? Ich bin auch noch da.«

»Tut mir leid, Nigel«, sagte Hermeline.

»Ja, entschuldige«, sagte Barry.

»Wußtet ihr, daß Oktopusse so intelligent sind wie Hauskatzen?« Nigel haßte es, wenn seine Eltern über das Leben sprachen, das sie vor ihrer Ehe geführt hatten. Irgendwie wurde ihm dabei ganz anders. Nigel bestand darauf, daß seine Mutter ihm das Gedächtnis verhexte, damit er nicht daran denken mußte, wie seine Eltern es miteinander trieben.

Auf dem Bahnsteig wirbelte der Wind ein Poster von einer Nyade mit unglaublicher Oberweite hoch. Trotz seiner Berühmtheit war der Bahnsteig 3,14 total verdreckt, seit das Zauberallerleiministerium den Hogwash Express (mittlerweile in Hogwash Depress umbenannt) privatisiert hatte. Heutzutage war die Fahrt nach Hogwash eine Dantesche Prüfung aus Pannen und Verspätungen, astronomischen Preisen und nach Pisse mit einem Hauch Myrrhe stinkenden Toiletten – und stinklangweilig war sie obendrein. Der Zug fuhr nie pünktlich ab, aber das war den Trotters nur recht – Barry kam auch immer zu spät.

Hogwash war die berühmteste Zauberschule der Welt, und Nigel Trotter ihr berühmtester Neuzugang. Schließlich war er der Erstgeborene von Hermeline Cringer und Barry Trotter. Es würde nicht einfach sein, dem Ruf seiner Familie gerecht zu werden – schließlich kann ein einzelner Mensch in elf Jahren an einer weiterführenden Schule beträchtliches Unheil anrichten, besonders wenn er so außergewöhnliche Zauberkräfte besitzt wie Barry. Nigel hatte all die Geschichten gehört, und ihm lag rein gar nichts daran, mit seinem Vater zu konkurrieren. Wenn es nach ihm ginge, hätte er lieber eine Muddelschule besucht und wäre ganzheitlicher Zahnarzt geworden wie seine Großeltern mütterlicherseits. Aber sein Dad bestand darauf, daß er es zumindest in Hogwash versuchte.

Und so stand er nun neben dem schäbigen Hogwash Depress, von dem bereits die Farbe abblätterte, und schlug sich mit irgendwelchen Präservativen herum. Als er auch noch einen toten Gnom überrollte, geriet der Gepäckwagen ins Schlingern. Der Hausgeist seines Vaters, Hertha, krächzte bei jeder Erschütterung übellaunig.

»KROAARK«, machte die nikotinfleckige Schnee-Eule, begleitet von einem dumpfen Brummen. Nach jahrelangem Rauchen hatte sie sich einem Luftröhrenschnitt unterziehen müssen und konnte sich nun nur noch durch ein Kehlkopfmikrofon äußern.

Nigel kutschierte den Hausgeist seines Vaters keineswegs freiwillig durch die Gegend. An diesem Wochenende begann nicht nur das neue Schuljahr, sondern es fand auch das Ehemaligentreffen statt, weswegen seine Mum und sein

Dad ihn begleiteten. (Fiona, den kleinen Wirbelwind, hatten sie zum Glück Oma und Opa Cringer aufs Auge gedrückt.) Seine Eltern waren Nigel dermaßen peinlich, daß er darauf bestanden hatte, vor ihnen zu gehen und darüberhinaus das alte Tarncape seines Vaters überzuziehen. Nigel freute sich überhaupt nicht auf die Fahrt – sie war lang und eintönig, zumal unter den wachsamen Augen seiner Mutter. Angesichts all des Geredes von Knutschfeten über mehrere Dimensionen war ihre Anwesenheit besonders bitter. Irgendwie würde er ihr entwischen ... oder auch nicht (was sehr viel wahrscheinlicher war).

Fünf Meter hinter Nigel kabbelten sich seine Eltern. Da sie nicht auf Fiona aufpassen mußten, hatten sie eine Menge überschüssige Energie.

»Was?« sagte Barry. »Mast und Schotenbruch ...«

»Ich sagte: ›Du spinnst‹«, antwortete Hermeline.

»Ich versteh' kein Wort, Mädel, mir rutscht gerade die Perücke runter«, sagte Barry. Er hob seine Augenklappe an und schaute auf den Fahrplan. »*Brobdingnag!*«, bellte er, und der Plan wurde größer.*

»*Was* hast du zu mir gesagt?« keifte Hermeline. »Beeil dich, Barry!«

»Entspann dich, du Landei, wir haben noch«, Barry kniff die Augen zusammen und las, »minus zwei Minuten.«

»Mum, Dad, kommt schon!« riefen die beiden körperlosen Arme. »Sonst fahren die ohne uns los!« Nigel war schwer genervt.

»Ich kann nicht schneller, Kumpel«, murrte Barry. »Ver-

---

* Zaubersprüche waren etwas sehr Praktisches, aber mit ihnen verhielt es sich wie mit Hunden – je lauter und strenger man sie sagte, um so wahrscheinlicher war es, daß sie gehorchten und taten, was man verlangte.

such du mal, auf einem Bein zu laufen.« Sein Hut fiel herunter.

»Laß liegen«, sagte Hermeline und blieb stehen, damit Barry sie einholen konnte.

»Aber Hermi, das Ausleihpfand ...«

»Du läßt ihn liegen«, befahl Hermeline.* Hinter ihr her zuckelte ein scheinbar aus eigener Kraft rollender Zaubergepäckwagen. Schweißüberströmt holte ihr Mann sie ein.

»Dieses Mistding«, ächzte er atemlos und nahm das künstliche Holzbein ab. Das Clownskostüm wäre die bessere Wahl gewesen.

»Du solltest wirklich etwas für deine Fitness tun«, sagte Hermeline. »Du schwitzt ja wie ein Irrer.«

»Diese aufblasbaren Papageien sind schwerer, als sie aussehen«, sagte er spitz.

»Ich verstehe nicht, wieso du unbedingt dieses bescheuerte Kostüm anziehen mußtest.«

»Ich hab's dir schon mal gesagt, Frau: Das ist kein Kostüm, sondern eine *Verkleidung*«, sagte Barry grimassierend wie ein Schmierenkomödiant. »Ich begreife nicht, wieso du deine nicht anziehen wolltest.«

»Mit der Haube und den Strapsen hätte ich ausgesehen wie ein Puffmädchen!« sagte Hermeline.

»Du bist schuld, wenn die Paparazzi über uns herfallen, Mädel.« Der Bahnsteig war so gut wie leer.

Vor ihnen pikste Nigel den Zug mit seinem Zauberstab, piks, piks. Für einen Zauberzug sah er ziemlich verrostet aus. Mit einer gewissen Bitterkeit inspizierte Nigel sein Arbeitsgerät. Vermutlich war Piksen das Äußerste, was er damit anstellen konnte. Es war beileibe keine Schönheit, ein

---

* Ehemänner funktionierten genauso wie Zaubersprüche.

billiges Sperrholzding, das er letzte Woche mit seinem Dad beim Zaubermarkt besorgt hatte. Warum viel Geld für einen teuren Zauberstab ausgeben, wenn der Junge, der ihn führt, gar kein Talent zum Zaubern hat?

Kaum daß sie den hyperklimatisierten Zaubermarkt betreten hatten, begann sein Vater in Erinnerungen zu schwelgen. »Als ich noch ein kleiner Junge war«, hub Barry an (und gab damit das Signal zum Weghören), »haben wir unsere Zauberstäbe immer bei Mops & Pinscher gekauft. Der Laden wurde von Hunden geführt. Man fand nie, was man suchte – schließlich beherrschen Hunde das Alphabet nicht –, aber er hatte eine gewisse Magie.« Barry seufzte.

»Magie im Sinne von magisch?« fragte Nigel und schob sich den Rest seines Silky Way in den Mund. Die Kombination von Schokolade und Schleimigkeit hatte etwas seltsam Unwiderstehliches.

»Ich glaube nicht, aber wenn man bedenkt, wie oft die Verkäufer einen zu bespringen versuchten, vielleicht doch.« Dann fiel Barry wieder ein, mit welcher Regelmäßigkeit die Kunden in Kacke getreten waren. »Eigentlich sogar ganz bestimmt. Sie drehten einem irgendeinen alten Schrottzauberstab an, verlangten den doppelten Preis dafür, und wenn man sich beschwerte, bissen sie einen. Außerdem wimmelte es von Flöhen«, sagte er, während sie die breiten, hellerleuchteten Gänge des Zaubermarkts entlanggingen.

Nigel schaute sich in dem vor nackten Eisenträgern und Neonröhren strotzenden Kaufhaus um und musterte die mißmutigen Verkäufer in ihren häßlichen, steifen Kitteln. »Ich glaube, der alte Laden hätte mir besser gefallen«, sagte er verträumt.

»Mir nicht«, log Barry sich in die eigene Tasche. Je älter er wurde, und je mehr sich alles veränderte, zwangsläufig zum

Schlechteren, desto häufiger bediente er sich dieser Strategie. »Hier ist es viel schöner«, sagte er wenig überzeugend.

Im Laden herrschte eine kalte und unpersönliche Atmosphäre, und Vater und Sohn wollten ihn so schnell wie möglich wieder verlassen. Daher hatten sie sich nach zehn Minuten für ein übergroßes Sperrholzeßstäbchen entschieden, das ein einzelnes Mäusehaar enthielt. »Es war nicht direkt eine Zaubermaus«, sagte der Verkäufer. »Aber sie konnte ziemlich gut, äh … Mau-Mau. Probier ihn doch mal aus.«

Nigel führte eine zaghafte Bewegung mit dem Stab aus und stieß dabei ein Display mit superleichten Kohlefaserzauberstäben aus Dänemark um. »Der ist aber schwer«, sagte Nigel.

»Er ist *robust*«, sagte Barry. »Du wirst dich dran gewöhnen.« Da sie Nigels gesamte Schulsachen an einem Tag besorgen mußten, hatte er keine Lust, lange zu fackeln. »Wir nehmen ihn.«

»Aber ich …«, protestierte Nigel. Er wollte so einen L-förmigen, wie sie in den Zauberfu-Gangsterfilmen aus Hongkong benutzt wurden. Damit konnte man um die Ecke zielen.

»Deine Mum würde mich umbringen«, erwiderte Barry entschuldigend. »Ich sag dir was: Such dir ein cooles Halfter aus.« Nigel nahm eins, an dessen Seiten Flammen emporzüngelten.

»Möchten Sie Stützräder zu Ihrem Zauberstab?« fragte der Mann an der Kasse. Offenbar machte er gerade den schlimmsten Ferienjob seines Lebens durch, und Barry fühlte sich verpflichtet, Ja zu sagen.

»Dad, n…«, sagte Nigel.

»Ja, gern«, antwortete Barry. »Du kannst sie ja jederzeit wieder abschrauben«, sagte er zu Nigel.

»Dad! Das ist was für kleine Kinder!« sagte Nigel. »Alle werden sich über mich lustig machen.«

»Tja, besser, man macht sich über dich lustig, als daß du mitten in einem Zauberspruch ins Schlingern kommst und in Schweden landest, obwohl du eigentlich nach Swindon wolltest.«

»Ich werd' Reiseschnupftabak benutzen«, sagte Nigel völlig verzweifelt.

»Das wirst du nicht«, sagte Barry. »Das Zeug macht dir die Nasenscheidewand kaputt, und am Ende hast du nur noch ein einziges Nasenloch.« Barry holte seine G'ingots-Kundenkarte heraus, und der Kauf wurde besiegelt.

So kam Nigel zu einem Zauberstab, der sich am ehesten dazu eignete, jemandem auf die Finger zu hauen – oder gegebenenfalls auch ehemals magische Verkehrsmittel zu piksen. Seine Eltern holten ihn ein. Er hatte das Cape ausgezogen und es sich wie ein Superheld um den Hals gebunden. Dadurch entstand der verstörende Eindruck, daß sein Kopf schwebte. Das reichte, um einen Muddel dazu zu bringen, in rascher Folge loszukreischen, sich zu übergeben und dann in Ohnmacht zu fallen. Zauberer und Hexen jedoch waren an einen solchen Anblick gewöhnt.

Barry zog seinen Zauberstab hervor und schwenkte ihn murmelnd. Nigels Koffer rührte sich nicht.

»Tu dir nicht weh, Barry«, sagte Hermeline. »Du mußt aus den Knien heraus zaubern, nicht aus dem Rücken.«

Beim zweiten Versuch gelang es Barry, den Koffer näher an den Zug heranzubewegen. Nachdem er seinen Zauberstab wieder weggesteckt und sich den Schweiß von der Oberlippe gewischt hatte, wandte er sich zu seinem Sohn um, der ein paar Meter weiter in ein ziemlich verwickeltes Rollenspiel vertieft war.

»Ha! Nimm dies, verfickter Gasmann! ›Delete!‹« sagte er und erledigte einen Schurken durch das Anschlagen einer imaginären Taste.

»Du sollst nicht ›verfickt‹ sagen«, mahnte Hermeline.

»Mann, ist der schwer, Nigel«, sagte Barry. »Was hast du denn da drin?«

»Ach, bloß Klamotten und so.« Das entsprach nur zum Teil der Wahrheit. Etwa die Hälfte der Sachen, die seine Mutter eingepackt hatte, lag jetzt in seinem Zimmer auf dem Fußboden und war durch Regelbücher, Charakterblätter und Würfel für »Advokaten und Adlaten« ersetzt worden, ein Rollenspiel, in dem sich alles um Muddel drehte. Nigel und seine Freunde waren ganz verrückt danach. In seinen zahlreichen Tagträumen schlüpfte er oft in die Rolle seiner Lieblingsfigur, eines ungeheuer mächtigen Computersystemanalysten namens Geoff, der bereits Level sechzehn erreicht hatte. Nigel hatte das ganze letzte Jahr damit verbracht, den Praktikanten, der auf dem ersten Level gerade frisch von der Uni kam, die Karriereleiter hinaufzubefördern. In Nigels Kopf hatte Geoff gerade einem gefährlichen Gasableser das Handwerk gelegt, indem er sich in die Kundendateien des Gaswerks gehackt hatte. Nigel hoffte, daß auf Hogwash auch andere Schüler A&A spielten.

Zischend stieß der Hogwash Depress eine dicke Rauchwolke aus. Der Rauch erstarrte zu einem Schaffner, der Barry sein »Alles einsteigen!« direkt ins Ohr brüllte. Dann fügte er hinzu: »Hurtig, hurtig, Long John Silver.«

»Leck mich«, sagte Barry gereizt. Aus Sorge, jemand könnte seine Verkleidung durchschaut haben, zog er sein Plastikschwert und knurrte: »Paß auf, du Nichtsnutz, oder ich mach kurzen Prozeß mit dir!« Seine Laune besserte sich, als er jemanden mit einer Kamera auf sie zukommen sah.

»Siehst du?« sagte er triumphierend zu Hermeline. Der nie enden wollende Wettstreit, wer klüger war, schien sich für den Moment zu seinen Gunsten gewendet zu haben.

Doch weit gefehlt. »Hallo, Barry, Hermeline. Ich hatte gehofft, daß ihr zum Klassentreffen kommt.« Es war Colin Creepy, ein ehemaliger Mitschüler von Barry, der nach einem rasanten Aufstieg tief gesunken war. Als Hogwash-Schüler war Colin zur Legende geworden, weil er bei der Schülerzeitung, dem *Hogwash-Telepath*, Pin-up-Girls eingeführt hatte. In seinem fünften Jahr an der Schule hatte er ein beträchtliches Vermögen angehäuft und stand kurz davor, seine eigene Website zu starten, als Bumblemore Wind davon bekam und dem Ganzen einen Riegel vorschob. Colin pflegte die Mädchen mit Hilfe eines Zauberspruchs auszuziehen. Als der Direktor die Fotos konfiszierte, klang er mehr wehmütig als wütend. »Wenn du so weitermachst, hast du bald nichts mehr, worauf du dich freuen kannst, Creepy«, sagte er. »Laß es dir von einem Hundertzweiundvierzigjährigen gesagt sein: Du wirst noch dankbar für jede Überraschung sein, die du kriegen kannst.«

Leider war die erste Überraschung, die Colin als Erwachsener erlebte, eher unangenehmer Natur: Der *Tagessalbader* konnte keinen weiteren intelligenten jungen Hogwash-Absolventen gebrauchen. Daraufhin geriet er in schlechte Gesellschaft – nämlich an den *Schmirror* –, und von da an ging es nur noch bergab: Die zwanzig Jahre seit dem Schulabschluß hatte er damit verbracht, sich durch die tiefsten Niederungen der Zauberpornographie zu schlagen, indem er sich immer ausgefallenere Perversionen für Valumarts zahlreiche Sexmagazine ausdachte. Derzeit fungierte er als Herausgeber von *Frühreife Feen, Magische Miezen, Hemmungslose Hexen* und *Tuten & Blasen.*

Mit jeder Pore verströmte Colin Creepy Schlüpfrigkeit. Sie umflorte ihn wie ein feiner Nebel. Er war nicht gerade der Umgang, den Hermeline sich für Nigel wünschte. Barry fand ihn, wie zu erwarten, amüsant.

Sie stiegen alle zusammen in den Zug. »Ist das dein Kind?« fragte Colin. »Wie ist denn das passiert?« Die jahrzehntelange Betätigung in einer Welt, in der Sex nichts weiter ist als ein Zeitvertreib, hatte seinen Blick für dessen eigentlichen Zweck getrübt. »Darf ich mich zu euch setzen?«

Mit dem Gespür einer Ehefrau für den richtigen Zeitpunkt schaltete Hermeline sich ein. »Nein, Colin, tut mir leid. Wir halten einen Platz für Lon Measly frei.«

»Oh.« Colin wirkte ein bißchen geknickt. Er hatte schon in der Schule immer zu ihrer Clique gehören wollen, und nun … Die Déjà-vu-Erlebnisse des Wochenendes fingen ja früh an. »Verstehe. Ich werd' schon irgendwo einen Platz finden«, sagte Colin. Er schoß ein Foto, wie immer, wenn er sich unwohl fühlte.

Colin bemerkte Hermelines skeptischen Blick. »Das wird kein Nacktfoto – versprochen.« Er wandte sich Barry zu. »Vielleicht können wir ja beim Klassentreffen noch ein bißchen quatschen. Ich hab' ein paar sensationelle Bilder vom Oralquell von Delphi.«

»Klingt toll«, sagte Barry. Da wollte er schon immer mal hin.

»Und ich hab' ein paar SM-Videos ausgegraben, die wir früher mal gedreht haben«, sagte Colin. »Weißt du noch?«

»Himmel, nein«, sagte Barry errötend. Hermeline beobachtete ihn mit Adleraugen – ein Adler, der etwas dagegen hatte, daß man über gewisse Themen vor den Ohren kleiner Adler sprach.

»Aber natürlich!« sagte Colin. »Du, Imogen Blagg, Priscilla Tinsly-Thompson und ich, wir sind in Bumblemores Büro eingebrochen und …«

»Ähem, meine Frau!« hüstelte Barry.

»Oh, okay. Schon gut«, sagte Colin. » *Wir reden später drüber*«, sagte er augenzwinkernd.

Jetzt wurde er selbst Barry langsam unheimlich. »Colin, wir sehen uns in der Schule, okay?«

»Okay«, sagte Colin und ging. Hermeline dirigierte ihre Familie in die entgegengesetzte Richtung. Sie fanden ein leeres Abteil und setzten sich hin.

Nigel öffnete seinen Rucksack. Er hatte ihn mit lauter Sachen vollgestopft, die die Fahrt erträglich machen sollten. Obenauf lagen seine fünf Lieblingscomics – alle aus der Reihe »Ganz gewöhnliche Geschichten«, deren Hauptfigur Norman Normal war, ein Muddel mittleren Alters.

Die Sache war nämlich die, daß Nigel Zauberei nicht ausstehen konnte. Sie machte ihn nervös – ständig verwandelten sich Stöcke in Schlangen. Nie wußte man, ob man in einen normalen Nebel hineinspazierte oder in ein Mambo-Miasma, das einen zu unkontrollierten Hüftschwüngen zwang. Man brauchte nur eine aufgedonnerte Kellnerin falsch anzugucken, und schon lagen da, wo eigentlich die Vorspeise sein sollte, Unmengen von Tausendfüßlern. Na ja, wenn man natürlich ein geborenes Zaubergenie wie Mum und Dad war, dann war die Welt der Magie schon in Ordnung. Mit denen wagte sich niemand anzulegen. Aber für Nigel war dieses Leben nervenaufreibend und ausgesprochen unangenehm.

»Nicht jeder Hogwash-Schüler will Zauberer werden«, hatte Barry am Vorabend versucht, das Ganze schönzureden. »Das, was du da lernst, kannst du in allen Lebenslagen gebrauchen.«

»Nenn mir eine«, sagte Nigel.

»Dreh mir nicht das Wort im Munde herum«, fuhr Barry ihn an. »Du wirst in Hogwash zur Schule gehen, und es wird dir gefallen. Keine Widerrede.« Beim Packen hatte Nigel die Titelmusik von »Die Brücke am Kwai« gepfiffen, um absolut klarzumachen, wie er sich fühlte.

»Ich wollte ihm ja verbieten, sich das auf ValuVision anzugucken«, grummelte Barry.

Zwölf Stunden später saßen sie in dem keuchenden und schnaufenden Zug, der sie in Nigels Zukunft bringen sollte. Hermeline holte eine Zeitschrift hervor. Barry machte es sich mit einem Federkiel und einem Block bequem. Er hatte unter großem Tamtam angekündigt, er wolle während der Fahrt seine »Memoiren beginnen«.

Voller Elan schrieb er: »Erstes Kapitel.« Das ist doch schon mal ein guter Anfang, dachte er. Und nun? Um sich ein bißchen Zeit zum Nachdenken zu geben, unterstrich er die beiden Worte doppelt. Dann fiel ihm zu seinem grenzenlosen Erstaunen etwas ein, was er schreiben konnte – ein Geschenk des Himmels.

»Dies ist der Beginn einer langen Geschichte«, schrieb er. Und jetzt?

Leider versiegte der kreative Strom, der eben noch so ungehindert geflossen war, unversehens wieder. Männchen aufs Papier zu malen half auch nichts. Die Linien auf dem Pergament wirkten grimmig und herausfordernd, wie schmale, verkniffene Lippen. Nur um ihnen zu zeigen, wer hier der Boß war, strich er »langen« aus und ersetzte es durch »langweiligen«.

Verärgert nahm Barry einen der Comics seines Sohns in die Hand.

»Worum geht's denn darin?« fragte er und blätterte in der

Hoffnung auf ein bißchen gesunden Okkultismus in dem Heftchen herum.

»Also«, begann Nigel, der sich nur allzugern über sein Lieblingsthema ausließ, »es geht um einen siebenundvierzigjährigen Muddel namens Norman Normal. Er ist Versicherungsmathematiker.«

»Was bedeutet das denn?« fragte Barry.

»Er sagt voraus, wann die Leute sterben«, sagte Nigel.

»Ach, dann ist er ein Niflheimer*?«

»Nein, er benutzt komplizierte Tabellen. Er lebt bei seiner Mutter in Slough. Und er beherrscht lauter so coole Dinge wie Wahrscheinlichkeitsrechnung und Statistik ...«

»Abergläubischer Blödsinn«, sagte Barry.

»Nein, es ist toll. Es ist eine völlig andere Welt, in der für *jeden* Platz ist, nicht nur für Superzauberer – ganz im Gegensatz zu gewissen anderen Welten«, sagte Nigel spitz. »Sein schwacher Punkt ist seine Neigung zum Dickwerden. Hier«, sagte er, »guck dir das an. Er geht Milch holen.«

Barry betrachtete das grellbunte Umschlagbild. »In dem Heft, das ich gerade lese, geht es um verschiedene Fälle vor einem Schiedsgericht.«

Barry nahm auch den anderen Comic in die Hand und beäugte beide, als wären sie mit Schleim überzogen. Er gab sie Nigel zurück. Der wußte, was jetzt kam – er hatte es oft genug gehört.

»Weißt du, Nigel, eines Tages mußt du diesen ganzen Muddelquatsch hinter dir lassen.«

»Psst, Barry«, sagte Hermeline und blickte von ihrem

---

* Ein hageres, furchteinflößendes Gespenst, das immer dann, wenn jemand wünscht, ein Familienmitglied möge krepieren (oder ihn zumindest verdammt noch mal in Ruhe lassen), erscheint und ein schrilles Geheul ausstößt.

Modemagazin auf, der *Bibi*. Draußen auf dem Gang gab es einen Tumult, denn Lon Measly galoppierte gerade auf der Jagd nach einem Tennisball vorbei. »Geh und hol Lon.«

Barry stand auf. Im Gehen drehte er sich zu seiner Frau um und sagte: »Wir helfen ihm nicht, indem wir ihn verhätscheln, Hermi. Früher oder später muß er erwachsen werden und anfangen zu zaubern. Gegen Tagträume ist ja nichts zu sagen, solange man ein kleiner Junge ist. Aber mit elf wird es langsam Zeit, in der Zauberwelt zu leben.« Lon galoppierte wieder vorbei, diesmal in die andere Richtung. »He, Lon, warte …«

Ein Krachen ertönte, gefolgt von Fluchen, Bellen und Johlen. Lon hatte einen Erfrischungswagen umgekippt.

Nigel haßte es, wenn sein Vater über ihn redete, als sei er gar nicht da. Schlimmer noch: Was er gesagt hatte, fachte seine Angst nur noch mehr an. Nigel hatte versucht, sie im Zaum zu halten, aber jetzt war sie ein loderndes Feuer, das jegliche Zuversicht verzehrte.

Nun saßen nur noch Nigel und seine Mutter im Abteil. Während der Zug vorwärtsschlingerte und sein Vater auf der Jagd nach Lon hin und her rannte, verspürte Nigel ein Kitzeln in der Kehle. Er hustete. »Ich glaube, ich habe den Schwarzen Kot«, sagte er zu seiner Mutter. »Wenn ich den Schwarzen Kot hab', muß ich dann trotzdem noch fahren?«

»Das heißt Schwarzer *Tod*, Lämmchen«, sagte Hermeline, »und den hast du nicht.«

Niedergeschlagen schaute Nigel eine Weile aus dem Fenster. »Warum muß ich eigentlich zaubern können?« fragte er. »Wieso kann ich nicht einfach auf eine normale Schule mit normalen Kindern gehen? Ich bin nicht wie du und Dad – aus mir wird nie ein großer Zauberer.«

»Keine Angst, Nigel«, sagte sie. »Was einen zu einer großen Persönlichkeit macht, ist ein bißchen Glück oder eine besondere Begabung, von der man selbst gar nichts weiß, bis man eines Tages Gebrauch von ihr macht. Nicht jeder kann eine große Persönlichkeit werden, aber jeder kann ein guter Mensch sein, und das ist schließlich genauso wichtig. Du wirst das schon machen, da bin ich sicher.«

Aber insgeheim hatte auch Hermeline Angst. Das Leben in Hogwash war nicht einfach, und Kinder konnten furchtbar grausam sein. Was sollte nur aus ihrem süßen, cleveren, magisch gänzlich unbegabten Sohn werden?

Kapitel vier

AUFTRITT: DIE NIETE

Vom Tag seiner Geburt an hatte Nigel Trotter nicht ein Fünkchen Zauberkraft im Leib. Er konnte weder etwas heraufbeschwören noch jemanden verfluchen, beherrschte weder Taschenspielertricks noch die Kunst der Levitation. Nigel konnte nicht hellsehen – er besaß noch nicht mal einen guten Orientierungssinn. Seine völlige Unfähigkeit, sich mit irgendeinem Mitglied des Tierreichs zu unterhalten, machte die Ausflüge in den Zoo, die sein Dad mit ihm unternahm, zur Qual. Er war, um es ganz unverblümt zu sagen, eine Niete.

Es war Nigel nur allzu bewußt, was für eine furchtbare Enttäuschung er war, und dies hatte unter anderem damit zu tun, daß er bis auf das Fragerufzeichen seinem Vater wie aus dem Gesicht geschnitten war. Natürlich machten seine Eltern sich Sorgen. Sein Dad gab den Muddelgenen seiner Mutter die Schuld. Seine Mutter unterstellte seinem Dad, er habe zu oft ohne schützende Bleiunterwäsche gezaubert. Körperlich war Nigel völlig gesund. War es ein Fluch? War es psychosomatisch? Nach zehn Jahren in den Händen der besten (und ein paar der schlechtesten) Ärzte, nach zahllosen schmerzhaften Untersuchungen sowie nach einer breiten Palette von Therapien und Medikamenten, die so zahlreich wie nutzlos waren, wußte immer noch niemand genau, wieso Nigel nicht zaubern konnte. Seine kleine Schwester konnte es, und zwar unerhört gut. Kein Morgen verging, ohne daß Fiona ein Warzenschwein oder etwas ähnlich Verheerendes herbeizauberte. Aber seine Eltern bestraften sie nie.

»Mum, Fi läßt Ringelnattern in mein Bett kacken«, hatte Nigel sich erst kürzlich beschwert.

»Ganich!« hatte Fiona mit trotzigem Blick gesagt und Nigels Hemd dabei ein bißchen angekokelt.

»Hör auf, Fiona«, sagte Hermeline und führte einen Streifen rohen Speck durch eine blaue Flamme, die wabernd in der Luft hing.

»Mußt du eigentlich immer dieses schwebende Methangas benutzen, Mum?« sagte Nigel. »Der Speck schmeckt davon immer so nach Furz.« Hermeline kochte so, als hätte sie eine Stinkwut auf die Zutaten. Selbst bei idiotensicheren Zaubern von Nutella Larsson oder Mothra Stuart kam nur eine undefinierbare Pampe heraus, bei der man nicht einmal sicher sein konnte, daß sie überhaupt organischen Ursprungs war. Barry hatte sich darauf verlegt, Essen vom Lieferservice als »andere Maßnahmen« zu bezeichnen, wie in: »Schatz, ich glaube, es ist Zeit, daß wir andere Maßnahmen ergreifen.«

Fiona ließ den Küchentisch mit seinen Klappen schlagen, als wäre er ein riesiger hölzerner Vogel. Warum sagen meine Eltern ihr nicht, sie soll aufhören, dachte Nigel. Wenn ich jemals so was anstellen würde ...

Eins der Scharniere quietschte. »Hörst du das?« fragte Hermeline ihren Mann. »Haben wir den bei Kackea gekauft? Was für ein Schrott.«

Barrys Zeitung flog in die Luft, und eine Butterdose, aus der Nigel gerade seinen Toast bestrichen hatte, fiel zu Boden.

»Nigel, warum bist du nur so ungeschickt?« fragte Hermeline und fügte die Scherben mit einer Bewegung ihres Zauberstabs wieder zusammen.

»Ich wollte bloß …«

»Du weißt doch, wie gern deine Schwester mit dem Tisch spielt«, sagte Barry.

»Dann bin ich also schuld? Wir leben hier mit einer vom Teufel Besessenen unter einem Dach, und ich krieg den Ärger?«

»Der Arzt sagt, das ist eine ganz normale Phase. Man nennt es das schreckliche zweite Jahr«, sagte Hermeline, während sie sich wieder setzte und versuchte, wenigstens eine der beiden Tischklappen festzuhalten.

»Sie ist aber schon drei«, erwiderte Nigel.

»Du warst genauso«, sagte Barry und stützte sich mit beiden Armen auf den Tisch, um zu verhindern, daß er tatsächlich abhob. »Nur ohne zu zaubern, versteht sich.«

»Nigel kein Fauber«, sagte Fiona. Das war eins ihrer Lieblingsthemen. »Keeeein Fauber! Prrrrrrbbb«, wiederholte sie mit einem feuchten Prusten.

»Prrrrbb«, prustete Nigel zurück. Er bereute sehr, daß er ihr das beigebracht hatte. Schon der kleinste Versuch, sich mit ihr zu verbrüdern, ging regelmäßig nach hinten los, wie zum Beispiel, als sie Mum erzählt hatte, daß er sie an einer Nacktschnecke hatte lecken lassen. Dabei hatte sie es sich gewünscht! Er war ihr nur ein bißchen behilflich gewesen!

»Nigel, hör auf, deine Schwester zu quälen«, sagte sein Vater, während er träge die Zeitung danach überflog, ob sein Name irgendwo erwähnt wurde (was dieser Tage immer seltener der Fall war).

»Hab' ich doch gar nicht! Sie hat mich gequält«, sagte Nigel mit sich vor Empörung überschlagender Stimme.

»Es fällt mir schwer, das zu glauben, Nigel«, sagte Barry. »Was kann so ein kleines Mädchen einem großen Jungen wie dir schon anhaben?«

»Eine ganze Menge! Letzte Nacht bin ich aufgewacht, und da war mein Kopf eine Kokosnuß!«

Barry sah seinen Sohn über seine Brille hinweg an. Das hieß: »Ich glaube dir nicht.«

»Ich hab' ganz viel Antizaubersalbe draufgetan«, sagte Nigel.

Seine Mutter jaulte auf. »Was? Wieviel hast du genommen? Das Zeug ist irre teuer!«

»Ich weiß nicht, eine Handvoll?«

»Nigel!«

»Laß gefälligst die Finger von dem Medizinschränkchen deiner Mutter«, sagte Barry. Damit nervten sie ihn, seit sie Nigel einmal dabei geschnappt hatten, wie er mit einem Klistierbeutel und einem Schlauch Wasser aus dem Fenster im zweiten Stock gespritzt hatte. Woher sollte er auch wissen, daß man so etwas nicht tat?

»Was hast du eigentlich überall für Haare?« wechselte Nigel das Thema. Ganze Büschel sprossen an den merkwürdigsten Stellen aus seinem Vater hervor.

Barry hatte vor kurzem klein beigegeben und in der Hoffnung, damit den unaufhaltsamen Rückzug seines ehemals berühmten Haarschopfes in Richtung Hinterkopf zu stoppen, eine Flasche Sir Cedrics Wahre Wunder Wirkendes Wuchsmittel erstanden. (»Das stärkste Zeug, das ich kenne«, hatte der Apotheker gesagt. »Sehen Sie: ›Jetzt mit 25 Prozent mehr YETI!‹«) Er hatte sie am Morgen auf den Rand der Badewanne gestellt und war so ungeschickt gewesen, sie hineinzustoßen. Es waren nur ein paar Milliliter ausgelaufen, aber das hatte offenbar gereicht, um an seinem ganzen Körper einen feinen Flaum sprießen zu lassen, aus dem in unregelmäßigen Abständen etwas mehr wurde.

»Das ist nichts, iß dein Frühstück«, sagte Barry. Er versuchte, einen Haarwirbel auf seinem Handrücken glattzustreichen und wandte sich wieder seiner Zeitung zu. Es war Zeit für Phase zwei: Die bestand darin, Sprechblasen auf jedes Foto zu malen, meistens mit Obszönitäten. Da es sich um eine Zauberzeitung handelte, sprachen die abgebildeten Menschen die Texte sogleich aus. Der Muddel-Premierminister sagte plötzlich zu einer Gruppe prominenter Frauen:

> *Es war einmal ein Mann namens Ammer,*
> *der hatte 'nen gewaltigen Hammer.*
> *Immer wenn seine Frau*
> *lauthals schrie »Au!«*
> *sagt' er nur: »Hör auf mit dem Gejammer.«*

Barry gackerte boshaft, als ein Teller mit Eiern und Speck auf ihn zuschwebte und kurz vor ihm zum Halten kam.

»Wo ist dein Wasserbeutel, Nigel?« fragte Hermeline.

»Oben.«

»Na, deinem Zimmer wird er keine Zauberkräfte verleihen. Geh und bind ihn dir um«, sagte seine Mutter. »Er kann dir nicht helfen, wenn du ihn nicht trägst.«

»Ich will ihn aber nicht tragen«, sagte Nigel. »Das Ding sieht aus wie ein Kolostomiebeutel.« Dies war der neueste Versuch, Nigels Zauberkräfte zu steigern. Barry hatte Chi Ching angerufen, eine alte Schulfreundin, die inzwischen in San Francisco eine Drive-Through-Feng-Shui-Beratung namens »Zum heiteren Hexagramm« betrieb. Sie hatte ihnen geraten, Nigel solle Wasser am Körper tragen. Daher baumelte den ganzen Sommer über eine Plastiktüte mit

Wasser an seinem Gürtel. Das war unglaublich bescheuert, besonders insofern, als sie mehrfach geplatzt war und es ausgesehen hatte, als hätte Nigels Blase aufs Kläglichste versagt. Das einzig Gute daran war, daß er sich, bevor er nach Hogwash ging, einen Oktopus als Hausgeist aussuchen konnte. Das waren coole Tiere. Noch cooler war, daß Fi Angst vor ihnen hatte.

»Geh und bind ihn um«, sagte Barry zu seinem Sohn, der ihm einen finsteren Blick zuwarf.

»Vielleicht interessiert es euch, daß ich euch beide hasse!« Nigel stapfte davon und fühlte sich wie üblich unverstanden. Sie waren anomal, nicht er! »Ich versteh nicht, was an Zauberei so wichtig sein soll«, schäumte er. Wer brauchte schon Magie? Seine Zimmertür ließ sich auch mit der Klinke problemlos öffnen. Diese blöde Beschwörung, die Mum ihm den ganzen letzten Samstag beizubringen versucht hatte, brauchte er dazu nicht. Auch die Muddel konnten nicht zaubern, und die kamen schließlich ganz gut zurecht. Eines Tages würde er in die Muddelwelt fliehen! Sie würden schon sehen!

Aber erst mußte er nach Hogwash. Er wollte nicht, aber seinem Dad lag sehr viel daran.

»Diese Schule hat mich zu dem gemacht, was ich heute bin«, pflegte Barry zu sagen.

»Das ist nicht erwiesen, Barry«, stichelte seine Frau.

»Ha, ha«, lachte Barry. »Wie auch immer, hier geht's nicht um mich, sondern um Nigel. Und ich rede nicht nur von der alten Schulkrawatte, Hermeline«, sagte er. »Kannst du dir vorstellen, was die Leute sagen würden, wenn mein Sohn …«

»*Unser* Sohn«, unterbrach Hermeline ihn.

»… unser Sohn nicht nach Hogwash gehen würde? Auf

jeden Fall würden sie sagen, daß ich was gegen Drafi Malfies hätte.« Drafi war der Leiter der Schule.*

»Stimmt doch auch.«

»Das ist nicht der Punkt«, sagte Barry, und dann verstummte er. Was genau der Punkt war, wurde weder in diesem noch in irgendeinem anderen Gespräch je ergründet.
Das einzig greifbare Ergebnis war, daß Nigel um jeden Preis
in Hogwash zur Schule gehen sollte und eben das Beste daraus machen mußte.

Die Fahrt nach Hogwash war so lang und eintönig wie immer, und Lon ließ sich nicht davon abbringen, jeden anzu-
bellen, der am Abteil vorbeiging. Trotz aller Nervosität war
Nigel am Ende froh, als der alte Kasten endlich in Sicht kam.

Der Zug hielt. »Halleluja«, sagte Barry und reckte sich.
Lon, der gerade in einen unruhigen Schlummer gefallen war,
sprang auf und begann hysterisch zu kläffen.

»Mir scheint, je älter er wird, desto mehr benimmt er sich
wie ein Hund. Findest du nicht auch?« sagte Hermeline einen Hauch liebevoller, als Barry recht war. Nigel war ganz
ihrer Meinung. Lon hatte gerade mal wieder einer Actionfi-
gur den Kopf abgekaut. Irgendwann würde er am anderen
Ende wieder herauskommen – die ultimative Demütigung.

Nigels Eltern gaben ihm ein Abschiedsküßchen und stiegen in einen luxuriösen Reisebus (oder in J. G.s charmanter Sprache: eine »Kutsche ohne Pferd«), der sie zur Schule

---

* Drafi hatte aus reiner Dummheit einen tragischen Unfall mit dem
Basilispen gehabt. Da man ihn für tot hielt, wurde der versteinerte Dra-
fi als Statue vor der Schule aufgestellt. Dann bekleckerte ihn jedoch ein
Schüler mit einem Alraunen-Malzgetränk, und er erwachte wieder zum
Leben.

bringen sollte. Gechartert hatte ihn Lee Jardin, der trotz seines albernen Dreadlock-Toupets und eines ausführlich publizierten Hangs zum Tragen von Damenunterwäsche der berühmteste Sportreporter der Zauberwelt geworden war.

Nigel gesellte sich derweil zu den anderen Neuankömmlingen. Sie wurden von Hafwid in Empfang genommen, dem verlotterten Riesen, der wie immer auf jeden zusammenhängenden Satz etwa vier Flüche ausstieß. Bei allen Schülern, denen er nicht permanent das Mittagessen klaute, war er deswegen äußerst beliebt.

»Verdammte Grünschnäbel«, sagte Hafwid. »Kommt mit.« Es hieß zwar, als Nigel noch ein Baby war, sei Hafwid an Festtagen oft bei den Trotters gewesen, doch Barrys Sohn kannte ihn eher aus der kurzlebigen Sendung »Hafwids Halali«. Die Sendung war abgesetzt worden, weil sie durch all die Geldstrafen zu teuer geworden war.* Nigel und seine Freunde hatten sie allerdings geliebt. Mit großer Begeisterung verfolgten sie Woche für Woche, wie der stockbesoffene Hafwid immer wieder in die haarsträubendsten Situationen geriet. Einmal ging ein ganzes Bataillon der Muddel-Armee dabei drauf, als es versuchte, ihn aus dem Bau eines Irischen Whiskeyrülpsers zu befreien … und am Ende verschlang der Drache ihn doch.

»Einsteigen!« Der Riese deutete auf eine Ansammlung von

---

* Hafwid benutzte dermaßen oft das schlimme Wort mit S, sei es als Substantiv, als Verb, als Adjektiv, als Adverb und einmal sogar als Präposition, daß trotz sorgfältigsten Wegpiepens ein paar sehr kostspielige Schimpfwörter über den Äther gingen. Woche für Woche, Monat für Monat – da kam einiges zusammen. (Um Papier zu sparen, lasse ich den Großteil seiner Obszönitäten weg, aber der Leser möge sich ermutigt fühlen, seiner Phantasie freien Lauf zu lassen. Daumenregel: pro Satz mindestens zwei versaute Adjektive und ein beleidigendes Substantiv – im Zweifelsfall »Muddelfucker«. – MG)

übelriechenden, verrotteteten Booten, von denen manche derart seeuntüchtig waren, daß sie bereits halb unter Wasser lagen. Lon hüpfte aufgeregt bellend durch die Gegend. Dieses Semester würde er Hafwids geliebten Saufrüden Fing (Hafwids Abkürzung für »verfluchtes Ding«) ersetzen. Fing war von ein paar Austauschzauberern verspeist worden.

In der Abenddämmerung hörte man verschiedene fleischfressende Fische mit den Lippen schnalzen. Die neuen Schüler schauten erst auf die Boote, dann auf das schäumende Wasser und rührten sich nicht vom Fleck. »Ich glaube nicht, daß meine Eltern …«, setzte ein schmächtiger kleiner Junge namens Bertie Pillock an.

»Ich kenn' deinen Dad. Wenn du auch nur halb so'n nichtsnutziger Wichser bist wie er, wär's 'ne Gnade für dich zu ersaufen«, sagte Hafwid. »Steig ein, elender Schlappschwanz!«

Seltsamerweise trug das wenig dazu bei, die Schüler zu beruhigen.

»Worauf wartet ihr denn, ihr Memmen?« fluchte Hafwid. »'ne Einladung auf Bütt'nenpapier?« Er zog seinen rosageblümten Regenschirm hervor und feuerte mehrere Salven in die Luft. Dann schraubte er den Griff ab und genehmigte sich einen Schluck.

»BEWEGT EUR'N ARSCH!« bellte Hafwid, nachdem er sich nachlässig mit dem Ärmel den Mund abgewischt hatte. Er war nicht in der Stimmung für irgendwelche Späßchen – die letzten Stunden hatte er im Eierkopf in Hogsbleede damit verbracht, zu trinken und ungeheure Summen beim Solitaire zu verlieren.

Mehrere Schüler stiegen gehorsam ein und wurden zu Unhappy Meals. »Wen hat's da grade erwischt? Weiß jemand, wie die hießen?« Hafwid notierte die Namen der Toten, um ihre Familien zu benachrichtigen. Nigels Boot war besser. Eine Gang von Meerpunks versuchte es zum Kentern zu bringen, doch Hafwid paddelte zu ihnen hinüber und drohte, er würde »jedem einzelnen von euch 'n zweites Arschloch in den Hintern reißen«.

An Land wurden die Schulanfänger sogleich in den Großen Saal getrieben. Sie boten einen erbärmlichen Anblick: Am ganzen Leib zitternd, drängten sie sich in ihren durchnäßten Umhängen an einem Ende des Raumes zusammen. Außerdem rochen sie nicht besonders gut – nasse Wolle, der Mief der Angst und der geräuschvolle Stuhlgang vieler verängstigter Hausgeister erzeugten einen unglaublichen Gestank.

Der große Saal sah genauso aus, wie Nigels Eltern ihn beschrieben hatten: schwebende Kerzen, ein Trugbild anstelle der Decke, lange Tische, an denen sich Schüler drängelten und zankten. Am Fuße jedes Tisches hockten deprimiert die geächteten Schüler, lasen in Büchern und ignorierten die Beleidigungen und das heiße Wachs, das irgendwelche Quälgeister über sie ausschütteten. Werde ich auch so enden, fragte sich Nigel. Und dann beschloß er: Wenn ich schon ein Außenseiter sein muß, dann werde ich wenigstens ein paar von denen mit ins Verderben reißen.

Die übrigen Schüler hämmerten auf die Tische und buhten, als die Neuankömmlinge vor ihnen standen und darauf warteten, den verschiedenen Häusern zugeteilt zu werden. Die Sechstkläßler, denen die Erniedrigungen des letzten Jahres noch frisch im Gedächtnis waren, zeigten sich besonders gemein und bewarfen die verängstigten Neulinge mit verfaultem Obst. Die Ehemaligen, die zum Start ins Wochenende bei der Auswahlzeremonie zuschauten, saßen am anderen Ende des Saals. Sie warteten schon seit zwanzig

Minuten, denn auf der Straße kam man viel schneller voran – die Fahrt über den Koma-See, bei der man sich vor Angst in die Hose machte, war mehr eine Folter als eine Art, sich fortzubewegen.

Hermeline sah die fliegenden Früchte und wollte gerade einen Abwehrzauber sprechen, doch Barry winkte ab.

»Wir sollten uns da nicht einmischen«, sagte Barry. »Das wäre Nigel bestimmt nicht recht.«

»Aber als wir noch hier waren, ist so was nicht passiert«, sagte Hermeline. »Das ist barbarisch. Daran ist dieser verdammte Malfies-Clan schuld.«

»Früher oder später muß er lernen, sich zu verteidigen«, sagte Barry.

Hermeline erwiderte etwas Unverständliches – nett war es sicher nicht.

»Was?« fragte Barry.

»Ich hab' gesagt: ›Wo ist wohl Direktor Malfies?‹« schwindelte sie.

Der Hohe Tisch war bereits voll besetzt, nur der große Stuhl in der Mitte, der Drafi gehörte, war noch frei. Bei den meisten der Lehrer hatten schon Nigels Eltern Unterricht gehabt: Snipe war da und wirkte so bösartig wie eh und je. Er war nach Hogwash zurückgekehrt, weil ihm klargeworden war, daß man es sich in keinem anderen Beruf erlauben konnte, seine Untergebenen zu schlagen. Und natürlich Hafwid. Er schlief bereits oder war bewußtlos oder tot – Barry wußte es nicht genau. Da saßen Madame Ponce, die Schulbibliothekarin mit der unklaren Geschlechtszugehörigkeit, Professor Bims, der Löcher in seine Umhänge schnitt, damit sein gespenstischer Hintern stets zu sehen war, Madame Knutsch, die Quaddatsch-Lehrerin mit der Schwäche fürs Schnüffeln an Jungsschlüpfern, und nicht

81

zuletzt Zed Grimfood. Der Waffenmeister der Schule* versuchte gerade, mit Madame Knutsch anzubändeln. Auf den nächsten beiden Plätzen saßen, heftig schunkelnd und Gläser umstoßend, Luderwig Malfies, der Vorsitzende des Kuratoriums, und Professor Athos Measly. Lons Vater hatte seinen Posten beim Ministerium aufgegeben und unterrichtete die Schüler nun in Muddelkunde.**

Der Wechsel nach Hogwash war bei weitem nicht die größte Veränderung in Professor Measlys Leben. Nachdem mit Genny auch das letzte ihrer Kinder das Nest verlassen hatte, war das zarte Band der Ehe, das Dolly Measly mit ihrem kahl werdenden, zerstreuten Gatten verband, zerrissen. Ohne jede Scheidungszauberformel verließ Dolly Lons Vater und zog bei Girlrboy Rockhard ein. Zur Überraschung aller Beteiligten war Professor Measly über diese Wendung hocherfreut. Offenbar hatte er immer schon das Gefühl gehabt, den falschen Körper und im Grunde auch die falsche Sexualität zu haben. Bevor seine Frau auch nur das Viertel verlassen hatte, verwandelte Professor Measly sich in einen hochgewachsenen, eleganten, stockschwulen Schwarzen mit einem blendendweißen Afro. Seine Kinder brachte er damit total in Verwirrung, aber er selbst wirkte glücklicher denn je.

* Natürlich haben die meisten Schulen keinen Waffenmeister. Aber das Leben in Hogwash war ziemlich gefährlich. Im Lehrerzimmer hing ein Schild mit der Aufschrift »… Tage ohne einen toten Schüler«. Es wurden nie zweistellige Zahlen erreicht. Aber da ein Hogwash-Abschluß in der Zauberwelt eine Menge Türen öffnete, boten die Eltern ihre Sprößlinge weiterhin als Opferlämmer dar.
** Die frühere Grittyfloor-Schulleiterin Minolta McGoogle war zwischenzeitlich verstorben – eine äußerst tragische Geschichte: Als sie zum wiederholten Mal in Gestalt einer Katze die Schule unsicher machte, hatte Mrs. McGoogle eine unsterbliche Maus gefangen und war an ihr erstickt. Als Katze ausgestopft, hatte sie ihre letzte Ruhe auf dem Kaminsims des Grittyfloor-Gemeinschaftsraums gefunden.

Das einzige neue Gesicht am Hohen Tisch gehörte – wie immer – dem Lehrer für Doofes Kunsthandwerk. Der Mann, ein Gastdozent aus irgendeiner Gegend, von der noch niemand etwas gehört hatte, sah selbst nach Maßstäben der Zauberwelt, in der es als schick galt, sich Haferflocken in die Haare zu schmieren, reichlich merkwürdig aus. Sein Gesicht war vollständig von einer Sturmhaube aus flaschengrüner Wolle verhüllt, aus der sich unten ein üppiger, weißer Bart ergoß. Zwei Leukoplaststreifen über seinen Ohren hielten eine Lesebrille in Position.

»Der kommt mir irgendwie bekannt vor«, sagte Hermeline zu Barry.

»Du kennst doch den Spruch ›Ein Zauberer sieht aus wie der andere‹, erwiderte er. Da war was dran. Der jahrelange Umgang mit mächtiger Magie trocknete die Haare aus, grub Runzeln in die Haut und verzerrte die Züge zu einer charakteristischen Grimasse. Zauberer nannten sie die »Achtung, gleich pufft's!«-Miene.

Am Kopfende eines jeden Schülertischs saßen die Gespenster von Hogwash: Da war Grittyfloors Beinahe hirnloser Bill und neben ihm die Walfängerwitwe. Sie zankte sich lautstark mit dem Blutigen Laien, dem Hausgeist von Silverfish, der mit frischem silbernem Blut besudelt war, weil er sich eine Kettensäge in den Schenkel gejagt hatte.

»Blutiger Laie!« sagte die Witwe. »Warum hast du nicht Hafwid den Baum fällen lassen?«

»Halt's Maul, du Pottwal!« brüllte der Laie. Er zeigte mit dem Finger in die Gegend. »Da spielt die Musik!«

Die Witwe wirbelte herum. »Wo?«

»Angeschmiert«, blaffte der Blutige Laie.

Am Tisch der Ehemaligen fragte Hermeline: »Siehst du irgendwo den Fettigen Fritz?«

»Ich kann gar nichts sehen«, sagte Barry und erhöhte mit einem Fingerschnippen die Dioptrienzahl seiner Brillengläser.

»Vielleicht hat Filz ihn endlich erwischt«, sagte Hermeline. Angus Filz war der Hausmeister der Schule, und es gefiel ihm gar nicht, daß der Fettige Fritz auf Schritt und Tritt einen Fettfilm hinterließ.

»Es sind aber viele Leute zum Klassentreffen gekommen«, sagte Barry.

»Wenn Drafi hier ist, dann ist Millicent Bufeau bestimmt nicht weit«, sagte Hermeline.

»Millicent wer? Die Namen dieser vornehmen Leute klingen doch alle gleich«, sagte Barry.

»Du weißt schon: Bufeau«, sagte Hermeline. »Familie der Froschlurche, im Westen der Vereinigten Staaten verbreitet, mit einem schwanzähnlichen Kopulationsorgan. Sie gehörte zum Haus Silverfish.«

»Ach, die«, sagte Barry. »Ich hoffe, die kommt nicht. Sie hat immer alle Grittyfloor-Jungs verprügelt, die noch nicht in der Pubertät waren. Guck mal, da ist Lara Madly.«

»Ich erinnere mich«, sagte Hermeline. »Sie war der größte Einarr* des Hauses Muffelpuff. Wow!«

»Was?« fragte Barry.

»Creedence Clearwater ist auch da«, sagte Hermeline und deutete auf eine schrille Frau mit einem Topfschnitt. »Die Flamme von Prissy Measly.«

»Weißt du noch, wie der Basilisp sie mal versteinert hat?« fragte Barry lächelnd.

»Ja«, sagte Hermeline. »Bei ihrem schlaffen Busen hat's Wunder gewirkt.«

---

* Ein Einarr ist jemand mit einer übertriebenen Vorliebe für Einhörner.

»Miau«, sagte Barry. Hermeline hatte eine uneingestandene Schwäche für Prissy Measly.

»Worüber lacht ihr?« fragte Hanna Rabbot. Sie war ein Animagus – ihre rosa Karnickelnase und die schlackernden grauen Rattenschwänze verrieten sie.

»Nichts, Hanna.« Eigentlich mochte Barry sie ziemlich gern, aber er mußte immer an Kaninchenragout denken, wenn er sie sah. »Hi, Catie«, sagte er und winkte Catie Bell und den Drells zu, ihren allgegenwärtigen Background-Sängern. Catie und die vier schwarzen Typen in den identischen Outfits lächelten und winkten zurück.

Sogar ein paar Geister waren zum Klassentreffen gekommen. »Seht nur«, sagte Hanna und zeigte mit dem Finger auf jemanden. »Da ist die kleine Bones, das Mädchen, das von Dreckfressern besprungen worden ist.«

»Es ist genau wie früher«, sagte Barry wehmütig.

Damit der Saal voll ausgelastet war, hatte man Muddel oben in die verglasten Galerien gesetzt. Jeden September lockten die Muddelhotels in der Umgebung Barry-Trotter-Fans mit Sonderangeboten, herzureisen und sich die Initiationszeremonie anzusehen. Sobald sich herumgesprochen hatte, daß Barry, Hermeline und Nigel anwesend sein würden, schossen die Reservierungen in die Höhe. Natürlich wäre der Bau, wenn er nicht durch Magie gestützt worden wäre, auf der Stelle eingestürzt und hätte ein Drittel der Angehörigen des Hauses Muffelpuff unter sich begraben – oder so.

Obwohl Nigel versuchte, sich möglichst unauffällig zu verhalten, ließen die zurückkehrenden Schüler ihrem neuen Star die gebührende Extraportion Grausamkeit zuteil werden. Nigel duckte sich, um einer verfaulten Pastinake auszuweichen, die auf ihn zusauste, doch da sie verzaubert war, verdampfte sie und hinterließ nur einen üblen Geruch. Chesterfield wechselte die Farbe und reckte in seiner Plastiktüte drohend alle acht Fäuste. Gelegentlich traf ein Geschoß eine der verzauberten Kerzen, die in der Luft schwebten, woraufhin sie begann, sich im Kreis herumzudrehen. Hört das wohl je wieder auf, fragte sich Nigel. Während er noch überlegte, klatschte eine pelzige, definitiv nicht verzauberte Kirschtomate – leicht zu verstecken und offenbar den ganzen Sommer über für genau diese Gelegenheit aufbewahrt – auf seine Wange und spritzte ihn mit fauligem Saft voll.

Ein Junge, der neben ihm stand, lachte aus vollem Halse. Es war eine sehr bleiche, grauäugige Gestalt mit spitzem Gesicht. Nigel kannte dieses Gesicht, und zwar von den alten Schulfotos seines Vaters. Nigel achtete stets besonders auf die mit diesem Typen darauf, weil meistens irgend etwas Lustiges passierte. »Da haben wir gerade ein Stachelschwein aus Drafis Harnröhre schlüpfen lassen«, hatte sein Dad gegluckst. »Oh, und hier hat Lon Drafi mit einem Bootslacktrank an seinen Mop geklebt! Er ist durch seine Hose gesickert und hat ihm total den Arsch verätzt!«

»Barry, hör auf – du setzt Nigel noch einen Floh ins Ohr«, hatte seine Mutter gesagt.

»Ich bin sicher, Nigel weiß, daß er so etwas nie jemandem antun darf«, sagte Barry. »Nie, niemals«, wiederholte er, und nickte dabei ein stummes »Doch«.

Nigel hatte allerdings den Verdacht, daß sie erleichtert wären, wenn er überhaupt mal zaubern würde, egal ob dabei jemand zu Schaden kam oder nicht. Aber Drafi war der Schulleiter. Wer war dann dieser Junge, der ihm so ähnlich sah?

»Gut gefangen, Trotter«, sagte der Junge, als Nigel sich mit dem Ärmel die Backe abwischte. »Du bist also der Sohn von dem alten Knallkopf, was?«

»Gehörst du zur Putzkolonne?« fragte Nigel. »Auf den Booten hab' ich dich nicht gesehen.«

»Ich *wohne* hier, Schlappstab. Mein Dad ist der Direktor.« Er packte mehr Überheblichkeit in diesen einen Satz, als Nigel jemals für möglich gehalten hätte. »Du kommst ja wohl nach Grittyfloor, oder?«

»Ja …« Doch dann erinnerte sich Nigel an die Instruktionen seiner Mutter, und er sagte brav: »Ich meine, ich werde dahin gehen, wo die Sprechende Mütze mich haben will.«

»Nee, für mich siehst du aus wie ein typischer Fall für Grittyfloor«, sagte Malfies junior. »Da landen alle Versager, sagt mein Dad immer.« Seit Malfies Direktor geworden war, hatte die Mütze die strikte Anweisung, die trübsten Tassen, also die Schüler, die entweder nicht zaubern konnten oder strohdumm waren oder beides, in das Haus Grittyfloor zu schicken. (Grittyfloor konnte von Glück sagen, daß die Treffsicherheit der Mütze durch lebenslangen Suff immer mehr nachgelassen hatte. Selbst während des Auswahlvorgangs nippte sie immer wieder an einem kleinen, in ihrem Hutband versteckten Flachmann. Gegen Ende des Alphabets grölte die Mütze versaute Lieder und teilte die Schüler völlig willkürlich ein.)

»Halt's Maul, du!« grölte der eben erwachte Hafwid und fuchtelte mit seinem Regenschirm herum, um ein bißchen Autorität zu verbreiten. Als er sah, wer der Übeltäter war, ließ er ihn sinken. »Oh, 'tschuldigung, Larval.«

»Siehst du, Trotter?« flüsterte Larval. »Es hat sich einiges verändert seit der Zeit deines Vaters. Jetzt haben wir Malfies hier das Sagen.« Larval grinste spöttisch, dann erregte

87

etwas über ihnen seine Aufmerksamkeit. Im Pechschwarz der Decke, zwischen den Sternen, die sich gegen ein geringes Honorar zu den Worten »Trinkt RhaBlubb« arrangiert hatten, bewegte sich etwas. Während Larval gebannt nach oben starrte, beugte Nigel sich vor und ließ schweigend einen Schwall Spucke aus seinem Mund auf Larvals Schuh laufen. Das Kriegsbeil war offiziell von einer neuen Generation wieder ausgegraben worden.

Es kam ihnen vor, als müssten sie ewig warten, während Drafi sich irgendwo die Nase puderte. Die Sprechende Mütze betrank sich langsam, zuerst verstohlen, dann mit jedem Schluck unverfrorener. Die Schüler mußten die Hauselfe immer wieder nach neuem verfaultem Gemüse schicken. Doch Drafis Platz blieb leer. Bereits etwas undeutlich schmetterte die Sprechende Mütze:

Dein neues Haus gefällt dir nicht?
Dann geh dich doch gleich selbst beglücken.
Ihr Neuen seid ja derart schlicht,
Mit euch könnt man 'nen Zoo bestücken.

Blasierte Deppen gehen nach Silverfish,
Nach Muffelpuff nur garstigste Proleten.
Die Übelriechenden nach Gnawradish,
Und in Grittyfloor sind die Faulsten vertreten.

Ein paar Leute, die zuhörten, buhten.

Die Sprechende Mütze schüttelte verächtlich ihren Zipfel. »Was erwartet ihr? Shakespeare? Ich bin eine verdammte Kopfbedeckung!«

Ungewaschen, verlaust und verranzt:
Eure Stinkschädel kann ich nicht riechen.
Wollt ihr sie behalten, wenn Drafi antanzt,
Dann solltet ihr zu Kreuze kriechen!

Nigel tätschelte seinen Oktopus, der vor Wonne rosa anlief. »Cool«, sagten ein paar Kids, doch dann wurden sie still. Plötzlich gingen die Türen auf und zwei Hauselfen zottelten herein. Die etwa kleinkindgroßen, glubschäugigen Wesen waren wie Revuetänzerinnen aus Hogsbleede gekleidet. Nigel war froh, sie zu sehen – die Abfälle prasselten nun nicht mehr auf ihn, sondern auf die Rosenblätter verstreuenden Elfen nieder.

Zwei weitere Hauselfen stießen kräftig in ihre langen, metallenen Hörner. Die Anwesenden schnappten kollektiv nach Luft, als sich über ihnen etwas ins Blickfeld wuchtete. Etwas Großes. Der Lebensmittelregen versiegte, und die Buhrufe verstummten, als hätte jemand einen Hahn zugedreht.

Die Flatulenzen der Hörner wurden lauter, und das Dröhnen einer Trommel kam hinzu. Im schummrigen Eingangsbereich konnte Nigel bei genauem Hinsehen einen Elf erkennen, der einen besonders kleinen Kameraden an den Füßen hielt und gegen eine gigantische Trommel schleuderte. Nachdem er das gesehen hatte, zuckte Nigel bei jedem Schlag zusammen.

Der Schatten senkte sich langsam herab und trat immer deutlicher hervor. Auf einmal bekamen es alle mit der Angst zu tun: Vor ihnen hockte auf einem Halbmond aus Silberfolie ein bulliger Mann. Ein *riesiger* Mann, der, in eine Toga gehüllt, auf einer Lyra spielte. Es war der Schuldirektor. »Schüler, Lehrer, Ehemalige! Ich steige vom Himmel zu euch herab! Als Inkarnation des Apoll …«

Nigel wurde klar, *wie* geisteskrank einen ein Leben unter dem Einfluß von Magie machen konnte. »O Gott«, sagte er halblaut.

»›Herr Direktor‹ tut's auch«, zischte Larval hinter ihm.

Die Zeit war nicht gnädig mit Drafi Malfies gewesen. Seine weißen Haare waren längst ausgefallen – abgesehen von einer Strähne am Hinterkopf, die er lang nach vorn gekämmt hatte, was nicht besonders vorteilhaft aussah. Waren seine Glatze, der Zahnausfall und die Schrunden im Gesicht, die mit Make-up zu kaschieren so lange gedauert hatte, Nebenwirkungen der mächtigen Doofen Magie, derer er sich in jungen Jahren bedient hatte? (Ohne sie hätte sich nie ein Mädchen mit ihm verabredet.) Die Antwort kannte nur Schwester Pommefritte, aber welch furchtbare Auswirkungen ebendiese Magie auf seine Fortpflanzungsorgane gehabt hatte, stand völlig außer Zweifel. Sie waren etwa so groß wie Rosinen und ebenso effektiv. Drafis Lenden waren verbrannte Erde, doch das uralte, ungeliebte Geschlecht der Malfies mußte fortbestehen (in diesem Buch werden Schurken und ihre Handlanger geboren, nicht gemacht). Daher hatte Luderwig Malfies, ein führender Doofer Zauberer und der Vorsitzende des Kuratoriums der Schule, einen Klon in Auftrag gegeben: Larval.*

Andere Auswirkungen der »Strafe der Schamanen« (wie das Phänomen der Impotenz durch Zauberei in vornehmen Kreisen genannt wurde) ließen sich jedoch nicht so einfach kompensieren. In den zwanzig Herbsten, seit er seinen Abschluß an Hogwash gemacht hatte, war Drafi grotesk in die Breite gegangen. Auf der Fettschicht eines jeden Jahres hat-

---

* Ich möchte allerdings darauf hinweisen, daß aus »Wer nervt Lord Valumart?« durch simple Buchstabenumstellung »Werd Mutter von Larrval!« wird. Das gibt einem zu denken, was?

te sich im folgenden eine noch dickere gebildet. Und doch war Drafi kein lustiges Dickerchen – ganz im Gegenteil. Er leitete Hogwash mit brutaler Willkür, und obwohl er nicht wirklich Schüler umbrachte, war ihm doch anzumerken, daß er danach trachtete.

Wie ein Elefant, der geräuschlos von einem unsichtbaren Kran heruntergelassen wird, sank Drafi langsam und zu unpassender Musikbegleitung hernieder. Alle Blicke waren nach oben gerichtet, alle Münder standen offen. Der neue ausländische Professor murmelte ein Gebet in seiner Muttersprache. Die Menge war wie hypnotisiert – nicht weil das Ereignis so beeindruckend war, sondern vielmehr, weil sie fürchtete, dieser wabbelige Killerwal von einem Mann könnte herunterfallen. Wenn das geschah, das wußten alle, würde er mindestens eine, wahrscheinlich jedoch mehrere Personen zerquetschen, und es gäbe nicht nur eine totale Sauerei, sondern für die Betroffenen auch nicht die geringste Überlebenschance, denn unter seiner Toga wog Drafi mindestens 200 Kilo.

Und genau das geschah. Plötzlich bekam Drafi Schlagseite, griff ins Leere und stürzte ab. Die Schüler stoben auseinander, aber ein unglückseliger Hauself wurde in alle Himmelsrichtungen verspritzt. Nigel wischte sich die verschmierte Brille ab. Es war ein schauriger Anblick – der Direktor trug keine Unterhose.

Die Muddelfans auf der Galerie über ihnen klatschten Beifall. Sie hielten das Ganze für eine unbegreifliche, aber nicht minder spektakuläre Showeinlage mit Tradition. Als ihnen auffiel, daß sich der dicke Mann in dem Bettlaken nicht mehr rührte, ebbte der Applaus ab. Man hörte ein paar hastig unterdrückte Lacher, und dann wurden sie hinauskomplimentiert.

»O nein! Erbgutspender!« schrie Larval kummervoll genau in Nigels Ohr.

»Aua, Mann!« sagte Nigel, während Larval sich nach vorn drängelte und zu heulen begann. Nigel verstand nicht, was Larval solchen Kummer bereitete. Wenn seine Eltern stürben, würde er es sich richtig gutgehen lassen. Er würde ein Buch darüber schreiben und mit dem Geld eine Zahnarztpraxis mit angeschlossenem A&A-Spielsalon eröffnen.

Schwester Pommefritte eilte zu Drafi hinüber, der zusammengesackt auf den Fliesen lag wie ein zermatschter Napfkuchen. Seine karmesinrote Füllung verteilte sich ebenso wie die des Hauselfen über den gesamten Fußboden.

»Einmal Wischen im Großen Saal«, sagte ein Hauself über den Lautsprecher.

»Er ist tot«, sagte Schwester Pommefritte.

»Stimmt«, sagte Drafis Geist, der neben ihr erschien. »Laßt uns essen.« Der Tod hatte ihm nicht den Appetit verdorben.

Schwester Pommefritte schwenkte ihren Zauberstab und zauberte die bluttriefenden Leichname in die Leichenhalle der Schule. Alle anderen setzten sich zum Essen an den Tisch.

Fidibus Snipe sprang ein, um das Festmahl zu eröffnen, aber keiner der Sterblichen hatte großen Hunger, vor allem die nicht, die mit Drafis Überbleibseln bespritzt worden waren, als die Hauselfen mit den Hochdruckreinigern zu Werke gegangen waren. Die Elfen waren nach dem Abgang ihres Direktors in Hochstimmung. Daß sie Drafis Lustkahn hatten rudern müssen, mochte ja noch angehen – auf die ihnen eigene masochistische Art hatten sie es genossen. Aber daß er sie gegen ihren Willen und ohne eine Gehaltserhöhung als Brennmaterial für dessen Heizkessel benutzt hatte, das ging dann doch zu weit.

Die Stimmung der Schüler hingegen war eher gedämpft. Diejenigen, die während eines unter weniger gefährlichen Umständen verbrachten Sommers vergessen hatten, daß der Aufenthalt in Hogwash tödlich enden konnte, wurden an die grausame Realität erinnert. Die Sprechende Mütze stöhnte nur noch vor sich hin und erbrach Knöpfe. Sie wurde für betrunken erklärt und beiseite gelegt. Die Fünft-kläßler wurden einfach nach den Ergebnissen ihres Zauberereignungstests aufgeteilt. Die Begabtesten kamen ins Haus Silverfish, die nächstbesten ins Haus Radishgnaw und die weniger talentierten ins Haus Muffelpuff. Die übrigen – der Abschaum – wurden nach Grittyfloor abgeschoben. Natürlich war sonnenklar, wo Nigel landete.

Die Luft im Großen Saal war noch von den Ausdünstungen der Rülpswettbewerbe geschwängert, die nach dem Essen abgehalten wurden – Haus gegen Haus, Schüler gegen Ehemalige –, als Snipe sich erhob und mit einer Handbewegung um Ruhe bat.

»Herzlich willkommen zum neuen Schuljahr in Hogwash, wo, wie wir alle wissen, ständig schreckliche Dinge passieren«, begann Snipe, und Barry hätte schwören können, daß der Lehrer für Zauberschwänke dabei genau ihn ansah. Ja, die Schule war tatsächlich zu einem lebensgefährlichen Ort geworden, seit er dort angefangen hatte. »Bevor ihr auf eure Zimmer geht, um darüber zu diskutieren, wer für diesen unglaublich tragischen und viel zu frühen Tod verantwortlich ist«, er deutete mit einem Nicken auf Drafi, »respektive wer wohl als nächster sterben muß, und bevor ihr Tausende von schwachsinnigen Plänen in die Tat umsetzt«, diesmal schaute Snipe definitiv Barry an, »würde ich euch gern etwas mitteilen. Erstens: Bitte heißt mit mir unseren neuen Lehrer für Doofes Kunsthandwerk willkommen, Professor …« Snipe beugte sich zu ihm hinüber, und der merkwürdige Mann flüsterte ihm etwas ins Ohr. »Sprechen Sie lauter, ich versteh' kein Wort … Professor Mumblemumble.« Snipe zuckte mit den Achseln und zog ein Gesicht, das besagte: »Merkwürdiger Name, aber so hab' ich's nun mal verstanden.«

Die Menge klatschte, und es wurden nur vereinzelte Lebensmittelsalven abgefeuert, ein Zeichen großen Respekts. Der Professor zauberte eine Visitenkarte herbei und reichte sie Snipe.

»Hier steht, Professor Mumblemumble ist Pseudoprofessor für Faulen Zauber an der Kokoloresuniversität. Ich bin sicher, daß er eine große Bereicherung für unsere Fakultät ist und in dieser Geschichte eine wichtige Rolle spielen wird. Versuchen wir ihm das Gefühl zu geben, daß er uns willkommen ist, und ihn *nicht* zu behandeln, als wäre er einer von uns.« Snipe bedachte mehr oder weniger alle Versammelten mit einem drohenden Blick.

»Zweitens: Zehn Punkte Abzug für Grittyfloor, nur weil mir gerade danach ist.« Die anderen Häuser johlten begeistert. Eine Glocke ertönte, die Zahlen auf der beleuchteten Anzeigetafel am einen Ende des Großen Saales klappten um, und der Rückstand des Hauses Grittyfloor auf den nächsten Konkurrenten vergrößerte sich auf tausend Punkte.

»Ich wette, jedesmal, wenn er das tut, kriegt er Gratisflugmeilen«, sagte Barry. Hermeline ermahnte ihn, den Mund zu halten. »Wieso?« fragte Barry. »Das ist doch nur Snipe, verdammt noch mal.«

»Aber im Moment ist er der Schulleiter, und wir sollten ihm unseren Respekt erweisen«, sagte Hermeline.

»Darf ich dich erinnern, daß du es warst, die ihn damals auf den Verteiler des Verzaubertes-Sexspielzeug-des-Monats-Clubs gesetzt hat?«

»Pssst«, sagte Hermeline. Das hatte sie tatsächlich, und dank eines obskuren *Telemarketus*-Zaubers, den sie in der Verbotenen Abteilung der Bibliothek gefunden hatte, war es Snipe seitdem nicht gelungen, seinen Namen von der Mailingliste zu löschen. Sein Büro stand voll von Lustapparaten, die glucksend und schnurrend übereinander hinwegkrochen. Sobald man nur die Tür aufmachte, kribbelte es einem schon in sämtlichen Körperöffnungen.

Snipe kam zum Ende seiner Ansprache. »Laßt uns hoffen, daß dies nur der schlechte Anfang eines ansonsten exzellenten Jahres für Silverfish war und eines angemessen guten für alle anderen. Jetzt dürfen die Vertrauensschüler die Gruppen in ihre Gemeinschaftsräume führen, wo sie vor dem Zubettgehen einen kurzen Orientierungsfilm sehen werden. Gute Nacht – und Gott schütze euch.«

Kapitel fünf

ADVOKATEN UND ADLATEN

Nigel ging mit den anderen Grittyfloor-Schülern zum Porträt der Dünnen Dame mit dem seltsam dicklichen Gesicht. Ihre erste Reaktion auf den Ruhm hatte darin bestanden, sich Fett absaugen zu lassen, was sie damit finanzierte, daß sie sich von neugierigen Fünftkläßlern gegen einen Obolus unter den Rock gucken ließ. Sie sprach regelmäßig für Rollen in Hollywoodfilmen vor, bekam aber nie eine – immer wieder winkte sie in die Kamera.

»Wir kommen jetzt durch, Miss Muschimuttermal«, verkündete Passé Measly hoheitsvoll. Er war der Vertrauensschüler von Grittyfloor, Prissys Sohn und eine ebensolche Nervensäge wie dieser. Nigel mußte daran denken, daß sein Dad einmal gesagt hatte, Prissy verhalte sich, als habe er einen Zauberstab im Arsch. Jetzt wußte er, was er damit gemeint hatte. Passé war magisch nicht besonders begabt – nicht umsonst war er Grittyfloor zugewiesen worden –, aber sein mangelndes Talent glich er durch Selbstbewußtsein aus.

»Das kostet einen Sickie«, erklärte die Frau im Porträt. Sie mußte schließlich die Rechnungen für ihre Fettabsaugungen bezahlen.

»Was?« stammelte Passé. »Das ist ja unerhört! Weißt du eigentlich, wen du vor dir hast? Das werde ich dem Direktor sagen!«

»Nur zu – er und ich machen halbe-halbe«, sagte das Porträt.

Die Maut wurde entrichtet, und die müden, überreizten Schüler kletterten durch das Bild in den Gemeinschaftsraum von Grittyfloor. Dort hing die Zimmeraufteilung aus. Von den Namen der vier, die mit ihm ein Zimmer teilten, kannte Nigel nur einen – Don Tomas.

»Sucht euch alle einen Platz!« brüllte Passé. Er richtete seinen Zauberstaub auf eine leere Stelle an der Wand, und das Orientierungsvideo begann.

Die Schule, die Nigel erwartete, war eine ganz andere als die, die Barry, Hermeline, Lon und die anderen besucht hatten. Jahrzehnte des Weltrufs hatten aus dem baufälligen Schrottkasten, in den man ging, um zaubern zu lernen, eine Schule gemacht, die man besuchte, um der nächste Barry Trotter zu werden, ein reicher Zauberer, der in einem fort die Welt rettete und von Milliarden Menschen geliebt wurde. Dieser Mythos hatte die Schüler so in seinen Bann geschlagen, daß jeder einzelne sich insgeheim zu einem Barry, einer Hermeline oder einem Lon erklärte, und diese Atome schlossen sich jeweils zu Dreiermolekülen zusammen. Jeder Schüler behielt seine Rolle während seiner gesamten Laufbahn bei: Die Hermelines wurden Musterschülerinnen, die Barrys machten Ärger, und die Lons benahmen sich hündisch. Gelegentlich machte sich so ein Dreiergrüppchen auf und durchkämmte die Schule nach »Geheimnissen«, die es sich aufs Infantilste zusammenspann.

Diese ständige Jagd nach imaginären Verschwörungen und Intrigen bescherte der Schule nicht nur eine absurd hohe Sterblichkeitsrate, sondern führte auch dazu, daß die Eltern eines jeden Kindes durch ihre Unterschrift auf jegliches Recht verzichten mußten, die Schule zu verklagen, falls

»Ihr Sohn oder Ihre Tochter beim Detektivspielen zu Tode kommen sollte. Als solches gewertet wird unter anderem, wenn der Schüler herumschnüffelt oder spioniert, nach ›Hinweisen‹ sucht oder sie mißinterpretiert, sich gefährlichen Tieren entgegenstellt, weniger gefährliche Tiere reizt, in fremden Sachen herumwühlt, ausbüchst, Nachforschungen anstellt oder Professor Snipe auf die Nerven geht.« Die Lehrerschaft bezeichnete solches Verhalten als »Rollinsitis«, und nach dem hundertsten Todesfall (ein Barry in der siebten Klasse war verhungert, weil er in einem Heizungsschacht steckengeblieben war – die Hermeline traute sich nicht, jemandem Bescheid zu sagen, und der Lon vergaß es) spendete die verärgerte Autorin eine Million Gallonen pro Jahr zu Präventionszwecken.

Die Rollinsitis machte einen geregelten Schulbetrieb praktisch unmöglich. Obwohl kein Zauberer seinen Kokon der Überheblichkeit jemals lange genug verlassen hätte, um das zu erkennen, tickte unter ihnen eine Zeitbombe: Die Hauselfen, denen die höchst undankbare Aufgabe der Verwaltung Hogwashs oblag, standen ständig am Rande eines massiven Streiks, dem gewiß langwierige Unruhen gefolgt wären. Doch alle, deren Augäpfel Normalgröße hatten, gaben sich der Illusion anheim, alles sei in bester Ordnung – und außerdem war Hogwash nach wie vor eine Goldgrube.

Das Selbstverständnis der Schule wurde in dem Orientierungsvideo überdeutlich (es stammte ursprünglich aus der Measly-Ära, war jedoch erst kürzlich überarbeitet worden). Das Filmchen, das vor Selbstbeweihräucherung triefte, bekam etwas ausgesprochen Gruseliges dadurch, daß es von Drafi Malfies moderiert wurde, dem Mann, der gerade vor ihren Augen in den Tod gestürzt war.

Natürlich konzentrierten die Schüler sich lieber auf jene

Elemente, die ihre Eitelkeit ansprachen – die feierliche Musik, die dramatisch beleuchteten Aufnahmen von der Schule, in denen sie besser aussah, als sie es in Wirklichkeit je getan hatte, den schwülstigen Kommentar, in dem die besonderen Talente der Schüler und die schier unerträglichen Verheißungen ihrer gemeinsamen Zukunft hervorgehoben wurden ... Und so begann der Zauber tatsächlich zu wirken, jene subtile Alchemie, die sie zu einem Teil von Hogwash werden ließ und die Bezeichnung »Hogwash-Schüler« in der gesamten Welt der Magie zu einem Synonym für »eingebildetes Arschloch« machte.

Nigel machte sich, ganz die Mutter, während des Films Notizen. Da er aber auch nach seinem Vater kam, überkam ihn auf halber Strecke die Faulheit, und er hörte auf. Ein paar Highlights:

1. Benimm dich stets wie ein Zauberer – KEINE SCHULTERFREIEN TOPS/ABGESCHNITTENEN JEANS.
2. Tu so, als gäbe es keine Hauselfen.
   a) Tyrannisieren
   b) Verspotten
   c) Schlagen
   d) Verspeisen (falls nötig oder wenn dir danach ist)
3. Mach dir keine Gedanken darüber, wo die herbeigezauberten Sachen herkommen.
   a) Nicht dein Problem (genau!)
4. Behandle Muddel wie ...
   a) Kinder von oben herab
   b) Schwachsinnige aber nie zugeben!
5. Wälze niedere Arbeiten IMMER auf andere ab.
   a) Vermeide körperliche Anstrengung um jeden Preis – Muskeln = ungesund.

6. Welt besteht aus zwei Lagern: magisch/nichtmagisch.
   a) wie Schäfer und Schafe
      I. Schafe liefern Wolle, Fleisch, sind niedlich.
      II. Schäfer bestrafen Schafe, wenn sie nicht gehorchen.

Brabra, dachte Nigel verdrossen, als das Licht wieder anging. Die Jungs gingen in die ihnen zugeteilten Zimmer und begannen mit dem Auspacken.

Nigels Zimmergenossen schienen nicht die gleichen Sorgen zu haben wie er. Es waren zwei Jungen dabei, die aus Muddelfamilien stammten und in derselben Stadt wohnten, Gordon und Peter. Die beiden waren bereits Freunde.* Sie hatten Unmengen von Insiderwitzen auf Lager und knufften sich andauernd gegenseitig. Sie sahen sogar so aus, als wären sie miteinander verwandt. Offenbar waren die beiden sich selbst genug, und selbst wenn dem nicht so gewesen wäre, hegte Nigel ernste Zweifel, ob er das körperliche Unbehagen ertragen könnte, das die Freundschaft mit ihnen zweifelsohne mit sich brächte.

Der nächste war ein Junge namens Byron. Es gibt zwar keine verbindliche Regel, die besagt: »Freunde dich nicht mit einem Elfjährigen an, der einen Umhang trägt«, aber sie müßte vielleicht erfunden werden. Sein Hausgeist war ein Pfau namens Shelley, der überall hinkackte und in unre-

---

* Ihre Mütter, die offenbar nicht begriffen hatten, was ein Hausgeist war, hatten sie jeweils mit einer Tüte Tiefkühlerbsen ausgestattet. Gordon und Peter versuchten diesen Lapsus dadurch zu überspielen, daß sie den Erbsen Namen gaben, sie mit in den Unterricht nahmen usw. Nach Weihnachten hatten sie beide dann aber doch diese Roboterhunde von Sony.

gelmäßigen Abständen ohrenbetäubende Schreie von sich gab.

»Ich habe mit meiner Schwester geschlafen«, war das erste, was Byron zu seinen neuen Zimmergenossen sagte. »Und Menschenfleisch gekostet.« Er wartete darauf, daß seine Worte Wirkung zeigten. Vergeblich.

»Schöner Umhang!« spottete Gordon. »Wo kommst *du* denn her?«

»Vermutlich aus Penisland«, sagte Peter und knuffte seinen Freund.

»Oder Johannesburg!« sagte Gordon unter schallendem Gelächter und versetzte Peter einen Schubs.

»Oder Pimmelreich!« sagte Peter und krallte sich in Gordons Pullover.

Das ist meine Chance, dachte Nigel! »Oder, äh …« Seine Zimmergenossen schauten ihn an »… Pillerstan?« Keiner lachte, und Nigel hatte sich damit unweigerlich den Platz am unteren Ende der Hierarchie gesichert, noch unter Byron und seinem vierten Zimmergenossen, Don Tomas. Don hatte Dreadlocks wie sein Vater, trug aber den Namen seines *anderen* Vaters. (*Klar*, sie waren lediglich »gute Freunde« – Don Tomas und Lee Jardin standen einander viel näher, als J. G. Rollins durchblicken ließ.)

Nigel fiel etwas Merkwürdiges an Dons Haaren auf. »Das sind keine echten Dreadlocks«, gestand Don. »Diese Klonzauber wirken manchmal nicht ganz zuverlässig.« Seine Haare wuchsen von Natur aus in dicken Würsten.

»Tut das weh?« fragte Nigel. »Ich find's cool, Don.«

»Danke«, sagte Don. »Sag ruhig Junior zu mir, so nennen mich alle.« Seine Haare, sein merkwürdiger Name und dazu seine Eltern (eine der ersten gleichgeschlechtlichen Ehen der Zauberwelt) und der Umstand, daß sein Hausgeist eine

Ziege war, machten ihn zur willkommenen Zielscheibe für Hänseleien. Er und Nigel wurden sofort Freunde – geteilte Ausgrenzung ist halbe Ausgrenzung.

Alle packten ihre Koffer aus. Gordon förderte einen großen CD-Player zutage, während Peter eine große Kristallkugel dabeihatte, das magische Äquivalent zum Fernseher. Offenbar waren sie bestens vorbereitet.*

»Wenn jemand in die Kristallkugel gucken will«, sagte Peter, »kostet das einen Sickie.«

»Pro Stunde«, sagte Gordon.

»Genau!« stimmte Peter zu. Sie klatschten einander ab.

»Das gleiche gilt für den CD-Player«, sagte Gordon. »Und wenn wir ihn selber benutzen wollen, können wir ihn euch jederzeit wegnehmen.«

»Genau!« stimmte Peter zu. Sie rammten ihre Brustkörbe gegeneinander.

Unabhängig voneinander nahmen sich die anderen drei Jungs stillschweigend vor, die Sachen der beiden kaputtzumachen.

Nigel nahm seine Schulbücher heraus und stapelte sie aufs Bett. *Langweilige und nutzlose Zaubersprüche für Anfänger, Das Schicksal in deiner Hand, Eine Geschichte von Hogwash* (»mit Hinweisen auf das neueste Geheimnis in roter Schrift!«), *Berühmte Ungeheuer und wie man sie zubereitet* und *Schamanen, Schwindler, Scharlatane.*

---

* Die starke Strahlenbelastung, die die Magie mit sich bringt, hatte ursprünglich für eine gewisse Unverträglichkeit zwischen der Muddeltechnologie und der Zauberwelt gesorgt. Nach der Trotter-Détente zwischen den Rassen hatte Lord Valumart jedoch seine Wissenschaftler auf die Lösung dieses Problems angesetzt. Wo ein Wille ist – und ein gerüttelt Maß an Geldgier –, ist auch ein Weg, und so gab es inzwischen, anders als zu Barrys Zeiten, beispielsweise massenhaft CD-Player, die keine Aussetzer hatten, wenn man in ihrer Nähe zauberte.

»Was ist das?« fragte Don und zeigte auf Nigels A&A-Ausrüstung.

»Ein Spiel«, sagte Nigel. »Es heißt ›Advokaten und Adlaten‹. Jeder tut so, als wäre er ein Muddel, und dann löst man Fälle und kämpft gegen Bürokraten und so.« Er reichte ihm einen Satz Spielkarten voller Tariflisten, Steuertabellen und ähnlichem.

»Klingt cool«, sagte Don. »Was ist ein Bürokrat?«

»Eine Art Muddelmonster«, sagte Nigel. »Ich kann dir nachher mal die Spielregeln erklären.«

»Ich *wußte*, daß er ein A&A-Freak ist, her mit der Kohle!«, sagte Gordon zu Peter, und dieser gab ihm Geld.

»Du bist also der Sohn von Barry Trotter«, sagte Byron, während er seinen Fußballpyjama aus blutrotem Samt in eine Schublade stopfte. »Dich hatte ich mir cooler vorgestellt.«

»Danke«, sagte Nigel, um ihr gutes Verhältnis nicht zu trüben.

»Stimmt es, daß dein Dad Art Valumart kennt?« fragte Byron.

»Ja.« Nigel hatte sich Onkel Terry gegenüber zum Stillschweigen verpflichten müssen. Wenn bekannt würde, daß er in Wirklichkeit ein skrupelloser Geschäftsmann war, wäre VTAs einträgliche Zweitkarriere als Nostalgieband schnell zu Ende.

»Meinst du, du könntest mir ein Autogramm von ihm besorgen?«

Nigel mußte sofort an das naheliegende Angebot »Ich geb' dir eins auf die Fresse und du kriegst dein Autogramm« denken. »Ich glaube nicht«, sagte er.

»Wichser«, sagte Byron. Als Nigel und Don sich vor dem Schlafengehen waschen gingen, machte Byron sich über Nigels Schulbücher her und riß willkürlich Seiten heraus. (Er »restaurierte« jedes einzelne bis auf *Schamanen, Schwindler, Scharlatane.* Das zog nämlich, sobald er es berührte, einen Revolver und raubte ihn aus.) Peter und Gordon standen daneben und kicherten.

Als Nigel mit Don zurückkehrte und sah, was passiert war, rastete er aus. Nun würde er gebrauchte Bücher kaufen müssen, und in denen konnte es spuken.

»Wer war das?« brüllte Nigel. Die anderen drei Jungs schwiegen, bis Byron sich zu Wort meldete.

»Das kann dir doch egal sein, oder? Dein Dad ist stinkreich, du kannst dir doch einfach neue kaufen.«

Daß man sie für reich hielt, war der Fluch der Familie Trotter. Niemand wußte von Onkel Serious, der einst mit einer einzigen »Geschäftsidee« dreizehn Menschen in den Bankrott getrieben hatte.

»Danke für das Geständnis, Byron«, sagte Nigel. Die beiden Jungs funkelten sich wütend an, und die Haut von Nigels Oktopus, auf den sich die Stimmung seines Herrn übertrug, wurde ganz scheckig vor Zorn. Als die Jungs ins Bett gingen, hatten sie sich immer noch nicht wieder versöhnt.

In einer warmen Nacht wie dieser war es nicht allzu unangenehm, kein Dach auf dem Turm zu haben. Es zog, aber hinter den Vorhängen des Himmelbetts und mit den in Flanellpyjamas gekleideten Feuersalamandern, die die Hauselfen vor ihrer Ankunft zwischen die Laken geschoben hatten, war es in Nigels Bett doch recht kuschelig.

»Das würde ich mir nicht gefallen lassen«, flüsterte Junior Nigel zu, als die anderen Jungs schliefen.

»Ich will mich nicht mit ihm anlegen«, sagte Nigel. »Er ist größer als ich.«

»Dann verzauber ihn doch«, sagte Junior. »Schließlich

weiß er, wer deine Eltern sind. Er wird sich bestimmt in den Umhang scheißen, sobald du deinen Zauberstab auf ihn richtest.«

»Na ja, ich ... Ich kann auch nicht besonders gut zaubern«, gestand Nigel. »Aber sag's nicht weiter, ja?«

»Du bist sicher noch nicht in der Pubertät«, versuchte Junior Nigel zu trösten. »Hier, die wollte ich eigentlich für später aufheben, aber du kannst sie haben.« Er reichte ihm ein Päckchen Ohrenkneifer. »Die hab' ich aus Hogsbleede«, sagte er.

»Du warst in Hogsbleede?« sagte Nigel. »Mein Dad nimmt mich nie dahin mit.«

»Mein Vater war dort Ringsprecher bei einem Boxkampf«, sagte Junior. »Und mein anderer Vater steht auf Siegfried und Roy. Ich fahre oft da hin. Wie auch immer, ich würde Folgendes machen ...« Er flüsterte Nigel etwas ins Ohr.

»Cool!« sagte Nigel leise. »Die fressen sein Gehirn auf?«

»Wenn er eins hat«, flüsterte Junior zurück.

»Okay, ich mach's. Paß auf!« sagte Nigel. Er schlüpfte in das Tarncape und ging auf Zehenspitzen hinüber zu Byrons Bett. Dort zog er den Umschlag hervor und streute ein paar Ohrwürmer auf Byrons Kissen. Zu seiner Freude – und seinem Entsetzen – erhoben sich die Tiere auf die Hinterbeine, nahmen Witterung auf und krabbelten schnurstracks auf Byrons Ohr zu. Eins, zwei, drei verschwanden darin. Kichernd huschte Nigel zurück ins Bett. Auch Junior lachte.

»Könnt ihr mal die KLAPPE HALTEN?!« sagte Peter oder Gordon und weckte damit Byron auf, der sich am Ohr kratzte und sich auf die andere Seite drehte.

»Halt doch selber die Klappe!« entgegnete Junior.

»Wenn es funktioniert, nehmen wir uns vielleicht als nächstes Trottel eins und Trottel zwei vor«, flüsterte Nigel.

»Ja!« sagte Junior. Die beiden Verschwörer lachten in ihre Kopfkissen. Es war ein gutes Gefühl, einmal nicht herumgeschubst zu werden.

»Und«, sagte Junior leise, »glaubst du, dein Dad hat es getan?«

»Was?« erwiderte Nigel.

»Direktor Malfies umgebracht.«

Nigel wurde plötzlich klar, welche Vorteile es hätte, wenn alle Barry für einen Mörder halten würden. »Vielleicht«, sagte er. »Zuzutrauen wäre es ihm.«

»Das ist echt kraß. Mein Dad hat mir alle möglichen Geschichten über ihn erzählt. Scheint ja ein ziemlicher Irrer zu sein«, sagte Junior und fügte dann hinzu: »Im positiven Sinne natürlich. Hat er wirklich eine Feuerwerksrakete so verzaubert, daß sie sich in Snipes Arsch gebohrt hat?«

»Zumindest behauptet er das«, sagte Nigel. »Ich weiß allerdings nicht, ob ich ihm glauben soll. Klingt eher nach den Measlys.«

Junior schwieg einen Moment. Dann sagte er: »Ich wette, es ist ganz schön schwer, sein Sohn zu sein. Ich meine, was könntest du Snipe schon antun, um dem noch einen draufzusetzen?«

»Das kannst du laut sagen«, antwortete Nigel. »Ich meine, nicht nur, daß alle von mir erwarten, daß ich ein großer Zauberer werde – offenbar kann er sich noch nicht mal eine Stunde lang in der Schule aufhalten, ohne daß jemand ums Leben kommt.«

Erst gegen ein Uhr morgens schlief Nigel ein. Immerhin hatte der Direktor direkt vor seinen Augen den Kessel abgegeben, und außerdem war er doch ziemlich durch den Wind, weil er nun tatsächlich in Hogwash war und so weiter. Zum Glück fing der Unterricht erst mittags an – das Ehemaligenwochenende hatte einen eher entspannten Stundenplan nötig gemacht. Nigel blieb gerade noch Zeit, sich rasch die Haare zu kämmen, bevor er zur ersten Stunde eilte.

»Tja, mein Junge, Aussehen ist nicht alles«, sagte sein Spiegel spitz.

»Hoffentlich kriegst du 'nen Sprung!« brüllte Nigel, als er das Zimmer verließ.

Kapitel sechs

BARRY LÄSST
DIE PUPPEN TANZEN

Ich begreife nicht, wieso das Klassentreffen abgesagt worden ist«, sagte Barry, während er und Hermeline sich von Drafis funkelnagelneuem Grab in der Familiengruft der Malfies entfernten. Es lag in einer naßkalten Ecke eines Doofen-Friedhofs neben den Stalins. »Ich meine, so was kann schließlich mal passieren.«

»Barry, der Mann ist tot«, sagte Hermeline.

»Das wurde aber auch Zeit«, sagte Barry. »Ich hätte ihn damals in der Schule schon umbringen sollen. J. G. hat es mir immer wieder ausgeredet. ›Ich brauche ihn für die Handlung‹, meinte sie. Als ob jemals jemand die Stellen über *ihn* gelesen hätte.«

»Das verbitte ich mir!« sagte der Geist von Drafi, der gerade vorbeischwebte.

»Tut mir leid«, sagte Hermeline. »Du sahst sehr gut aus im Sarg.« Aber Drafi war fort, um das zu tun, was auch immer Geister den ganzen Tag lang so tun.

»Guck dir mal diese Grabinschrift an«, sagte Barry und zeigte auf einen Grabstein. »›Es könnte schlimmer sein.‹«

Glucksend evaporierten Barry und Hermeline und flogen zurück nach Hogwash. Als sie draußen auf einer Bank in der Sonne saßen und darauf warteten, daß ihre feuchten Sachen trockneten, schaute Hermeline ziemlich nachdenklich drein.

»Woran denkst du?« fragte Barry und legte dabei zärtlich seine Hand auf Hermelines.

»Daran, wie ich mir von Drafi Filzläuse geholt hab'.« Barry zog seine Hand zurück. Er wußte nicht, ob sie scherzte oder nicht. Sicherheitshalber versuchte er, sich allein durch Einsatz seiner Gesäßmuskeln von ihr wegzubewegen.

»Nun denn. Hast du eine Ahnung, wer den *Ann-Margaret*-Zauber gebrochen haben könnte?« fragte sie. Solche Zauber, mit denen man eindrucksvolle Auftritte inszenieren konnte, waren mächtige Magie, wie man sie außerhalb der Varietétheater von Hogsbleede nur selten zu sehen bekam.

Barry hetzte gerade mit seinem Zauberstab zwei Ameisenheere aufeinander. Was für ihn ein Sport war, war für diese Ameisen »die Schlacht des Frühen Nachmittags«, der Schlüsselmoment ihrer Kultur.

»Barry?«

»Was? Auf sie mit Gebrüll!«

»Es ist nicht nett, etwas zu verzaubern, das kleiner ist als du. Beantworte meine Frage: Weißt du, wer Drafis Zauber gebrochen hat?«

»Nein, aber wenn du es herausfindest, gib mir seine Adresse. Ich würde ihm gern einen Riesenobstkorb schikken.«

»Ich meine es ernst, Barry«, sagte Hermeline.

»Ich auch!«

»Mensch, das war Mord. Er ist nicht einfach so abgestürzt. Für einen Mann seines Gewichts war Drafi ziemlich gewandt. Nein, jemand hat den Direktor *umgebracht*«, sagte Hermeline. »Und wir müssen herausfinden, wer.«

»Warum, um ihm ein Dankesschreiben zu schicken?« fragte Barry. »Das ist ein geschenkter Gaul, Hermi – wieso mußt du all seine Plomben zählen?«

»Ich kann nicht anders«, sagte Hermeline lächelnd. »Schließlich bin ich die Tochter eines Zahnarztehepaars.«

»Tschuldigung«, sagte Barry, während er sich an einem Muddelpärchen vorbeizwängte. Die Treppe von Hogwash war bei Muddeln ein beliebter Ort für Heiratsanträge (und gelegentlich auch die Erfüllung der ehelichen Pflichten). Als sie das Gebäude betraten, wurden Barry und Hermeline von Luderwig Malfies empfangen. Sein Gesichtsausdruck war noch säuerlicher als sonst.

»Herzliches Beileid. Das ist für Sie bestimmt ein schwerer Verlust«, sagte Hermeline.

»Verlust? Er ist bereits bei Neurotika und mir eingezogen«, sagte Luderwig bitter. »Andauernd rede ich auf ihn ein: ›Als Geist kann man AUFHÖREN ZU ESSEN!‹« grollte er. »Hängt die ganze Zeit vor dem Fernseher und macht das Sofa ganz kalt … Dieser Junge konnte noch nie etwas richtig machen, noch nicht mal sterben. Die meisten Leute kratzen einfach ab und lassen einen in Ruhe«, sagte Luderwig. »Alle außer *diesem* Polterdepp.«

»Oh«, sagte Hermeline unsicher. Auch ihre geschätzten Benimmratgeber halfen ihr hier nicht weiter.

»Hallo, Leute«, sagte Hafwid. Er führte gerade Professor Mumblemumble durch die Eingangshalle. »Wir machen 'nen Rundgang.«

»Ein wirklich erstaunliches Gebäude«, sagte Mumblemumble. »Wo bekommt man heutzutage schon noch solche Wasserschäden zu Gesicht.«

Hafwid lächelte. Nachdem er so lange an der Schule gearbeitet hatte, nahm er jedes Kompliment, das sie erhielt, persönlich. »Ich werd' den Laden hier vermissen«, sagte er.

111

»Vermissen? Wo gehst du denn hin?« fragte Barry. Wer zum Teufel sollte Hafwid einen Job geben? Roch denn niemand seine Fahne?

»Oh, nich' nur ich«, sagte Hafwid und fuchtelte mit den Armen herum (wobei er ringsum den charakteristischen Achselgeruch eines Riesen verbreitete). »Wir geh'n alle. Nach Atlantis.«

»Idiot!« kreischte Mumblemumble. Eine große Nebelfaust schoß aus seinem Zauberstab und hämmerte Hafwid auf den Kopf, als sei er ein riesiger Nagel.

Barry, Hermeline und Malfies starrten die beiden an. So wagte niemand mit Hafwid umzuspringen, jedenfalls niemand, der seine inneren Organe beisammenhalten wollte. Barry hatte ein- oder zweimal gesehen, wie Bumblemore Hafwid eine gescheuert hatte, aber Bumblemore war ja nicht mehr da. Vielleicht lag es daran.

Der ausländische Professor bemerkte ihre Reaktion und sagte: »Verzeihung, mein Verhalten erscheint Ihnen bestimmt sonderbar. Auf diese Weise zeigen wir unsere Begeisterung.« Die Faust sauste wieder auf Hafwids Kopf nieder. »Es interessiert mich sehr, was Mr. Hafwid zu sagen hat.«

Hafwid verzog vor Schmerz das Gesicht und lachte nervös. »Ich mein', was ich sagen wollte, war, haha, wir versuchen überhaupt nich', Hogwash zu verkaufen« – die Nebelfaust traf ihn erneut –, »weil wir's nicht mehr brauchen« – rums! –, »wenn der Zauber erst zu wirken beginnt« – rums! – »und wir alle nicht mehr hier sind.«

Hafwid wich dem letzten Hieb aus und fragte: »Warum schlagen Sie mich? Ich hab' ihnen doch gar nicht gesagt, wer Sie in Wirklichkeit sind.«

»Arrghh!« donnerte Mumblemumble zornig. »Du Trottel!« Er packte die schwielige Pfote des Riesen und zerrte

112

vergeblich daran. »Komm schon«, sagte er, dann gab er auf und stakste davon.

»Tut mir leid, Barry«, sagte Hafwid, »ich schätze, ich hab' euch schon zuviel erzählt.« Er zuckte mit den Achseln und trottete seinem gewalttätigen neuen Freund hinterher.

»Was war das denn?« fragte Hermeline. »Bin ich die einzige, die kein Wort von dem verstanden hat, was Hafwid gesagt hat? Vielleicht sollte die Schule sich mal einen Sprachtherapeuten oder so was leisten.«

Luderwig flüsterte – das ungleiche Paar war nur wenige Meter entfernt: »Dieser neue Professor Mumblemumble hat exzellente gefälschte Zeugnisse, aber ich weiß nicht, ob ich ihm wirklich trauen kann.«

»Na ja, er ist doch bloß Lehrer für Doofes Kunsthandwerk«, sagte Hermeline. »Warten wir's ab, bestimmt ist er bald tot oder so was.«

»Schon, schon. Trotzdem …« Luderwig holte ein paarmal tief Luft, als versuche er sich zu sammeln, dann sagte er mit fester, lauter Stimme, als wolle er sich selbst davon überzeugen, daß er nicht träumte: »Barry, das Kuratorium möchte dich zum Interimsdirektor von Hogwash ernennen. Bist du dazu bereit?« Luderwig machte ein Gesicht, als wäre jedes einzelne Wort in Brechwurzeltinktur getaucht gewesen.

»ACH DU SCHANDE!« hörten sie Mumblemumble ausrufen.

»Gibt es da drüben ein Problem?« rief Luderwig hinüber und schaute dabei an Barry vorbei.

»Nein, alles bestens«, übertönte Hafwid einen Strom von halb ersticktem Nonsens aus dem Mund des Professors. »Er ist bloß immer noch begeistert.« Mit einiger Mühe bugsierte der Riese Mumblemumble nach draußen.

»Laß mich zu ihm!« brüllte Mumblemumble. Er schien

113

Schaum vorm Mund zu haben. »Nur ein kleiner Zauberspruch! Dem werd' ich's zeigen!«

»Reißen Sie sich zusammen, Professor – denken Sie an uns're Mission«, sagte Hafwid, und die Tür schloß sich. Barry, Hermeline und Luderwig konnten immer noch Flüche und vereinzeltes Rumsen hören. Offenbar warf Mumblemumble sich gegen die Tür.

Luderwig tippte sich kopfschüttelnd an die Stirn, und dann wandten sich die drei wieder dem unterbrochenen Gespräch zu. »Also …«, sagte Luderwig.

»Sie wollen mich zum Direktor machen?« Barry war ernsthaft überrascht, gefragt zu werden, und Hermeline war ernsthaft verärgert, nicht gefragt zu werden. »Warum ich, Luderwig? Sie hassen mich!«

»Ja, Barry. Ja, das tue ich.« Für Barrys Geschmack gab er das ein wenig zu schnell zu.

»Muß ich dann auch unterrichten?« fragte Barry.

»Unsere Versicherungsgesellschaft Ewiges Leben besteht darauf, daß du das nicht tust«, sagte Luderwig. »Sie fürchten, man könnte uns verklagen, besonders, wo hier so viele Amis herumlaufen.«*

---

* Immer darauf aus, eine schnelle Gallone zu machen, hatten ein paar Doofe Zauberer aus dem Kuratorium den damaligen Direktor Lon Measly mit mehreren Pfund rohem Steak dazu überredet, wohlhabende Schüler aus dem Ausland aufzunehmen. Gleich im ersten Schuljahr nach dem Start dieses Programms hatte eine Gruppe Amerikaner mit einer Sammelklage gedroht. Sie behaupteten, die Fackeln und Kohlenbecken, die überall in der Schule benutzt wurden, »erzeugten gesundheitsgefährdende Mengen von passiv eingeatmetem Rauch«.
Der leutselige Lon war völlig ungeeignet, diesen Angriff abzuwehren. Daher fand das Kuratorium einen Vorwand, ihn aus dem Amt zu jagen – er wurde *in flagranti* mit einem Spitz ertappt, und obwohl ein Hund mit drei Jahren längst nicht mehr als minderjährig zu betrachten ist, läßt einem eine Schlagzeile wie »Hogwash-Direktor mit einer Drei-

114

Barry war verwirrt. »Also, Sie hassen mich, und unterrichten darf ich auch nicht ...«

»Noch nicht mal inoffiziell. Sie wollten, daß ich dich zwinge, einen Knebel zu tragen, aber ich habe gesagt, du könntest daran ersticken.«

»Warum um alles in der Welt bitten Sie mich dann, Direktor zu werden?« rief Barry. »Warum nicht Hermi? Sie ist doch die Arschkriecherin.« (Sie kniff ihn heimlich.)

»Barry, dies ist eine sehr schwierige Zeit – erst der Themenpark und nun noch Drafis Tod. Und gute Beziehungen zur Muddelwelt sind für uns unverzichtbar«, sagte Luderwig. »Der Direktor von Hogwash steht im Rampenlicht der Öffentlichkeit, und das Kuratorium glaubt, daß du eine exzellente Galionsfigur abgeben würdest. Natürlich wollen wir, daß in Wirklichkeit Hermeline alle Entscheidungen trifft. Sie wird zur Interimsdirektorin ernannt.«

Derart beschwichtigt, fragte Hermeline nach der vorgesehenen Laufzeit dieser Regelung. Barry merkte jedoch, daß seine Frau noch etwas anderes beschäftigte.

»So lange, wie es dauert, einen geeigneten Kandidaten zu

jährigen erwischt« natürlich das Blut in den Adern gefrieren. Als Gegenleistung dafür, daß über diese Angelegenheit Stillschweigen bewahrt wurde, trat Lon widerstandslos zurück.
Luderwig bekam den Auftrag, einen passenden Ersatz für ihn zu finden. Er brauchte ungefähr fünfzehn Sekunden, um sich für seinen Sohn Drafi zu entscheiden. Etwas länger dauerte es, die nötigen Bestechungsgelder aufzubringen, aber Geld versetzt bekanntlich Berge, und bald war die Sache geritzt. Im Gegenzug wurde den Kuratoriumsmitgliedern, die keine Doofen Zauberer waren, gestattet, ein Mitglied auf Lebzeiten zu ernennen, und sie wählten Athos Measly, nur um Luderwig zu ärgern. Drafis erste Handlung als Direktor vermittelte gleich einen Eindruck von der Terrorherrschaft, die der Schule bevorstand: Er einigte sich außergerichtlich mit den Schülern, und dann zwang er sie, sich umzubringen – nachdem sie das Geld ihm persönlich vermacht hatten. So kann man sich auch mit einem Lehrergehalt einen Lustkahn leisten.

finden«, sagte Luderwig. »Vielleicht zwei Wochen, vielleicht zwei Jahre. Was auch geschieht, wir sind auf die Muddel angewiesen. Durch sie finanzieren wir den Themenpark, den wir draußen im See bauen.« The Hogwash Experience war Luderwigs größter Coup, aber das Joint Venture zwischen dem Kuratorium und Lord Valumart hatte sein Budget bereits weit überzogen und war außerdem aufgrund von Problemen mit den Zwergen, die die Bauarbeiten verrichteten, sechs Monate hinter dem Zeitplan zurück. Eine weitere Verzögerung konnte dem Projekt zum Verhängnis werden. Dann wäre nicht nur das Familienvermögen der Malfies futsch, sondern Lord Valumart würde ihm garantiert obendrein ein paar gedungene Zauberkiller auf den Hals schikken. »Also, nimmst du an?« fragte Luderwig.

Barry schaute Hermeline an, deren Lippen wieder und wieder lautlos das Wort »nein« formten.

»Wir machen's«, sagte er.

»Prächtig«, sagte Luderwig, dann erspähte er hinter Hermeline Athos Measly, der den Arm voller Bücher hatte. »Wenn ihr mich entschuldigen würdet …« Der alte Doofe Spinner rannte los. Measly sah ihn gerade noch rechtzeitig, ließ die Bücher fallen und nahm die Beine in die Hand. Sein Umhang flatterte hinter ihm her. Malfies holte schwungvoll mit seinem Silverfish-Spazierstock aus, und die beiden verschwanden um eine Ecke.

Als sie allein waren, fragte Barry Hermeline: »Was willst du denn? Ich bin Direktor, du bist Direktorin. Falls du dir Sorgen wegen Fiona machst – die kann bei deinen Eltern bleiben, bis wir uns hier eingerichtet haben. Dann kann sie herkommen und bei uns wohnen.«

»Das hier ist der letzte Ort, an dem ich sie haben will«, sagte Hermeline. »Ich fürchte, du hast gerade unser Todesurteil unterschrieben.«

»Wieso?« fragte Barry.

»Der Direktor ist tot – du hast ihn doch nicht umgebracht, oder?« fragte Hermeline. »Das würde dir nämlich ausgesprochen ähnlich sehen.«

»Nein«, sagte Barry.

»Dann hat jemand anders ihn ermordet, und wir sind vielleicht die nächsten.«

»Ach, was bist du bloß immer pessimistisch«, sagte Barry. »Denk doch mal an das Prestige, die Wertschätzung, den großen Parkplatz ...«

»Er ist bestimmt groß genug für ein Gorgomobil«, sagte Hermeline, inkonsequent wie immer. Ihre Wünsche verlor sie nie aus dem Blick.

Barry schickte sofort eine Zelleule* mit einer Partyeinladung an Ferd und Jorge. Die beiden antworteten prompt und kondensierten ungefähr eine Stunde später im Gästeflügel von Grittyfloor.

»Tut uns leid, aber wir haben's nicht mehr geschafft, unsere Ausgehumhänge anzuziehen«, sagte Ferd.

»Ja, die Zeit hat nicht gereicht«, sagte Jorge. Er schaute sich gerade das Buch an, das speziell für das Klassentreffen produziert worden war. Colin hatte ein paar alte Fotos ausgegraben, die ziemlich faszinierend waren. Jorge drehte

---

* Zelleulen funktionierten wie normale Eulen, nur daß sie nicht größer als ein Einzeller waren. Sie ließen sich zwar besser transportieren, gingen aber auch leichter verloren.

es um neunzig Grad. »Ich wußte gar nicht, daß wir ein Schlammcatcherinnen-Team hatten.«

»Hier kommen die Ausgehumhänge«, wechselte Hermeline das Thema. Mit einem Fingerschnippen zauberte sie zwei Exemplare herbei. Nicht von ungefähr standen zwei Achtzigjährige, denen gerade in Cambridge die Ehrendoktorwürde verliehen wurde, plötzlich splitternackt da.

»Äh, Hermeline«, sagte Barry, als ihm die Führung wieder einfiel, die er mit Nigel mitgemacht hatte, »laß uns das Herbeizaubern auf ein Minimum beschränken, okay?«

»Warum?« fragte seine Frau.

»Davon kriegt man Zellulitis«, sagte Barry und versetzte ihr einen Klaps auf den Po. Die Wahrheit wäre im Moment eine zu lange Geschichte gewesen, und für Hermeline bedeutete Orangenhaut ein ernstzunehmendes Risiko. Er wandte sich wieder den Zwillingen zu. »Na, Jungs, kann ich euch einen Trank mixen?«

Seit dem Tod des vorigen Schulleiters waren die Schüler dermaßen außer Rand und Band, daß die Hauselfen nicht mal mehr die elementarsten Aufgaben erfüllten, aus Angst, entführt und aufgegessen zu werden. Daher bestand an jenem Abend Hermelines erste Handlung darin, einen uralten Zauberspruch zu sprechen. »*Achtung*«, deklamierte sie, »*die Vorstellung, die Ihnen gleich geboten wird, ist nicht für die Augen von minderjährigen Kindern geeignet.*« Im ganzen Raum wurde es still, und alle schauten gespannt zum Hohen Tisch der Lehrer.

»Das funktioniert immer. Hat was mit den Hormonen zu tun«, erklärte sie. »Aber beeilt euch mit euren Ansprachen, bevor sie merken, dass es gar nichts zu sehen gibt.«

Der Kuratoriumsvorsitzende Malfies stand auf und enthüllte dabei seine goldene Bauchbinde, die Insignie seines Amtes. »Schüler, nach dem Tod meines Sohnes Drafi« – das Gespenst, das am Geistertisch saß, reckte wie ein Boxer die geballten Fäuste in die Höhe – »hat das Kuratorium von Hogwash beschlossen, daß Barry Trotter und Hermeline Cringer zu Interimsdirektoren ernannt werden.«

Kaum jemand reagierte auf diese Neuigkeit, außer Fidibus Snipe, der am Silverfish-Tisch auf und ab ging und becherweise sein selbstgebrautes Todespils an alle austeilte, die etwas davon haben wollten.* (Er stand zu kurz vor der Pensionierung, um sich das Leben zu nehmen.)

Als Luderwig sich wieder gesetzt hatte, erhob sich Barry, um etwas zu sagen, aber das Schweigen und das Meer ausdrucksloser Gesichter entmutigten ihn. Nur Nigel grinste breit und zeigte ihm begeistert den erhobenen Daumen. Jetzt, da seine Eltern die Schule leiteten, verschob sich das Kräfteverhältnis zwischen den Rowdys und ihm zu seinen und Juniors Gunsten.

»Ähm, vielen Dank«, sagte Barry. »Meine Frau und ich werden unser Bestes tun.« Er setzte sich wieder.

»Unsere Tür steht immer offen«, fügte Hermeline hinzu.

»Haben Sie ›Doof‹ gesagt?« rief eine Stimme.

»Nein, OFFEN, das heißt, falls ihr jemals auf den Gedanken kommen solltet, euch umzubringen, kommt lieber erst mal zu uns«, sagte Hermeline. »Aus einem toten Schüler wird nie ein freigiebiger Ehemaliger.«

---

* Flabbe und Oyle, die zum Klassentreffen angereist waren, hatten sich sofort nach Drafis Tod umgebracht, um nicht dem Zorn all der Menschen, die sie schikaniert hatten, ausgeliefert zu sein. Nach ihrem Tod fanden sie Arbeit in Anzeigen für Peter Potts Schlaftabletten jeder Geschmacksrichtung.

»Tot zu sein ist toll!« mischte Drafi sich ein.

»Psst!« mahnte Schwester Pommefritte.

»Ich meine furchtbar«, sagte Drafi und setzte ein übertrieben ernstes Gesicht auf. »Und denkt dran: Finger weg von Drogen.«

»Und Allohol«, brummte Hafwid und rutschte dann sturzbetrunken vom Stuhl. Ein paar Hauselfen huschten mit einer Trage herbei.

»Ach, laßt ihn liegen«, sagte Barry und traf somit seine erste Entscheidung als Direktor. »Und jetzt: Haut rein.«

Barry stellte fest, daß ihm sein einflußreicher neuer Posten gefiel. Die Macht über Leben und Tod aller Hogwash-Schüler, Lehrer, Ehemaligen und Freunde zu haben, entschädigte ihn dafür, daß in dem satirischen Almanach, der anläßlich des Klassentreffens herausgegeben worden war, über ihn stand: »Wird höchstwahrscheinlich später mal Laiengynäkologe.« Barry ging so sehr das Herz auf, daß ihm klar wurde, was für ein renitentes Arschloch er als Kind gewesen sein mußte, Bumblemore immer wieder derart auf die Palme zu bringen.

Plötzlich durchströmte ihn eine ungekannte Dankbarkeit. Er hob sein Glas. »Auf Alpo Bumblemore, die klapprige alte Schwuchtel, wo er auch sein mag!«

»Hört, hört!«

Mumblemumble stand auf und sagte: »Zu freundlich.«

»Was?« fragte Hermeline.

Als der neue Lehrer seinen Fehler erkannte, stammelte er rasch eine Entschuldigung. »Äh … ich übe nur den Dialog aus meinem neuen Theaterstück.«

»Wie heißt es denn?« fragte Barry.

Mumblemumble suchte verzweifelt nach Worten. »Äh … ›Ein Moment … größter Peinlichkeit‹?«

120

Ferd zog eine Grimasse. »Das reißt mich aber nicht vom Hocker.«

»Ich habe auch mal ein bißchen was geschrieben«, sagte Barry, »und ich kann Ihnen sagen: Der Titel ist das Letzte.«

»Es ist nur ein Arbeitstitel«, sagte Mumblemumble. »Haben Sie irgendwelche Vorschläge?«

»Ja«, sagte Jorge mit vollem Mund, »wie wär's mit ›Petting‹?«

»Klingt zu sehr nach einem Musical«, sagte Ferd. »Wie wär's denn mit ›Ein Abend mit Supermodels im Evaskostüm‹?«

»Super«, sagte Jorge, und man wechselte das Thema.

Beim Essen besprachen Barry und Hermeline die Ereignisse des Tages – Drafis Tod und alles andere. Lon saß unter dem Tisch und bettelte um Häppchen. Barry gab ihm ein Stück Fett von seinem Steak.

»Danke«, sagte Lon.

»Und, hast du als ehemaliger Schulleiter irgendwelche Ratschläge für mich?« fragte Barry.

»Nach dem Abendessen solltest du dich nicht lecken«, sagte Lon. »Und versuch nicht, den Kuratoriumsmitgliedern am Hintern rumzuschnüffeln. Das haben die gar nicht gern.«

»Das hat noch nie zu meinen Vorlieben gehört«, sagte Barry.

»Du ahnst ja nicht, was du versäumst.«

Barry zog es vor, nicht darüber nachzudenken. »Wie läuft's denn mit Hafwid?«

»Ach, ganz gut«, sagte Lon. »Ich vermisse Genny. Hafwid und dieser neue Lehrer für Doofes Kunsthandwerk führen irgendwas im Schilde. Ich hab' sie gestern nacht in Hafwids Hütte reden hören.«

»Echt? Was haben sie gesagt?«

»Ich glaube, ich brauche noch ein Stück Steak, um mich zu erinnern«, sagte Lon. Barry gab ihm eins.

»Ich weiß es nicht mehr«, sagte Lon.

»He, das ist nicht fair!« sagte Barry empört. »Wenn ich dir noch ein Stück Fleisch gebe, mußt du mir sagen, was du weißt!«

»Ich weiß aber nicht sehr viel«, sagte Lon. »Da drinnen ist nicht viel Platz«, sagte er, tippte sich an die Schläfe und blieb dann mit dem Finger in dem Loch darin stecken.

Angewidert wandte Barry sich wieder der Tischgesellschaft zu. Mitten im zweiten Gang flüsterte Hermeline: »Barry, ich glaube, dieser Mann ist Alpo Bumblemore.«

»Wer, der? Der Typ drei Stühle weiter?« fragte Barry mit vollem Mund und zeigte mit dem Messer in die Gegend. Der neue Lehrer schüttelte den Kopf, formte mit den Lippen das Wort »nein« und fuchtelte wild mit den Händen.

»Diskreter geht's nicht, was?« knurrte Hermeline. »Ja, der.«

»Du meinst, der Mann mit der langen, weißen Gesichtsbehaarung …«

»Zufall«, sagte Mumblemumble.

»… der gesichtsverhüllenden Sturmhaube …«

»Schuppenflechte«, sagte Mumblemumble.

»… und Alpos altem Hut …«

»Es ist Grippesaison«, sagte der Mann. »Hier zieht's wie Hechtsuppe!«

»… ist Direktor Bumblemore?« fragte Barry.

»Ja.«

»Das ist doch verrückt. Jeder weiß, daß Bumblemore tot ist. All diese Zaubertränke für den Morgen danach, die du in der Schule in dich hineingekippt hast, haben dir wohl das Hirn aufgeweicht.« Hermeline hatte tatsächlich Unmengen dieser Tränke konsumiert. Schwester Pommefritte nannte sie sogar »Cringers«.

»Boah!« sagte Ferd. »Du nimmst dir Hermeline gegenüber ja ganz schön was raus!«

»Früher hast du dir so was nicht von ihm gefallen lassen«, sagte Jorge.

»Glaub's mir, du Vollidiot«, sagte Hermeline, ohne auf die Triezereien der Zwillinge einzugehen. »Und außerdem möchte ich wetten, daß er für Drafis Tod verantwortlich ist.«

»Stimmt ja gar nicht«, sagte Mumblemumble ernst.

Hermeline warf ihm einen finsteren Blick zu. »Kümmern Sie sich um Ihren eigenen Kram!« Und dann zu Barry: »Vielleicht sollten wir uns irgendwo unterhalten, wo wir mehr unter uns sind, fern von dem Pöbel.«

»Manche Menschen werden total überheblich, sobald man ihnen Macht verleiht«, sagte der Professor. »Als ich Direktor war ...«

»HA!« rief Hermeline.

»... 'tschuldigung, kleiner Versprecher ... *sollte ich jemals Direktor werden*, wäre ich demokratischer und, offen gesagt, auch nicht so gemein zu jemandem, der dafür, daß er den Kindern beibringt, wie man aus Papptellern, Makkaroni und Klebstoff Todesflüche anfertigt, nicht sonderlich gut bezahlt wird, es sei denn, ich wollte den Job selber machen.«

»Doofes Kunsthandwerk ist doch ein Kinderspiel«, sagte Hermeline.

»Ach ja?« sagte der Professor. »Dann sagen Sie mir doch mal, wie man ein Gottesauge herstellt.«

»Also, man nimmt buntes Garn ...«

»FALSCH! Zuerst kommen die Lollistiele.«

»Leute, Leute, ihr benehmt euch ja wie kleine Kinder«, sagte Barry. »Dafür bin immer noch ich zuständig. Ich glaube jedenfalls nicht, daß unser Professor Mumblemumble Drafis *Ann-Margaret*-Zauber gebrochen hat. Das ist doch absurd.«

Hermeline lehnte sich zurück und nippte an ihrem Humpen. »Und wer war es deiner Meinung nach?«

Barry nahm noch einen Happen von seinem Werwolfsteak. »Ich glaube, es war Snipe.«

Alle, die am Tisch saßen, gaben unterschiedliche Laute des Widerspruchs von sich. Unterm Tisch stieß sich Lon vor Überraschung den Kopf. Snipe selbst zirkulierte zwischen den selbstmordgefährdeten Silverfish-Schülern, notierte ihre letzten Anti-Trotter-Verwünschungen und bemühte sich, ihnen die letzten Minuten auf Erden so angenehm wie möglich zu machen.

»Hast du irgendwelche Beweise für diese Theorie?« fragte Ferd.

»Überhaupt keine«, sagte Barry. »Aber in der guten alten Zeit haben wir immer Snipe verdächtigt, und, nun ja, ich bin nun mal ein traditionsbewußter Mensch.«

»Eher ein totaler Schwachkopf …«, murmelte Hermeline.

»Hast du was gesagt, Liebling?« fragte Barry.

»Nein, mein Schatz«, sagte Hermeline zuckersüß.

»Unsere Kräuterkunde-Lehrerin hat ja ganz schön einen im Kahn«, sagte Barry. »Nichts als Doritos und Kekse, was, Madame Kraut?« Die Angesprochene nickte verträumt lächelnd. Ihre Pupillen waren groß wie Teller.

Barry wandte sich dem ausländischen Professor zu. »Was ist Mumblemumble eigentlich für ein Name? Was haben Sie für eine Nationalität?«

Der seltsame Mann hustete nervös und sagte so etwas wie »Tingo-Jingo«.

»Nie gehört«, sagte Hermeline.

»Kein Wunder«, sagte Mumblemumble. »Das ist auch etwas sehr Besonderes.«

»Und was soll diese Sturmhaube?« fragte Ferd.

»In Tingo-Jingo ist es viel wärmer als hier. Ich muß mich erst an das Klima gewöhnen.« Der Mann zitterte theatralisch, um die Leute zum Lachen zu bringen. Als keiner ihm den Gefallen tat, überging man den peinlichen Moment, indem man sich anderen Themen zuwandte.

»Wir müssen was wegen des Quaddatsch-Teams von Grittyfloor unternehmen«, sagte Ferd.

Hermeline unterbrach ihn. »He, ich dachte, Sie tragen die Maske wegen der Schuppenflechte«, sagte sie.

Barry erhob die Stimme. »Herrgott noch mal, Frau, willst du den Mann nicht endlich mal in Ruhe lassen?«

»Schrei mich nicht an!« sagte Hermeline.

»Ich bin Direktor! Ich schreie an, wen ich will!«

»Ich auch! Was sagst du nun?« entgegnete Hermeline.

Jorge griff ein. »Barry, Hermeline, streitet euch nicht vor den Kindern. Macht das lieber später, dann könnt ihr euch schön unflätig beschimpfen.«

Barry blickte auf das Meer der sich kabbelnden Schüler, die unbekümmert mit Essen herumwarfen, einander verspotteten und ihren jugendlichen Elan und ihre Erfindungsgabe auf das Aushecken zahlloser unnützer und destruktiver Ränkespiele vergeudeten.

»Sieh sie dir an«, sagte Barry.

»Was, die Desserts?« fragte Ferd.

Barry sprach einen kurzen Selbstzüchtigungszauber, und eine unsichtbare Kraft schlug Ferd auf den Hinterkopf. »Nein, die Schüler«, sagte er. Stolz wallte in Barry auf. »*Meine* Schüler.«

Hermeline trat ihn unter dem Tisch.

»He! Warum wirst du immer gleich gewalttätig?« fragte Barry und rieb sich das Schienbein.

»Warum wirst du immer gleich bescheuert?« sagte Hermeline. Barry runzelte die Stirn und besann sich wieder auf das, was er gerade sagen wollte.

»Die Zukunft der Zauberei – sie liegt in ihren Händen«, sagte Barry, der inzwischen seine Überschwenglichkeit zurückgewonnen hatte.

»Ich verspüre plötzlich so einen Drang, die Muddelschaft zu beantragen«, sagte Jorge.

»Was gäbe ich dafür, noch einmal jung zu sein«, sinnierte Barry. »Erinnert ihr euch noch, wie das war?«

»Nur vage«, räumte Madame Kraut ein.

»Ich glaube, ich spreche für das gesamte Kollegium, wenn ich sage: ›Gott sei Dank ist das vorbei‹«, sagte Snipe. Er saß mittlerweile wieder am Tisch, nachdem er seine Pflichten als Todesengel erfüllt hatte.

»Man ist voller Energie aufgewacht …«, sagte Barry.

»… mit einem frischen Pickel genau zwischen den Augen«, sagte Ferd.

»Voller Pläne und Träume …«, sagte Barry.

»… von denen sich keiner erfüllen ließ, weil die Erwachsenen es zu verhindern wußten«, sagte Jorge.

»Vielleicht war man in jemanden verknallt …«, sagte Barry.

»… oder in jeden«, sagte Ferd und sah dabei Hermeline an, die nun ihm einen Fußtritt versetzte. »Au!«

»Ein hübsches Mädchen …«, sagte Barry.

»… das nicht mal wußte, daß es dich gibt«, sagte Snipe. Snipe stand auf Frauen? Wer konnte das ahnen? Verärgert feuerte Barry seine Serviette auf den Tisch (sie faltete sich prompt von selbst zusammen). »Ach, ihr seid ja bloß nei-

126

disch«, sagte er. »Neidisch, weil ihr nicht mehr so jung seid wie sie.«

»Nein, Barry, wir wissen bloß noch genau, wie es wirklich war, ein Teenager zu sein«, sagte Hermeline. »Wir haben weniger Wein getrunken als du.«

»Ich glaube, ihr liegt falsch«, sagte Barry. »Ich gehe jetzt da runter und frage sie, wie sie darüber denken.«

»Das würde ich dir nicht raten«, sagte Snipe, der gerade ein Stück Schmorbraten vertilgte, für dessen Zähheit Hogwash berühmt war. Offenbar hatte die grausige Pflicht, die er für das Haus Silverfish hatte erfüllen müssen (ein Drittel seiner Mitglieder hatten sich bereitwillig vergiftet und waren von Hauselfen in kleinen Schutzanzügen abtransportiert worden), ihm nicht den Appetit verdorben.

»Barry Trotter, Mann des Volkes«, witzelte Hermeline.

Barry war sauer. »Hermi, das kann doch nicht schaden. Ich meine, du wirkst hinter den Kulissen und ich davor. Die Zufriedenheit der Schüler gehört zu meinem Job.«

»Tu, was du nicht lassen kannst«, sagte Hermeline.

»Haben Sie was dagegen, wenn ich mitkomme?« fragte Mumblemumble. »Das möchte ich mir nicht entgehen lassen.«

»Nein«, sagte Barry. »Sie werden sehen, was für vortreffliche Zauberer und Hexen wir hier in Hogwash hervorbringen.« Die beiden stiegen mit ihren Tellern vom Podium herab und gingen zum Muffelpuff-Tisch hinüber.

»Stört es euch, wenn wir uns zu euch setzen und ein bißchen mit euch ›labern‹?« fragte Barry. Murrend willigten die Schüler ein und rückten zusammen, um ihnen Platz zu machen.

»Sie sind auf keinen Fall Barry Trotter«, sagte ein dickes Kind mit einer roten Haartolle, als sie sich setzten.

»Und ob ich das bin«, sagte Barry. »Ich würde gern wissen, warum du das sagst.«

»Ich hab' all die Bücher gelesen«, sagte das Kind. »Sie sind zu klein. Außerdem ist Barry viel cooler.«

»Ich schwöre dir, ich bin's.« Einen Moment lang war Barry mit seinem Latein am Ende, doch dann griff er in seinen Umhang, holte seine Brieftasche hervor und nahm seinen Evaporationsschein heraus. »Ein schreckliches Foto.« Er reichte ihn dem Kind. »Wenn ich das nicht bin, dann kann einem derjenige, der es ist, nur leid tun.« Mit einem kumpelhaften »Ist es nicht schrecklich, alt zu sein?«-Blick wandte er sich dem ausländischen Professor zu. Dieser lächelte schwach.

Unbeeindruckt gab der Junge ihm das Foto zurück. »Für fünf lächerliche Gnuts kriegt man in Hogsbleede eine bessere Fälschung.«

»Siehst du meine Stirn?«

»Die kann man sogar noch aus dem Weltraum erkennen.« Die Kinder kicherten. »Und wo ist der berühmte ›störrische Haarschopf‹ geblieben, hä?«

Barry mochte den Jungen nicht besonders. »In meinen Haarbürsten. Danke, daß du mich daran erinnerst.«

Die Situation geriet langsam außer Kontrolle. »Zaubern Sie doch mal einen großen Haufen Gallonen herbei«, forderte ein verpickeltes Mädchen.

»Und geben Sie sie mir«, fügte ein anderer Junge frech hinzu und lachte schallend.

Barry begann einen Zauberspruch aufzusagen, doch dann fiel ihm der arme Henratty ein. »Ich kann nicht …«

»Ich hab's ja gesagt«, sagte der Junge mit der Tolle und verschränkte die Arme.

»Ich meine, ich *kann's* – das ist mir ein Leichtes …«

»Klar.«

»… aber ich will nicht, und überhaupt – zehn Punkte Abzug wegen Unverschämtheit für euer Haus, welches auch immer es sein mag.«

»Nur zu, es ist Grittyfloor«, sagte der Junge. »Wir gewinnen sowieso nie.«

Barry war erzürnt. »Aber warum sitzt ihr dann hier am Muffelpuff-Tisch?«

»Das sind meine Freunde. Und überhaupt, das hier ist ein freies Land.«

»Nein, ist es nicht!« stieß Barry hervor, weil ihm nichts Besseres einfiel. Diese Unverschämtheit, und dann auch noch diese Illoyalität gegenüber dem eigenen Haus! Er war empört. So unausstehlich wie dieses kleine Monster war er doch bestimmt nicht gewesen. »Hör mal, du hältst dich vielleicht für witzig, aber in Wirklichkeit blamierst du dich und die gesamte Schule bloß vor diesem Gastprofessor aus Tingo-Jingo.«

Das Kind brach in schallendes Gelächter aus, als es den Namen des Landes hörte. Die anderen stimmten ein.

»Oh, du glaubst vielleicht, deine Freunde lachen mit dir, aber weißt du, was sie wirklich denken? Sie denken: Wow, [wie auch immer du heißen magst] ist ein richtiger Penner. Ich finde es echt ›geil‹ – oder vielleicht auch ›kraß‹ oder ›fett‹ –, daß Direktor Trotter zu uns runtergekommen ist, um mal zu ›checken‹, was bei ›uns Zauber-Peoples‹ so abgeht.«

Das Gelächter hielt an. Dann dämmerte es Barry, und ein zartes Lächeln umspielte seine Lippen. Er hatte den Jungen durchschaut. »Du stellst mich auf die Probe, weil ich der neue Direktor bin. Mit Drafi würdest du das nicht machen. Oder mit Alpo Bumblemore.«

»Wer ist das denn?« fragte der Junge dreist. Mumblemumbles Arm schoß in die Luft, als wolle er den Schüler

129

schlagen, doch er riß sich zusammen und tat so, als würde er seine Mütze zurechtrücken.

»Ach so, Sie meinen diesen Schlappstab aus den Büchern.«

»Gah!« Der ausländische Professor stieß einen erstickten Schrei aus und stürzte sich auf den Schüler. Barry mußte ihn mit aller Kraft zurückhalten, obwohl der Schüler offenbar keine Angst vor ihm hatte.

»Ich glaube, du gehst jetzt besser, junger Mann«, preßte Barry hervor, während er den ausländischen Professor mit Müh und Not bändigte. »Sag mir deinen Namen, damit ich dein Haus angemessen bestrafen kann.«

»Barry Trotter«, erwiderte der Junge mit einem spöttischen Grinsen, während er und seine Freunde aufstanden. Sie hinterließen eine Riesensauerei für die Hauselfen.

»Sehr witzig! Ich finde schon heraus, wer du bist, und dann«, brüllte Barry, »ziehe ich Grittyfloor HUNDERT Punkte ab!« Völlig unbeeindruckt gingen die Kinder hinaus. Barry löste seinen Griff und ließ Mumblemumble los. Keuchend kehrte er zurück an den Hohen Tisch der Lehrer.

»Wie ist es gelaufen, Mann des Volkes?« fragte Hermeline schmunzelnd, als Barry an seinen Platz zurückkehrte.

»Hör auf zu grinsen«, sagte Barry wütend. »Drafi hat auch immer gegrinst, und du siehst ja, was aus ihm geworden ist!« Im Großen Saal wurde es plötzlich still: Hatte Barry es Drafi endlich heimgezahlt? Das wußte nur Gott, aber der verriet es nicht. Gut, das Gerücht soll sich ruhig verbreiten, dachte Barry. Vielleicht zollen mir diese myrrheschnupfenden kleinen Mistkerle ja etwas mehr Respekt, wenn sie mich für einen Killer halten.

Kapitel sieben

Sir Godawfles Grotte

Am nächsten Tag saßen Nigel und Junior im Zauberschwänke-Unterricht und ließen Briefchen hin- und
hergehen. In den vergangenen Jahren wäre das als schwerer Regelverstoß geahndet worden. Jedes neue Halbjahr
wurde der erste, der dabei erwischt wurde, enthauptet und
sein Kopf als abschreckendes Beispiel vor der Klasse aufgespießt (und Grittyfloor bekam zehn Punkte abgezogen).
Aber die Zeiten waren vorbei. Snipe schien das alles nicht
mehr zu kümmern.

»Der Fingerhut ist vielleicht die mächtigste aller magischen Nähhilfen«, las der bleiche Professor lustlos von seinem tränenfleckigen Skript ab. »Ihr dürft niemals seine
Macht unterschätzen.«

»Stehst du auf Yvonne Bognor? Ja oder nein ankreuzen«,
stand auf dem Zettel. Nigel kreuzte »nein« an. Doch dann bekam er ein schlechtes Gewissen und fügte hinzu: »Aber sie
scheint ganz nett zu sein«, und gab ihn dann zurück. Nach
Ablauf einer Stunde hatte er zur Mehrzahl seiner Mitschüler seine Meinung kundgetan, meist wahrheitsgemäß. Bei
der Frage »Bist du verklemmt?« hatte er allerdings gelogen –
er war noch nie einem Mädchen »unter den BH gegangen«.

Es war ganz normaler, harmloser Blödsinn, aber auf Hogwash war solcher Blödsinn noch blödsinniger als anderswo,

denn schließlich kam man hier leicht an Beschwörungsformeln, Zaubertränke und Liebeselixiere heran. Die Objekte der Begierde wechselten täglich oder stündlich. Nur wenige Tage nach dem Eintreffen in der Schule stand jeder Schüler unter dem Einfluß des einen oder anderen Zaubers – und wenn man berücksichtigte, daß jeder hexende Schüler vermutlich selbst verhext war, und zwar von jemandem, der seinerseits magisch manipuliert worden war –, na ja, das Ganze war jedenfalls unglaublich verzwickt. Normalerweise dämmte die Wachsamkeit von Lehrern wie Snipe die Feuersbrünste der Liebe (und des Hasses) ein bißchen ein, aber heute war Snipe nicht ganz bei der Sache. In jeder Hinsicht. Normalerweise war die Tafel mit komplizierten Diagrammen vollgekritzelt, aber heute stand dort nur »Ich bin NICHT Schuldirektor«.

Es klingelte, und hastig wurden die Bücher zugeschlagen. »Für den Verwünschungs-Kreuzstich braucht man eine Menge Übung, also denkt dran, eure Hausaufgaben zu machen. Oder laßt es bleiben, das spielt eh keine Rolle.«

Die ganze Klasse horchte auf.

»Ihr habt schon richtig verstanden«, sagte Snipe niedergeschlagen. »Es spielt keine Rolle. Offenbar kann man jahrelang immer wieder sitzenbleiben und trotzdem Schulleiter werden.« Der einst so gefürchtete Professor für Zauberschwänke brach in haltloses Schluchzen aus. Verlegen verließen die Schüler im Gänsemarsch das Klassenzimmer, doch kaum hatten sie den Korridor erreicht, fingen sie an zu lachen und äfften den Lehrer in gemeinster Weise nach.

Die letzte Schulstunde war nun vorbei, und Nigel und Junior hatten Hunger. Sie taten etwas, das jeder Hogwash-Neuling einmal und nie wieder tut: Sie zogen am Automaten vor der Herrentoilette im ersten Stock einen Schokoriegel.

Junior brach ihn in zwei Teile, um Nigel die Hälfte abzugeben. Als er das tat, ertönte ein markerschütternder Schrei.

»Ich hab' mir schon gedacht, daß er nicht mehr ganz frisch ist«, sagte Nigel, »aber untot sah er eigentlich nicht aus.«

»Egal, jedenfalls eklig«, sagte Junior. »Laß uns ins Godawfles gehen.«

»Ja«, sagte Nigel. »Das Essen da ist zwar gräßlich, aber zumindest beschwert es sich nicht.«

Und so trotteten sie los zur Grittyfloor-Cafeteria. Jedes Haus hatte eine – diese Schüleraufenthaltsräume waren eine der gelungensten Neuerungen der unglückseligen Malfies-Administration. Die Silverfish-Lounge war natürlich die beste – sie befand sich auf Drafis Lustkahn. Perfekt ausgestattet und magisch wettergeschützt, dümpelte er dekadent auf dem See herum.

Da die Treppen sich ständig neu arrangierten (das war auch ein Generve!), brauchten sie ewig. Aber schließlich gelangten sie doch zu »Sir Godawfles Grotte«, die teils zu Ehren des Gründers des Hauses Grittyfloor so benannt worden war, teils aufgrund der fälschlichen Annahme, ein lustiger Name würde die Gäste dazu verleiten, sich weniger über das schlechte Essen zu beklagen. Wie an den meisten anderen Schulen war der Großteil der in Hogwash verzehrten Kalorien billiges Junkfood: eilig herbeigezauberte und in die Mikrowelle gesteckte Pizzen oder auf dem Weg zu Professor Bims' Unterricht heruntergeschlungene Burger.*

---

* Sie haben doch nicht wirklich geglaubt, die Schüler würden all ihre Mahlzeiten im Großen Saal einnehmen, oder? Haben Sie eine Ahnung, was das *kosten* würde? Man kann es J. G. Rollins nicht zum Vorwurf machen, daß sie nur die schaurigsten und beeindruckendsten Seiten Hogwashs geschildert hat. Sie wußte schließlich, was am besten ankommt. Da der Schrank eines Hausmeisters immer der Schrank eines

In der Grotte herrschte eine heimelige und gesellige Atmosphäre. Auf einer Großbildkristallkugel liefen internationale Quaddatsch-Matches (oder eine der ewigen Wiederholungen von »Schartekenwechsel«, je nachdem, wer als erster am Apparat war). Es gab mehrere Flipper, aktuelle Zeitschriften, Sofas, auf denen man sich ausstrecken konnte, und keine mürrischen Hauselfen – es war wirklich einer der gemütlichsten Orte der gesamten Schule. Man durfte sogar seinen Hausgeist mitbringen. Junior wollte inzwischen auch einen Oktopus wie Chesterfield haben. (Seine Ziege war zu unsittlichen Zwecken von den Zentauren entführt worden.) Die Jungs hatten sogar einen Geheimclub namens »Freunde der Polypen«, kurz FDP, gegründet.*

»Warst du schon mal in der Radishgnaw-Cafeteria?« frag-

Hausmeisters ist, egal ob man Hogwash oder die Hubert-Humphrey-Highschool besucht, rückte J. G. die gewölbten Decken, die ausladenden Treppen und die riesigen, bellenden Gemälde von Hunden beim Pokerspiel in den Vordergrund, und die bröckelnden Gesimse, das dramatische Mäuseproblem und die uralten 100-Liter-Fässer mit Speidich-tot fanden lediglich in den ersten, unveröffentlichten Rohfassungen ihrer Bücher Erwähnung.

* Die Regeln der FDP lauteten:
– Jedes Mitglied muß einen Oktopus besitzen oder sich *sehnlichst* einen wünschen.
– Jedes Mitglied muß mindestens einmal einen Oktopus auf den Schnabel küssen.
– Jedes Mitglied muß einmal am Tag in aller Öffentlichkeit den Oktopus-Tanz aufführen und dabei eine Reihe von individuellen Schritten vollführen, die VON KEINEM ANDEREN MITGLIED NACHGEMACHT werden dürfen.
– Kein Mitglied darf die Geheimnisse des Clubs an irgendeinen »gemeinen Fisch« (Nichtmitglied) verraten. Darauf steht Tod durch Strangulation. Dazu werden gekochte Krabben auf den Hals des Täters geschmiert und dann Chesterfield darauf angesetzt.
Bislang war das einzige Geheimnis der FDP, daß Junior auf ein Muffelpuff-Mädchen namens Lauren stand.

te Junior. »Ich hab' gehört, dort werden Hausgeisterkämpfe abgehalten.«

»Wow«, sagte Nigel. Er wußte nicht recht, ob er das cool oder schrecklich finden sollte. Daher wechselte er das Thema. »Möchtest du ein RhaBlubb?«

Etwa zur selben Zeit, als man die Sprechende Mütze outsourcte, hatte Hogwash den Betrieb der Cafeterias an geeignete Hotel-Cateringfirmen vergeben. Mit »geeignet« meine ich, daß die Silverfish-Küche mit Abstand die schlimmste war und von einem megalomanen Unternehmen geführt wurde.* Das Essen für Grittyfloor wurde von einer EU-Dependance der Firma Taste Sensations geliefert.

Das einzige Manko der Grotte war, daß sie total von Mäusen verseucht war. Da die Cafeteria in der ehemaligen Höhle des Basislispen untergebracht war, hatte sie den zerstörerischen Spezialeffekten von Wagner Bros. standgehalten und war so zum Zufluchtsort für die rebellischen Nager von Hogwash geworden, die von einer unsterblichen Maus namens Timothy angeführt wurden.**

An den meisten Tagen waren die Mäuse von Hogwash damit beschäftigt, nach Nahrung zu suchen oder die Borger abzuwehren, die sie jagten, weil sie auf ihr Fleisch scharf waren. Aber wie das Schicksal so spielt, war heute Timothys Geburtstag, und er feierte ihn mit Bungee-Sprüngen von den Kronleuchtern. Dreieinhalb Meter tiefer vertrauten drei Grittyfloor-Zehntkläßlerinnen einander ihre intimsten Geheimnisse an.

---

* FRISS GmbH & Co. KG, eine hundertprozentige Tochter von Valumart Enterprises.
** Einzelheiten darüber, wie diese Maus unsterblich wurde, finden Sie in *Barry Trotter und die schamlose Parodie*. (Nein, ich verrate nichts. Kaufen Sie das verdammte Buch!)

»Evelyn, hat Aidan dich jemals gebeten, ähm, den verbotenen Wald abzuholzen?« fragte ein Mädchen namens Elizabeth.

»Den verbotenen was?« fragte Evelyn.

Elizabeth zeigte auf ihren Schoß.

»O nein! Ich würd's auch nicht tun. Ich hätte Angst vor
eingewachsenen Haaren«, sagte Evelyn. »Aber ich wette,
Jane hat's schon mal gemacht.« Alle drei lachten, und die
Aufmerksamkeit der beiden anderen richtete sich auf Jane.

»Ja, ich hab' da mal mit dem Rasierer herumgefuhrwerkt«,
sagte Jane. »Ich war gerade beim Beinerasieren und hab'
einfach immer weitergemacht. Es hat wahnsinnig gejuckt,
als die Haare nachgewachsen sind.«

»Und woher rührt dein plötzliches Interesse für die Kunst
des Formschnitts?« fragte Evelyn schelmisch.

»Nun ja …« Elizabeth nahm einen Schluck von einem
Sprudelgetränk und sagte mit ein paar Eiswürfeln im Mund:
»Ian hat mich darum gebeten, aber ich weiß nicht recht …«

»Sag ihm doch, er soll es erst mal selber tun!« sagte Jane,
und alle lachten zustimmend.

Hoch über ihnen schnallte Timothy sich an. »Jungs, ich
glaub', dafür bin ich nicht besoffen genug«, sagte er. »Meint
ihr, Big Cheese hat bei seinem Sprung das Seil ausgeleiert?«

»Sei kein Waschlappen!« schimpfte Timothys Freund
Dexter.

»Ich meine, sterben kann ich ja nicht«, sagte Timothy. »Es
ist nur …«

Bevor Timothy den Satz vollenden konnte, schubste Dexter ihn vom Kronleuchter. Timothys sämtliche Freunde, größtenteils sternhagelvoll (dank einer Bierpfütze unter einem der
Tische), feuerten ihn mit lautstarken Obszönitäten an.

Die Mädchen an dem Tisch darunter, die nicht ahnten,

daß sie gleich etwas ziemlich Ekliges erleben würden, fuhren fort zu plaudern.

»Ich hab' eine ›Morgana le Fay‹«, sagte Elizabeth.

»Eine was?« fragte Evelyn.

»Man rasiert die eine Seite und kämmt die Haare von der anderen Seite darüber«, antwortete Elizabeth.

Timothy hatte recht – Big Cheese hatte das Seil ausgeleiert: Mit einem scheußlichen Knirschen landete er auf dem Tisch und wurde dann wieder nach oben gerissen. Er hinterließ einen blutigen kleinen Umriß auf dem Tischtuch.

»Guckt mal, eine Maus ist auf unseren Tisch gefallen«, sagte Jane.

»Was soll's, jetzt ist sie ja wieder weg«, sagte Elizabeth, ohne zu ahnen, daß Tim schon wieder im Anflug war.

»Ist das eklig«, sagte Evelyn. »Deck mal was drüber.«

Elizabeth schob ihren Becher auf den Fleck. Timothy kam erneut heruntergesaust und tauchte in den heißen Tee ein.

»Ahh!« quietschte der Pochierte. »Verdammte Kacke!«

»Igitt!« sagte Elizabeth. »Die Maus hat in meinen Tee geblutet.«

»Wenn du ihn trinkst, kriegst du 'ne Gallone von mir«, sagte Evelyn.

»Ich glaub', ich hab' auch Blut in den Haaren«, sagte Elizabeth und betastete ihren Kopf.

»Seht mal!« rief Jane und zeigte auf den Kronleuchter. »Da sind noch viel mehr ›Blutmäuse‹!« (Das Wort hatte sie gerade erfunden.)

»Wie eklig«, sagte Elizabeth. »Laßt uns gehen und *Dein Tod steht mir gut* gucken.«*

---

* In dieser Sendung, einem der größten Quotenhits von Valu-Vision, konnten Nachbarn die Umstände ihres Todes miteinander tauschen.

137

»Nein, ich muß mit den Hausaufgaben anfangen«, sagte Jane. »Aber vorher sollten wir Fistuletta Bescheid sagen.«

Die Mädchen gingen. Fistuletta war eine der Kantinenwirtinnen, eine Riesin. Sie war 347, von Warzen und Wimmerln übersät, und an den unmöglichsten Stellen ihres Körpers ragten Haarbüschel hervor, kurz: Sie war ein richtiger Knaller. Fistuletta war zwar noch unverheiratet, aber wild entschlossen, auf jemand Besseres als Hafwid zu warten.

Timothy verlor wieder und wieder das Bewußtsein, während er über dem Tisch auf und nieder federte. Seine Freunde jubelten ihm überschwenglich zu und warteten darauf, daß er langsam auspendelte, damit sie ihn hochziehen konnten. Auf seinem letzten Abwärtsflug kam Timothy gerade so weit wieder zu sich, um zu bemerken, daß die Mädchen nicht mehr da waren.

»Das möchte ich euch auch geraten haben …«, sagte er schwach. »Seht zu … daß ihr wegkommt.«

Dann sackte der arme Timothy noch ein bißchen weiter hinunter und sah Fistuletta.

»O nein …«, seufzte er.

Sie packte die Maus und zerquetschte sie in der Faust. Hoch über ihr ertönten leise, piepsende Jubelschreie. Timothy ins Jenseits zu befördern – und dann zuzuschauen, wie er wieder zum Leben erwachte – war nun mal höchst amüsant. Es wurde nie langweilig (zumindest nicht für sie).

»Einmal wischen an Tisch drei! Ist 'ne ziemliche Sauerei!« bellte Fistuletta, und ein Hauself kam murrend mit einem Eimer und einem Mop aus der Küche geschlurft.

Die einzigen Sendungen, die noch erfolgreicher waren, drehten sich darum, wie man Muddel mittels Zauberei als Vollidioten dastehen lassen konnte.

Kapitel acht

EXTREM-QUADDATSCH

Als Barry am Montag in aller Herrgottsfrühe in seinem und Hermelines neuem Zuhause ankam – dem Büro des Schulleiters! –, hatte sich draußen schon eine Schlange von Schülern gebildet. Madame Ponce stand dahinter und scharrte ungeduldig mit dem Fuß. Die Schulbibliothekarin war eine überaus knochige, hagere Frau. Barry hatte den Verdacht, daß sie in Wirklichkeit ein Mann war.

»Guten Morgen, Mädels. Guten Morgen, Madame Ponce. Wie läuft's in der Bibliothek?« sagte Barry. »Sind noch alle Bücher da, oder sind letzte Nacht wieder welche ausgebüchst?« (Das war ein altbekanntes Problem.)

»Es *wäre* alles in Ordnung, wenn gewisse Schüler einsehen würden, daß sie ein Ort zum Lernen ist und kein ...«, sie verzog angewidert das Gesicht, »... Stripclub.«

»Ein Stripclub, ja?« Barrys Interesse war plötzlich geweckt. »Kommen Sie rein und erzählen Sie mir davon«, sagte er und geleitete das Grüppchen ins Büro.

»Wir sind extra in die Verbotene Abteilung gegangen!« sagte ein Mädchen. Es war ziemlich aufgeregt. »Wir wollten doch gar nicht, daß uns jemand sieht.«

»Werden Sie unseren Eltern davon erzählen?« fragte eine andere, den Tränen nahe.

»Madame Ponce, schildern Sie mir bitte die Einzelheiten

dieses Skandals«, sagte Barry und verkniff sich mühsam ein Grinsen.

»Ich weiß nicht, was Sie daran so lustig finden«, erwiderte sie. »Alpo Bumblemore hätte niemals …«

»Ich bin nicht Alpo«, sagte Barry mit einer kaum merklichen Schärfe in der Stimme. Hermeline kam mit einer bodenlosen Tasse Kaffee herein.*

»Also, ich hab diese – Flittchen – dabei ertappt, wie sie Schwelltinktur auf, auf …«

»Auf ihre Brust geschmiert haben?« zwitscherte Hermeline. Sie reichte einem der Mädchen ein Taschentuch, damit es sich die Nase putzen konnte.

»Ja«, sagte Madame Ponce voller Widerwillen.

»Ach, das haben wir doch alle schon mal probiert, oder?« sagte Hermeline freundlich.

»*Nein*«, erwiderte Madame Ponce.

Ein Unglück kommt selten allein – und dasselbe scheint für flachbrüstige Mädchen zu gelten, dachte Barry. Von seinem Bürofenster aus konnte er mehrere Schüler über dem Quaddatsch-Spielfeld schweben sehen, und angesichts ihrer lausigen Flugkünste war Barry so gut wie sicher, daß sie zu Grittyfloor gehörten. Er wandte sich seiner Frau zu. »Das sieht mir ganz nach einer Aufgabe für die Direkto*rin* aus«, sagte er. »Macht es dir etwas aus, wenn ich dich damit alleinlasse?«

»Nein, aber wir …«

»Wunderbar. Ich habe noch einigen Papierkram zu erledigen.«

Barry setzte sich an den Schreibtisch auf der anderen Sei-

---

* Dieser simple Zaubertrick trieb die Muddelfirma Starbucks in den Ruin.

te des Raumes und begann eine Kontaktanzeige in Snipes Namen aufzusetzen. »Nicht auf das Äußere, auf die inneren Werte kommt es an«, schrieb Barry. »Angesehener Akademiker, bläßlicher Typ, 1,80 m/75 kg, jähzornig, Zauberstab vorhanden, sucht aufgeschlossene Gefährtin/Hausgeist. Ich mag Welpen, lange Strandspaziergänge, Fisten. Lass uns zusammen Grittyfloor Punkte abziehen. Keine Vollschlanken.« Um die Anzeige an den *Tagessalbader* abzuschicken, zog er seine »Hafwids Halali«-Windjacke an und ging hinüber zu Hermeline, die die Mädchen beim Nachsitzen beaufsichtigte (nachdem sie ihnen eine Beschwörungsformel aufgeschrieben hatte, die sie sich in den Sport-BH stecken konnten).

»Ich geh mal eben rüber zum Eulenkrug und dann zum Quaddatsch-Platz«, sagte er, bereits in der Tür. »Wahrscheinlich komme ich nicht vorm Mittagessen zurück.«

»Aber Barry, wir müssen …«

»Ich weiß«, sagte Barry, obwohl er keinen blassen Schimmer hatte, wovon sie sprach. »Machen wir. Später.« Wenn es soweit war, würde ihm schon etwas einfallen, um sich erneut davor zu drücken, was auch immer es sein mochte. »Ciao, Mädels. Und denkt dran: Mehr, als in eine Champagnerflöte hineingeht, muß nicht sein.« Pfeifend verließ Barry den Raum. Gut gemacht, dachte er.

»Ms. Cringer, darf ich lesbisch werden?« fragte ein Mädchen, während es Barry hinterherschaute.

»Ich weiß, was du meinst«, antwortete Hermeline schwesterlich. »Stell dir mal vor, du wärst mit so was verheiratet.«

Als erstes machte Barry einen kurzen Abstecher in den übelriechenden, milbenverseuchten Eulenkrug. Barry war klug genug, nicht etwa Hertha mit der Beförderung seines Briefes zu betrauen. Nach ihrer Kehlkopfoperation hatte er darauf bestanden, daß sie mit dem Rauchen aufhörte, und seitdem hatte sie ihn durch wiederholte Krallenhiebe wissen lassen, daß seine Korrespondenz nicht länger an ihren Füßen erwünscht war. Sie hatte ohnehin eine furchtbare Kondition – sie konnte keine fünf Meter weit ohne Pause fliegen. Statt dessen nahm Barry Prissy Measlys alte Eule Herpes.

Dann ging er in Nigels Zimmer im nach wie vor gänzlich dachlosen Grittyfloor-Turm. Ich muß mal ein Team von Dachdeckerzauberern anfordern, dachte Barry. Da es regelmäßig hereinregnete, sammelte sich die Feuchtigkeit in den Wänden. Der Stammelschwamm war sogar in tiefere Stockwerke wie dieses vorgedrungen. Barry ließ sich auf alle viere nieder und suchte unter dem Bett seines Sohnes nach seinem alten Mop. Kaum war die Aufnahmebestätigung von der über einen weiteren Trotter alles andere als erfreuten Schule gekommen, hatte er ihn Nigel gegeben. Seines Wissens hatte sein Sohn ihn seitdem nicht mehr angefaßt, außer um ein paar Abziehbildchen draufzukleben. Zum vorletzten Weihnachtsfest hatte Nigel von Oma Cringer einen neuen bekommen. Das Modell war der letzte Schrei, aber nach Barrys Ansicht etwas für Angeber und nichts zum Quaddatsch-Spielen. Doch Nigel ließ sich nicht umstimmen, er liebte seinen neuen Mop und nannte ihn Daisy.

Eigentlich wollte er den alten Mop gar nicht mit in die Schule nehmen, doch Barry hatte ihn überzeugt: »Du wirst einen Ersatzmop brauchen«, hatte er Nigel erklärt. »Wenn dein Mop nicht mindestens einmal bricht, strengst du dich beim Spielen nicht genug an.«

Barry tastete blind herum. Etwas Glattes – eine Zeitschrift? Etwas Pelziges – ein vergessenes Sandwich? Aber kein Mop.

»AHA!« sagte eine vertraute Stimme. »Während des Unterrichts in den Zimmern herumschnüffeln!« Es war Peeves, der lästigste Geist von Hogwash.

»Hi, Peeves«, sagte Barry kühl und setzte sich auf.

»Komm mir nicht so, Trotter. Du hattest doch vor, was zu klauen – und mich interessiert wirklich, wie du dich da rausreden willst. Grittyfloor kriegt bestimmt fünfzig Punkte abgezogen, und eine ordentliche Tracht Prügel ...«

»Was jetzt kommt, hast du schon seit Jahren verdient, du wandelnder Furz.« Barry beugte sich vor, richtete seinen Zauberstab auf Peeves und schickte ihn auf direktem Weg in die Hölle.

»*Plotz!*« rief Barry. Peeves heulte auf. Lauter kleine Wichtel begannen ihn in Stücke zu reißen. Jedes der winzigen Wesen aß einen Bissen von ihm und kackte ihn vor Peeves' Augen (die als letztes verzehrt wurden) wieder aus. Dann fing der Kötel Feuer und verschwand in einem Wölkchen von beißendem, violettem Rauch.

»Mann! Das wurde aber auch fällig«, sagte Barry. »Ich hab' nur auf den richtigen Moment gewartet ... Da ist er ja«, sagte er und zog den bereits eingestaubten Mop hervor. Er wischte ihn ab und ging zum Fenster hinüber. Vorsichtig bestieg er den Mop, rückte sein Hämorrhoidenkissen auf dem Schaft zurecht (jetzt wußte er, warum man Quaddatsch als »Spiel für junge Zauberer« bezeichnete) und sauste dann zum Spielfeld. Als er zur Landung ansetzte, sah er, daß Nigel und der Rest des Grittyfloor-Teams gerade mit geschulterten Mops zur Schule zurückkehrten.

»Wo wollt ihr denn hin?« fragte Barry aufgekratzt. »Wenn ihr nicht mehr übt, werdet ihr nie besser.«

»Es regnet«, antwortete der Kapitän.

Die Sonne schien, und am Himmel war keine Wolke zu

143

sehen. Barry vermutete sogleich einen Streich dahinter, den er noch aus seiner Schulzeit kannte. »Du da, wie heißt du?«

»Mallory, Sir.«

»Mallory, geh Ferd und Jorge Measly wecken und sag ihnen, sie sollen herkommen. Ihr anderen folgt mir.«

Barry schoß steil in die Höhe, und die Grittyfloor-Schüler folgten ihm. Wie er vermutet hatte, pißten gerade fünf Silverfish-Schüler, angeführt von Larval Malfies, von oben auf die Grittyfloor-Mannschaft. Mit einem Schwenk seines Zauberstabs kehrte Barry den Fluß ihres Urins um und schickte ihn im Blitztempo zurück in ihre Blase, ein sehr unangenehmes Gefühl. Dann fügte er noch den Inhalt der Blasen des Grittyfloor-Teams hinzu. Plötzlich waren die Silverfisher kurz vorm Platzen.

»Der älteste Trick der Welt«, sagte Barry zu den Grittyfloor-Schülern. Unten erspähte er zwei weitere Silverfisher, die gerade einen Grittyfloor-Spieler durch das Quaddatsch-Tor zwängten. »He, ihr da, was soll denn das werden?«

»Nix«, sagte ein ungeschlachter, flachsblonder Junge.

»Nix«, äffte Barry ihn nach. Es gelang ihm, dabei noch dämlicher zu klingen als der Schüler. »Zieht Leine!«

»Mein Dad hat uns immer üben lassen, wann wir wollten«, sagte Larval, der heruntergekommen war, um sich an der Auseinandersetzung zu beteiligen. Er war der Hascher von Silverfish.

»Wenn du ihm im Jenseits Gesellschaft leisten willst, läßt sich das einrichten«, sagte Barry. »Und jetzt haut ab.«

»Und wer sollte uns dazu zwingen?« erwiderte Larval, stieg ab und baute sich drohend vor Barry auf.

Barry sah seinen Sohn an, der blaß geworden war. »Nigel«, sagte er, »steig von deinem Mop. Verpaß diesem Schlappstab 'ne ordentliche Abreibung.«

»Aber Mum hat gesagt, ich soll mich nicht prügeln«, sagte Nigel und wurde noch blasser. Ein paar Leute lachten.

»Mum ist nicht hier«, sagte Barry. »Tu es.«

Nigel, der sonst nur allzu gern festen Boden unter den Füßen hatte, stieg widerstrebend vom Mop, nahm die Brille ab und reichte sie einem Neuntkläßler namens Stevenson.

»Wenn mir etwas zustoßen sollte, gib die meiner Mutter«, sagte er. Stevenson nickte. Dann sagte Nigel zu seinem Vater: »Ich kann nichts sehen, Dad. Du weißt, daß ich nichts sehen kann.«

»Es ist nicht fair, wenn Sie Ihrem Sohn durch Zauberei helfen«, sagte jemand zu Barry.

»Das werde ich nicht«, sagte Barry. »Es wird ein fairer Kampf. Nigel, du bist auf dich allein gestellt.«

Angefeuert von ihren Teams, die sich um sie drängten, begannen Nigel und Larval einander zu umkreisen. Larval holte aus und traf Nigel mitten auf die Nase.

»Ahh!« Der stechende Schmerz schaltete alle Hemmungen in Nigels Hirn aus. Ohne zu zögern, packte er den dämlich grinsenden Larval am Hemd, zog ihn an sich und boxte ihn, so fest er konnte, in den Bauch. Es war ein einmaliger Glückstreffer: Larval explodierte und spritzte alle mit Urin voll.

Stinkend und jubelnd stürzte die Grittyfloor-Mannschaft sich auf Nigel.

»Jungs, laßt euch das eine Lehre sein: Kämpft niemals mit voller Blase«, sagte Barry. »Und jetzt, Silverfisher: Verzieht euch!«

Verdrossen sammelte das Silverfish-Team Malfies' Überreste ein und gab das Spielfeld frei.

Kurz darauf erschienen, aufgeweckt durch einen kleinen *Latte-Macchiatus*-Zauber, Ferd und Jorge.

»Nein, es ist *nicht* das Ziel des Spiels, dem anderen Team dabei zu helfen, den Schmatz zu fangen«, erklärte Barry gerade. »Wer hat euch denn das erzählt?«

»Larval«, sagte der Grittyfloor-Kapitän, dessen Beschränktheit nur noch von seiner eklatanten Koordinationsschwäche übertroffen wurde. Barry machte ihn auf der Stelle vom Kapitän zum Reservespieler. Er war sechs Jahre lang Drescher gewesen und dadurch berühmt geworden, daß er nicht ein einziges Mal den Ball getroffen, sondern auf immer neue, noch kunstvollere Art danebengehauen hatte.

»Hey, Barry«, sagte Ferd. »Wo brennt's denn?« – »Die Jungs hier haben keine Ahnung vom Quaddatsch«, sagte Barry. »Frag Nigel.«

»Na ja, das wird niemandem in die Wiege gelegt«, sagte Jorge. »Außer dir natürlich.« Er erblickte Barrys Hämorrhoidenkissen. »Das ist eine geniale Idee.« Jorge zog seinen Zauberstab. »*Dalli-dalli!*«, rief er, und einer alten Dame in Surrey widerfuhr etwas, das ihre Kinder als erstes Anzeichen von Senilität abtaten.

»Soll ich ein bißchen mit ihnen Schlagen üben?« fragte Ferd und holte einen Matscher hervor.

»O ja«, sagte Barry. Zwei Drescher hörten nicht zu, lachten und knufften einander. »He, ihr beiden! Laßt das! Wenn ihr unbedingt etwas hauen wollt, dann geht mit ihm«, sagte Barry und deutete auf Ferd. »Er wird's euch zeigen.«

»Da Woode nicht hier ist, bringe ich ihnen bei, was man als Torhüter zu tun hat«, sagte Jorge.*

***

* Oliver Woode war der legendäre Torhüter von Grittyfloor, der nach jedem verlorenen Spiel wegen Selbstmordgefährdung beaufsichtigt werden mußte. Dank jahrelanger Therapie, der Liebe seiner Frau Kri-

»Alle anderen machen Flugtraining«, sagte Barry. »Jeder, der mich zu fassen kriegt, bekommt eine Gallone.« Raketenschnell hob er ab, und die Zurückgebliebenen eierten unbeholfen hinter ihm her.

Mehrere Stunden später flitzten Barry und Genossen immer noch durch die Luft.

»Können wir bitte aufhören?« fragte ein Grittyfloor-Spieler. »Mein Hintern ist schon ganz wund.«

»Ja«, sagte ein anderer. »Wir haben fast unseren gesamten Morgenunterricht versäumt.«

»Na, ihr habt ja schöne Prioritäten«, sagte Barry. Er war empört. »*Ich* habe heute morgen gar nichts gelernt, und beschwere ich mich vielleicht?« In Wirklichkeit tat auch ihm der Arsch weh. Außerdem war sein Rücken ganz steif, seine Beine waren schlecht durchblutet, sein Gesicht brannte vom Wind – und der Mop quetschte ihn auf höchst unangenehme Weise die Eier ab. Da er annahm, daß Hermeline mit der Arbeit, bei der er ihr helfen sollte, inzwischen fertig war, beschloß er, Schluß zu machen. »Okay«, sagte er. »Das reicht für heute. Aber morgen früh um Punkt sieben Uhr seid ihr wieder hier! Wir werden etwas üben, das ich den ›Verrückten Iwan‹ nenne.«

Barry landete, begleitet vom Stöhnen der Schüler. Er wurde von Professor Mumblemumble empfangen, der einen kleinen Plastikbecher in der Hand hielt. Der Leukoplaststreifen, mit dem der Professor seine Brille über seiner Sturmhaube befestigt hatte, war heute besonders lang und flatterte beim Gehen ein wenig.

»Hallo, Professor«, sagte Barry. »Warum sind Sie nicht bei Ihren Schülern?«

sta und ungeheuer starker Medikamente hatte Woode jetzt ein gutgehendes Geschäft für magische Sportbandagen.

»Die können sich ganz gut eine Weile selbst beschäftigen«, schwindelte Mumblemumble. »Ich habe Sie hier draußen gesehen und wollte Ihnen etwas Dragonade bringen.«

»Danke.« Barry nahm einen Schluck – das Zeug schmeckte merkwürdig, ein bißchen wie Fixiersalz. Der Geschmack war so widerwärtig, daß sogar sein Fragerufzeichen pochte. »Irx«, sagte Barry. »Es ist ja nett gemeint, aber komischerweise erinnert mich dieses Zeug an Mantikorpisse.« Er gab Mumblemumble den Becher zurück. »Und zwar nicht im positiven Sinne.«

»Ich weiß«, sagte Mumblemumble und goß den Inhalt auf den Boden. Das Gras zog sich buchstäblich in die Erde zurück, anstatt die Flüssigkeit aufzusaugen. »Was glauben Sie, weshalb ich nie Quaddatsch gespielt habe?«

Barry wandte sich den Schülern zu. »Jungs, wann ist das Spiel gegen Silverfish?«

»In ungefähr zwei Wochen«, sagte der unselige Kapitän.

»Da bleibt uns ja nicht mehr viel Zeit«, sagte Barry. Um überhaupt eine Chance auf den Hauspokal zu haben, mußten sie Silverfish schlagen … Und das bedeutete, daß sie überhaupt keine Chance hatten. »Ferd, Jorge – ich würde sagen, es wird Zeit, diesen Jungs beizubringen, wie man Extrem-Quaddatsch spielt.«

»Ich hatte gehofft, daß du das sagen würdest!« sagte Ferd. Jorge keckerte bloß ziemlich maliziös.

»Erinnerst du dich noch an den Schwarzen Donnerstag?« fragte Jorge. An einem denkwürdigen Tag in ihrem ersten Schuljahr hatten sie das gesamte Silverfish-Team dahingemetzelt – ein Kantersieg, wie er auch im Extrem-Quaddatsch nur höchst selten vorkam.

»Also gut«, sagte Barry. »Ab morgen werden wir euch zeigen, wie man wie die Erwachsenen spielt. Wir werden euch beibringen, wie man den Gegenspieler rammt, wie man klammert, wie man aus voller Fahrt schießt …«

»Entscheidend ist, daß man das Heft in der Hand behält«, sagte Jorge.

»… wie man Sägespäne, Nägel, Netze, Klaviersaiten und so weiter einsetzt, um einen Mop außer Gefecht zu setzen.«

»Aber Herr Direktor, ist das nicht Betrug?« fragte ein Drescher namens Norval.

»Hör mal, es gibt über siebenhunderttausend verschiedene Möglichkeiten, beim Quaddatsch zu betrügen. Tricksen, Mogeln, Täuschen … Aber für den Außenstehenden sehen sie alle vollkommen regulär aus. Bei Extrem-Quaddatsch ist das anders. Es verstößt offensichtlich gegen alle Regeln, und schon das Zuschauen ist ziemlich schmerzhaft«, sagte Barry. »Wenn ihr's richtig macht, werdet ihr euch dabei wahrscheinlich ganz schön einsauen, und der Großteil des Silverfish-Teams wird ums Leben kommen, also überlegt euch jetzt, ob ihr den Mumm dazu habt.«

Die Grittyfloor-Spieler jubelten – eine Antwort, die an Klarheit nichts zu wünschen übrigließ. Nigel war nicht überrascht, daß sein Dad sich als Propagandist des Mogelns und Betrügens entpuppte. Wie üblich wußte er nicht, ob er stolz auf ihn sein oder im Boden versinken sollte.

»Ihr bekommt garantiert Spielverbot für den Rest des Jahres, und wenn ihr richtig gut seid, vielleicht für immer.«

»Schon okay«, sagte einer der breit lächelnden Spieler. »Ich hab' diese ewigen Splitter im Arsch eh satt.«

Barrys Sohn schwieg. »Nigel? Hast du immer noch Skrupel – jetzt, wo du einen Menschen in die Luft gejagt hast?«

»Nö«, sagte er. »Aber ich glaube, wir sollten Mum nichts davon sagen.«

»Abgemacht«, sagte Barry. »Morgen früh fangen wir an.«

»Und jetzt alle zusammen«, sagte Ferd. »Eins, zwei, drei:
›Death from Above‹!«

Ein letztes Jubeln, und dann begannen alle, sich den Berg
hochzukämpfen.

Auf dem Weg zurück zur Schule erzählte Mumblemumble Barry, wie er den Schülern beibrachte, mächtige Doofe
Zauber durch das Zerschneiden von gefaltetem Papier her-
zustellen.

»Die Muddel halten sie für Schneeflocken – und dann
kriegen sie Augenbrauenkrebs!« sagte Mumblemumble.
Barry war beeindruckt. Dieser Typ kannte sich ganz offensichtlich aus.

Später saß Nigel im Grittyfloor-Gemeinschaftsraum und
grübelte über seinen Lateinhausaufgaben. Sie waren sehr
schwer – man mußte sich immer den ganzen Zauberspruch
durchlesen, um das Verb zu finden. Es war meistens da, wo
man es zuletzt suchte. Gestern hatte er im Unterricht eine
paella anstelle einer *puella* herbeigezaubert und mußte alle
zum Mittagessen einladen. Jiddisch war leichter – im Zweifelsfall brauchte man sich nur zu räuspern –, aber das hatte
er nicht so oft.

Zu seiner immensen Erleichterung hatte Nigel festge-
stellt, daß er bei weitem nicht der einzige Fünftkläßler in
Hogwash war, der nicht zaubern konnte. Als Drafi Direktor
geworden war, hatten er und Luderwig durchgesetzt, daß
Muddelschüler durch die Teilnahme an einem speziellen
Studienprogramm einen Abschluß als »Zauberer unterster
Klasse« erwerben konnten. Die Ausbildung war exorbitant
teuer und vollkommen nutzlos und deswegen unter Muddeln mit Geld und Beziehungen schon bald extrem angesagt.

Das Kuratorium stellte sogar fest, daß sie um so mehr Bewerbungen bekamen, je astronomischer der Preis war. Mit Muddelgeld wurde nicht nur der Themenpark, sondern auch ein neuer Anbau an das Haus der Familie Malfies finanziert.

Natürlich war es bei Nigel etwas anderes. Von ihm wurde erwartet, daß ihm die Magie zu den Ohren herauskam, und als sich herausstellte, daß dem nicht so war, begann man ihn zu ärgern. Aber der Taser, den sein Vater ihm gegeben hatte, um übereifrige Fans abzuwehren, funktionierte ebensogut wie jeder Zauberspruch, und wenn Junior mitbekam, daß Nigel sich nicht mehr zu helfen wußte, eilte er ihm rasch mit einem markigen Spruch zu Hilfe. Und nun, da Nigel Larval erledigt hatte, begegnete man ihm mit einem Respekt, der an Furcht grenzte.

»Oh, Drachenmist«, sagte Nigel, als er auf die Uhr an der Wand schaute. Wenn er es rechtzeitig zur nächsten Unterrichtsstunde schaffen wollte, mußte er sich beeilen. Es war der einzige Kurs, der ihm wirklich Spaß machte. Er hieß »Muddel verstehen«, und der Lehrer war Athos Measly.

Als er Direktor war, hatte Lon Measly seinen Vater eingestellt, damit er einen Kurs über Muddel gab (und gelegentlich mit ihm Gassi ging). Ein Beamtenposten verlieh einem eine Macht, der noch nicht mal Doofe Magie etwas anhaben konnte, zumindest nicht ohne die Magische Lehrergewerkschaft auf den Plan zu rufen, und daher blieb Athos Measly im Amt. Luderwig hatte ihm vor zwei Tagen hart zugesetzt, aber Measley hatte nicht nur eingesteckt, sondern auch ausgeteilt. Jedenfalls minderten eine geplatzte Lippe und ein bunt schillerndes Veilchen weder seine Eloquenz noch seine Begeisterung für sein Fachgebiet.

»Willkommen zurück, meine Lieben. Ihr habt doch bestimmt alle brav eure Muddelzeitungen gelesen, oder? Hat irgend jemand verstanden, worum die Muddel sich streiten?« fragte Measly. Er hielt nach Wortmeldungen Ausschau. »Niemand? Nun ja, das macht nichts, ich auch nicht. Aber lest weiter – vielleicht wird einer von euch Schülern derjenige sein, der diesem großen Sphinkter auf die Spur kommt.«*

Measly schlug seine Notizen auf. »Ich denke, wir beginnen mit einer kurzen Wiederholung des Stoffs. Ein Muddel ist ein Wesen, das aussieht wie ein Zauberer oder eine Hexe, dem aber völlig die Fähigkeit fehlt, Magie einzusetzen. In den schlimmsten Fällen können Muddel Magie noch nicht einmal wahrnehmen.«

Schön wär's, dachte Nigel und begann eine ambitionierte Serie von Kritzeleien.

Professor Measly blickte auf. »Nun, gibt es hier irgend jemanden, der noch nie einem Muddel begegnet ist?«

Eine Hand schoß in die Luft.

»Ah. Gut, daß ich gefragt habe. Du bist sicher in einer reinen Zaubererkommune aufgewachsen, hab ich recht?«

»Ja, Herr Professor«, sagte ein Muffelpuff-Mädchen namens Panacea Pangloss.

»Ich für meinen Teil bin ja gegen diese Kommunen«, sagte Measly. »Ebenso wie der Krieg ist auch das Leben mit Muddeln wunderbar bereichernd – und das eine gibt es wie gesagt nicht ohne das andere. Selbst von der dümmsten, beschränktesten, unangenehmsten Kreatur können wir noch etwas lernen. Vergeßt das nicht. Und jetzt paßt mal kurz

---

* Der Sphinkter war ein mythisches Ungeheuer, eine Kreuzung aus einer Sphinx und einem Chiffre. Winston Churchill hat einst Josef Stalin einen »von Rätseln umgebenen, in mysteriöses Dunkel gehüllten Sphinkter« genannt. … Hat er nicht, aber er *hätte* es sagen können.

auf …« Der Professor schwenkte ein- oder zweimal seinen Zauberstab, und eine teigige Frau in einem Blümchenkleid erschien auf der Bühne. Sie hatte in einem Sessel gesessen und sackte auf der Stelle in sich zusammen, als sie ohne das Möbelstück ankam.

»Was zum …?«

»Verzeihung, gnädige Frau«, sagte Professor Measly, während er auf sie hinabschaute. »Sie wurden zu Unterrichtszwecken hergebracht. Sagen Sie ›guten Tag‹.«

»G-guten Tag?« sagte die arme Frau.

»Danke!« säuselte Measly. Er schwenkte erneut seinen Zauberstab, und sie verschwand mit einem Plopp.

»Jetzt, Pangloss, hast du einen Muddel gesehen. Fühlst du dich bereichert?«

»Ja, Herr Professor. Danke.«

»Gut.« Er fuhr fort, aus seinen Notizen vorzulesen. »Manche Gelehrte waren zwar der Ansicht, daß Muddel sich körperlich von Zauberern unterscheiden – daß sie sogar eine eigene Spezies bilden, etwa so wie der Neandertaler gegenüber dem modernen Homo sapiens –, aber ich halte das für falsch. Muddel sind ebenso Menschen wie wir. Aber da sie nicht zaubern können, leugnen sie einfach die Existenz der Magie.«

Eine Hand schoß in die Höhe. »Alle?« fragte ein Junge.

»Bis vor kurzem ja«, erwiderte Professor Measly. »Vor den Trotter-Büchern galt ein Muddel unter seinesgleichen um so intelligenter, je entschiedener er die Existenz der Magie leugnete – auch wenn sie vielleicht ständig direkt vor seiner Nase passierte.«

Ein empörtes Raunen lief durch die Klasse. Jemand sagte halblaut: »So was Bescheuertes!«

Das hatte der Professor gehört. »Na, na, wir dürfen niemanden verurteilen. Wir müssen versuchen zu verstehen – erst dann können wir uns ein Urteil erlauben«, sagte er.

Nigel war drauf und dran, darauf hinzuweisen, daß Muddel im allgemeinen bessere Zähne haben als Zauberer, überlegte es sich dann jedoch anders.

»Nehmt zum Beispiel dieses Muddelgerät«, sagte Professor Measly und nahm eine TV-Fernbedienung von seinem Schreibtisch. »Wenn ein Muddel dieses Ding auf einen Fernseher richtet …«

Das Mädchen aus der Kommune hob wieder die Hand. »Entschuldigen Sie, was ist ein Fernseher?«

»So etwas Ähnliches wie die Kristallkugel, vor der deine Familie ihre Freizeit verbringt«, sagte der Professor. »Aber Fernseher sind offenbar nicht in der Lage, die Zukunft vorherzusagen, obwohl hier ein Knopf ist, auf dem ganz deutlich ›Vorspulen‹ steht …« Der Professor war über diese Widersprüchlichkeit sehr verärgert.

»Ihr müßt immer daran denken, daß wir ständig mehr über die Muddel herausfinden und das Bild, das wir von ihnen haben, entsprechend revidieren. Manche Gelehrte, die schon mal Fernsehen geschaut haben, halten es für reine Unterhaltung, aber ich persönlich glaube, es ist eine Art Hypnose oder möglicherweise eine Form der Bestrafung. Wie auch immer, wenn ein Muddel dieses Ding – bei dem es sich offensichtlich um einen primitiven Zauberstab handelt – auf einen Fernseher richtet, erwacht dieser zum Leben. Doch die Muddel bezeichnen das nicht als Magie. Sie beharren darauf, daß der Zauberstab einen mysteriösen Strahl absondert. Niemand hat jemals so einen Strahl gesehen, gerochen oder geschmeckt. Ich glaube auch, daß der durchschnittliche Muddel – also jemand mit höchst durchschnittlichen geistigen Fähigkeiten – durchaus begreift, wie absurd diese Erklärung ist, weil er sich gar nicht darum schert. Aber diejenigen, die neugierig genug sind, um sich zu fragen, wieso dieses Gerät funktioniert, sind dermaßen voreingenommen gegenüber jeglicher Form von Magie, daß ihnen jede Erklärung recht ist, die nichts damit zu tun hat.«

»Begründen die Muddel denn alles mit Strahlen?« fragte Junior.

Der Professor lachte. »Nein, nein – es ist schon ziemlich erstaunlich, was die Muddel sich alles einfallen lassen, um Zauberei zu leugnen: Levitation nennen sie ›Aerodynamik‹, und es gibt ›Chemie‹, ›Physik‹, ›Elektrizität‹ – nichts davon kann man sehen, in die Hand nehmen oder in einen Eimer füllen. Man könnte darüber lachen, wenn sie nicht so darauf versessen wären, jedem Zauberer, der versucht, ihnen die Wahrheit zu sagen, ihr Unwissen aufzuoktroyieren.« Der Professor deutete auf eine Narbe an seinem Fingerknöchel. »Die habe ich mir bei einer freundlichen Diskussion über Zaubertricks zugezogen, als ich in einer Muddelkneipe Material für eine Forschungsarbeit gesammelt habe.«

»Glaubt denn *keiner* von denen an Magie?« fragte ein Schüler fassungslos.

»Es ist ein bißchen komplizierter, als ihr möglicherweise denkt«, sagte Measly. »Von den *jungen* Muddeln glauben viele – besonders jetzt, nachdem die Trotter-Bücher ihnen unsere Welt enthüllt haben – durchaus noch an Magie.« Der Professor fuhr fort: »Oder halten es zumindest für möglich, daß die Muddel noch nicht *alles* wissen. Aber die Erwachsenen sind anders. Keiner von denen würde jemals zugeben, daß er an Zauberei glaubt, es sei denn, er will in der Klapsmühle landen. Diejenigen, die nicht darüber hinwegsehen können, daß sie sich vieles nicht erklären können, bezeichnen das meist nicht als Magie. Sie nennen es

155

›Religion‹ und benutzen es als Vorwand, sich gegenseitig umzubringen.«

»Wie barbarisch«, sagte ein Grittyfloor-Schüler, der für die Geschichte nicht wichtig genug ist, um einen Namen zu bekommen.

»Allerdings«, sagte Measly.

»Warum zwingen wir sie nicht zu begreifen?« fragte ein ähnlich glückloser Silverfish-Junge.

»Das könnten wir, aber warum sollten wir? Es wäre sehr zeitaufwendig und würde uns keinerlei Nutzen bringen. Es wurde auch schon dafür plädiert, man sollte sie ausrotten.« Eine Hand sank wieder herunter. »Dieser Gedanke kommt immer mal wieder auf«, sagte Measly. »Ich bin dagegen. Reine Sentimentalität, schätze ich. Und außerdem finde ich persönlich sie brüllend komisch.

Nun, Kinder, öffnet bitte eure Bücher auf Seite vierundvierzig. Hier sehen wir, was für eine lächerliche Vorstellung die Muddel von ihrer Fortpflanzung haben. Man beachte, daß Feen dabei nicht die geringste Rolle spielen …«

Der Unterricht machte Spaß. Professor Measly präsentierte ein Muddelartefakt nach dem anderen und beschrieb jeweils, wozu es benutzt wurde, wobei er jedesmal in eklatanter Weise danebenlag. Streichhölzer wurden als »Fackeln« bezeichnet und Zahnstocher als »biologisch abbaubare Hilfsmittel, mit denen man unaufdringlich die Aufmerksamkeit einer anderen Person erregt«. Als er die Funktion einer Pistole erläuterte – »ein erstaunlich effizientes Werkzeug, um Löcher in Papier zu stanzen« –, riß Nigel der Geduldsfaden.

Er hob die Hand. »Herr Professor?«

»Ja, Trotter?«

»Ich glaube, das stimmt nicht so ganz«, sagte Nigel.

»Was?« fragte der Professor, und die Schüler kicherten.

»Ihre Analyse«, sagte Nigel. »Ich glaube nicht, daß man Pistolen dazu benutzt.«

»Aber natürlich. Sieh selbst. Hier, Broadbottom, halt mal fest.« Der Professor warf einem Schüler in der ersten Reihe, Cyril Broadbottom*, ein Buch zu.

»Um Himmels willen, Broadbottom, hör auf herumzuzappeln.« Measly zielte und drückte ab. Dann wand er dem sauber niedergestreckten Cyril das Buch aus der Hand. Cyril stöhnte schwach. »Wischt doch bitte mal eben das Blut hier weg … Siehst du?« Er blätterte das Buch mit dem Daumen durch. »Auf jeder Seite ein kreisrundes Loch. Eine raffinierte nichtmagische Lösung für ein uraltes Problem.«

»Aber meine Großeltern sind Muddel«, sagte Nigel. »Und die benutzen immer einen Locher.«

»Deine Großeltern sind offenbar sehr seltsame Leute«, sagte der Professor, der schon etwas gereizt klang.

Nigel kapierte nicht. »Aber Herr Professor!«

»Es reicht, Trotter.« Widerstrebend verstummte Nigel. »Wenn ich sage, daß man damit Löcher stanzt, dann ist das so.«

Als der Unterricht vorbei war, ging Nigel zu Professor Measlys Pult. »Herr Professor, darf ich Sie mal kurz sprechen?«

»Du siehst genauso aus wie Barry«, sagte Professor Measly. »Ich wette, ich bin der erste, der dir das sagt«, fügte er trocken hinzu.

---

* Benannt nach seinem Onkel Cyril, der in Barrys fünfzehntem Schuljahr unabsichtlich von Zed Grimfood getötet worden war.

157

»Welcher Barry?« konterte Nigel.

»Und genauso frech.« Measly lachte, aber Nigel lächelte bloß. Nach ihrem Wortwechsel von eben war er unsicher und nervös.

Measly fuhr fort, seine Unterlagen zusammenzupacken. »Du bist ganz schön selbstbewußt für einen Fünftkläßler«, sagte er. »Nimm dich lieber in acht. Jeder andere Lehrer hätte Grittyfloor wegen deinem Ausraster vorhin fünf Punkte abgezogen.«

»Tut mir leid«, sagte Nigel. »Es ist nur, weil …«

»Oh, mir ist schon klar, wozu eine Pistole in Wirklichkeit da ist, mein Freund«, sagte Measly. »Aber ich glaube nicht, daß die ganze Klasse das jetzt schon wissen muß. Es ist besser für sie, wenn sie die Muddel noch ein paar Jahre lang für harmlose Trottel oder Möchtegern-Barry-Trotters halten. Dann können sie die bittere Wahrheit immer noch herausfinden … Was kann ich für dich tun? Kommst du zurecht?« fragte der Professor.

»Ehrlich gesagt, Sir, würde ich gern unter vier Augen mit Ihnen reden, wenn das möglich wäre.«

Measlys Miene wurde ebenso ernst wie Nigels. »Aber natürlich. Darf ich fragen, worum es geht?«

Nigel wurde rot und schlug kurz die Augen nieder. »Ich möchte lieber nicht hier darüber sprechen, wenn es Ihnen nichts ausmacht. Es ist … Ich möchte es einfach nicht.«

»In Ordnung«, sagte der Professor ein bißchen verwundert. »Komm mit in mein Büro.«

In Measlys Büro sah es aus wie in einem extrem verwahrlosten Muddeltrödelladen. Der kleine Raum war vollgestopft mit Gegenständen unterschiedlichster Form und Größe, die meisten verrostet, verbogen, verbeult oder verstaubt. Measly verbrachte seine Tage damit, willkürlich ein Objekt herauszugreifen und dann durch simples Ausprobieren seine Funktion herauszufinden. Die »Ergebnisse« schrieb er in ein ledergebundenes Notizbuch. Nigel stellte fest, daß er mindestens fünfzig davon hatte. Und er war sicher, daß nichts als Unsinn darin stand.

Sobald die Tür zu war und noch bevor einer von ihnen die Gelegenheit hatte, sich zu setzen, platzte Nigel heraus: »Ich kann nicht zaubern.«

Professor Measly lachte.

»Sie finden das vielleicht lustig, aber für mich ist es sehr ernst!« sagte Nigel.

»Das ist es bestimmt, es fällt mir nur sehr schwer, es zu glauben«, sagte der Professor. »Guck dir doch deine Eltern an.«

»Erinnern Sie mich bloß nicht an die!«

»Verstehst du dich nicht gut mit ihnen?«

»Nein«, sagte Nigel. »Vor allem, weil sie meine Schwester lieber mögen. Sie zaubert wie der Teufel.«

Eine solche Ausdrucksweise war keine Überraschung für Measly. Er hatte genug mit Kindern zu tun, um zu wissen, wie sie redeten, und bekam als Hogwashs designierter »cooler Lehrer« viel Schlimmeres zu hören.

»Ich bin sicher, deine Eltern lieben dich, wie du bist«, sagte Professor Measly. »Ich meine, ich habe Lonald ja auch lieb, obwohl er mal mit einem Mädchen gegangen ist, nur weil es nach Frikadellen roch.« Er spielte mit einem rostigen Kleiderbügel herum. »Im übrigen, Nigel, ist es keine Entweder-oder-Frage, ob man zaubern kann.«

»Wie meinen Sie das?« fragte Nigel.

»Ich meine, daß jeder zaubern kann – der eine besser, der andere schlechter. Manch einer hat eine natürliche Begabung dafür, jemand wie dein Vater zum Beispiel. Aber für die meisten von uns geht es darum, das Beste aus dem zu machen, was wir an Talent haben«, sagte der Professor. »In jedem von uns steckt eine besondere Energie namens ›Wa?‹, die einen Großteil des Zaubertalents ausmacht. Dabei handelt es sich um so etwas Ähnliches wie Wirrköpfigkeit oder Unüberlegtheit. Dein Vater ist ein sehr impulsiver, chaotischer Mensch. Aus diesem Grund ist er ein großer Zauberer – ›groß‹ im weitesten Sinne.«

»Aber meine Mutter ist nicht chaotisch. Im Gegenteil«, sagte Nigel. »Sie schleicht sich in mein Zimmer und sortiert mein Kleingeld.«

»›Wa?‹ ist eben nicht alles. Zauberei erfordert auch eine große Begehrlichkeit. Wenn du Lust auf Essen, Geld oder sonst etwas hast und dein Wunsch nur stark genug ist, wird dein ›Wa?‹ dadurch zu Magie gebündelt«, sagte Professor Measly. »Dein Vater ist der impulsivste Nichtpsychotiker, den ich kenne. Und deine Mutter ist der begehrlichste, der lüsternste Mensch, dem ich je begegnet bin. Siehst du, das paßt alles.«

Nigel runzelte die Stirn. »Ich fürchte, ich verstehe nicht viel von Magie«, sagte er. Sein Hausgeist plätscherte leise an seinem Gürtel – das Wasser war trübe, er mußte es mal wechseln. Er spürte, wie eine Tentakel tröstend seine Gürtelschnalle streichelte.

»Es freut mich, daß du dir dieses Tier als Hausgeist ausgesucht hast«, sagte Measly. »Ich habe mal einen ganz tollen Song über einen Oktopus geschrieben. Er heißt ›Anorak der Tiefe‹. Sie sind …«

»… so intelligent wie Hauskatzen, ich weiß«, sagte Nigel.

Professor Measly holte eine Laute hervor und begann zu spielen und mit schöner, wenn auch tuntiger Stimme zu singen. Aus irgendeinem Grund war es Nigel immer peinlich,

160

wenn in seiner Gegenwart jemand anfing zu singen, daher stellte er die erste Frage, die ihm in den Sinn kam.

»Worin liegt eigentlich der Unterschied zwischen Guter und Doofer Magie?«

Professor Measly hörte für einen Moment auf zu spielen. »In der Seele«, sagte er und zupfte weiter.

»Was soll das denn heißen?« fragte Nigel. Der Lehrer unterbrach sein Spiel erneut.

»Schwer zu sagen. Es hat viel damit zu tun, daß man Menschen mehr liebt als Dinge. Und daß man keine Angst hat oder sich zumindest nicht bei allem, was man tut, von seiner Angst leiten läßt.« Er legte seine Laute hin. »Andere Menschen so zu behandeln, wie man selbst behandelt werden möchte, trägt ebenfalls viel dazu bei.«

»Das klingt aber ziemlich platt, Herr Professor«, sagte Nigel.

»Ach, daß etwas wahr ist, genügt dir also nicht«, sagte der Professor. »Jetzt muß es auch noch amüsant sein.«

»Nein«, sagte Nigel. »Es kommt mir bloß zu einfach vor.«

Professor Measly beugte sich über seinen Schreibtisch und betrachtete Nigel nachdenklich. Der Junge kam sich plötzlich sehr blaß, klein und häßlich vor. »Warst du mal bei den Pfadfindern?« fragte der Professor.

»Nein … äh, doch. Ungefähr drei Stunden lang.« Eine seiner wenigen magischen Erfahrungen hatte darin bestanden, daß sich eine Schüssel Bowle in seiner Anwesenheit in Blut verwandelt hatte. Nigel war nicht sicher, ob das an ihm gelegen hatte oder nicht – auf jeden Fall hatte sich irgend jemand gerade über sein Halstuch lustig gemacht, soviel war sicher.

»Nur drei Stunden?« sagte der Professor. »Dann weißt du ja, wie schwer es ist, immer nur edelmütig, klug, mutig, freundlich, sauber, höflich und so weiter zu sein. Gute Magie – aus naheliegenden Gründen bin ich mit dem Begriff ›weiße‹ Magie vorsichtig«, sagte der Professor mit einem Lächeln, »entspringt unserer guten Seite. Doofe Magie kommt dann zustande, wenn wir uns nicht so verhalten, wie wir sollten – wenn wir dumm, selbstsüchtig, gierig oder gemein sind.«

Nigel wurde nachdenklich.

»Beantwortet das deine Frage?« sagte Professor Measly. »Irgend etwas macht dir offenbar noch Kopfzerbrechen.«

»Ich frage mich, zu welcher Kategorie von Zauberern mein Dad gehört«, antwortete Nigel.

Professor Measly lachte. »Zu beiden natürlich! In uns allen stecken beide Seiten!«

Nigel sah dem Professor tief in die Augen. »Wissen Sie eigentlich, was mein Dad schon alles angestellt hat?«

»O ja«, sagte der Professor. »Vergiß nicht, Lon war meistens dabei! Ich kenne deinen Vater gut. Er hat lauter Dummheiten im Kopf – genau wie Ferd und Jorge –, aber im Grunde seines Herzens ist er ein guter Mensch.«

Der Professor sah auf seine Armbanduhr. »Ich hab' schon zu lange geredet!« Er zeigte sie Nigel. »Hast du so was schon mal gesehen?« fragte er. »Ein faszinierendes Muddelutensil. Man kann darauf ablesen, wie spät es ist. Manche zeigen sogar den Tag an. Viel bequemer, als rauszurennen, um einen Blick auf die Sonne oder die Sterne zu werfen. Und es funktioniert sogar, wenn der Himmel bewölkt ist!« Professor Measly lachte.

Nigel stand auf. »Ja, das kenn' ich. Es nennt sich Armbanduhr.«

»Genau, genau«, sagte der Professor. »Ich meine, versteh mich nicht falsch, unsere Zauberuhren haben auch ihre Vorteile, auch wenn sie einem manchmal Dinge sagen, die man eigentlich gar nicht wissen will.« Professor Measly hatte eine über seinem Schreibtisch hängen. Sie gab die aktuellen Aktivitäten jedes Mitglieds seiner Familie wieder: Die Zeiger deuteten auf Dinge wie »Hurt gerade mit Rockhard rum«, »unterschlägt Geld bei G'ingots« oder »leckt sich gerade«. Er erhob sich, um Nigel hinauszubegleiten.

Kurz vor der Tür erspähte Nigel ein gerahmtes Flugblatt. Es war signiert: »Für Athos, von Mo – der beste Kampf ist der, dem man aus dem Weg geht. Aber wenn das nicht möglich ist ...«

Der Professor bemerkte, daß Nigel es betrachtete. »Schon mal was von Gandhi gehört?« fragte Measly. »Das war ein ganz großer gewaltloser Zauberer. Er ist eins meiner Vorbilder.«

Nigel las laut den Text darauf vor. »Immer feste druff: tausendundein schmutziger Trick, um von der Kneipe bis zur Vorstandsetage und darüber hinaus jeden Kampf zu gewinnen.« Nigel schniefte. »Kommt mir nicht sonderlich gewaltlos vor. Genausowenig wie Sie.«

»Ach, nein? Inwiefern?« Nigel deutet auf sein Auge und seine Lippe.

»Ach so. Tja ...«, Professor Measly öffnete die Tür, und Nigel duckte sich unter seinem weiten, weißen Umhang hindurch, »wenn ein Mensch Gewalt ablehnt, heißt das noch lange nicht, daß er nicht zur Selbstverteidigung mal jemandem eine verpassen darf. Und sei du lieber still – wir haben alle gehört, was du mit Larval Malfies gemacht hast.« Professor Measly reckte die geballte Faust. »Weiter so!« flüsterte er mit funkelnden Augen.

Nigel lachte, und sie gaben sich die Hand. Wenigstens für den Augenblick fühlte er sich unter den Zauberern von Hogwash zu Hause.

Kapitel neun
PANIK VOR POMMEFRITTE

Während Professor Measly den Sohn der Trotters darüber aufklärte, wo die kleinen Zauberer herkommen, saß Barry in seinem Büro und spielte auf seiner Kristallkugel Solitaire, und Hermeline arbeitete. Barry verspürte ein Kitzeln in der Kehle. Kurze Zeit später war ihm bereits ausgesprochen übel.

»Ich hab' dir ja gesagt, du sollst nicht durch die Küche gehen«, sagte Hermeline. »Was du nicht weißt, kann dir nicht den Appetit verderben. Aber ein bißchen Hauselfenspucke hat noch niemandem geschadet.«

»Ich glaub', ich hab' die Grippe oder so was, obwohl – das macht es auch nicht besser«, sagte Barry. »Wieso schmeißen wir diese Elfen eigentlich nicht raus?«

»Die haben 'ne mächtige Gewerkschaft«, antwortete Hermeline.

An jenem Abend beim Essen schaffte Barry es gerade einmal, sich halb durch die Vorspeisen zu quälen. Dann mußte er davonstürzen, um sich zu übergeben. Als er an Madame Kraut vorbeikam, fragte sie ihn höflich, ob es ihm etwas ausmachen würde, das auf dem Komposthaufen zu erledigen. »Jedes noch so kleine bißchen hilft uns weiter!« sagte sie, aber Barry war nicht in der Lage zu antworten. Er tat, was er tun mußte, und ging dann gleich ins Bett.

Am nächsten Morgen fühlte er sich immer noch genauso schlecht – was er demonstrierte, indem er sich nicht rasierte –, aber zum Quaddatsch-Training ging er trotzdem.

»Oliver wäre stolz auf dich«, sagte Hermeline und versetzte ihm einen kräftigen Klaps auf den Rücken.

»Bitte nicht anfassen«, sagte Barry. »Sogar meine Haare tun weh.«

»Okay, Schatz«, sagte Hermeline und pustete ihm einen Kuß zu. »Einen schönen Tag.«

Barry lächelte schwach. Auf dem Weg zum Spielfeld schwankte er leicht. Was immer er sich da eingefangen hatte, es nahm ihn ganz schön mit.

Sich in die Luft zu erheben erwies sich als noch schlechtere Idee, und Barry kotzte sich die Seele aus dem Leib. Schließlich positionierten die Measlys ihn weiter oben und wiesen die Hascher an, sie sollten versuchen, sich gegenseitig in den Kotzeregen zu treiben. Das war eine unorthodoxe Maßnahme, aber sie schien zu funktionieren: Nach einer Stunde wurde das Grittyfloor-Team besser. Dann folgten Übungen mit Sprengstoff und eine Anleitung, wie man den gegnerischen Torhüter mit Klaviersaiten erdrosselt. Schließlich lernten alle, wie man seine Attacke so fliegt, daß der Gegner von der Sonne geblendet wird, und dann erklärten die Measly-Zwillinge den Unterricht für beendet.

»Das reicht für heute«, sagte Ferd. »Ich möchte, daß ihr euch, wenn ihr in der Schule herumlauft, unfaßbare Gemetzel und Torturen ausmalt, und zwar mit dem Silverfish-Quaddatsch-Team in der Hauptrolle.«

»Genau«, sagte Jorge. »Eine solche Brutalität fällt uns Zauberern nicht leicht, aber mit ein bißchen Übung könnt ihr genauso blutrünstig und skrupellos werden wie jeder Muddel. Glaubt uns, wenn es unappetitlich wird, werdet ihr es brauchen.« Die Mannschaft hörte gebannt zu. Nicht weit entfernt war Barry geräuschvoll am Würgen. »Ihr habt nur eine bestimmte Anzahl von Fouls, bevor das Spiel verloren ist, deshalb muß jedes davon einen Gegner außer Gefecht setzen. Morgen werden wir mit den sandgefüllten Socken arbeiten.«

Nach einem tosenden Applaus trotteten alle davon, um in den grauenhaften Sanitärräumen der Schulsporthalle zu duschen. Außer von beseeltem Fußpilz waren die Duschen von dem Zauber-Wasserpolo-Team des Hauses Radishgnaw überfüllt.* Da Barry lieber warten wollte, bis die Schüler fertig waren (und um der Frage aus dem Weg zu gehen, wann die Schule endlich einen Kammerjäger bestellen würde, um den Pool von den Meerjunkies zu befreien, die sich während der Sommerferien dort angesiedelt hatten), setzte er sich solange mit Zed Grimfood ins Dampfbad. Dieser hatte sich gerade eine Bartmassage angedeihen lassen und saß nun nackt, sehr behaart und rot da. Er erwog, sich ein Grundstück zu kaufen, konnte sich aber nicht entscheiden, ob er eins in dieser Dimension oder in einer anderen nehmen sollte.

»Du hast ja wohl ein ziemliches Schnäppchen gemacht, was?« fragte er.

»Ja, ich denke schon«, sagte Barry.

»Wieviel hast du bezahlt?« fragte Zed.

»Ähhh …« Barry wußte es nicht mehr. Als Zed weitere

---

* Zauber-Wasserpolo ähnelt der normalen Variante, nur daß die Spieler über dem Wasser schweben und nur einen einzigen Zeh hineinstecken. Ihre Bewegungen kräuseln das Wasser zu Mustern wie in einem Zen-Garten. Wenn sie die Wasseroberfläche zu sehr aufwühlen, gibt es einen Strafstoß. Das Spiel wird mit einer Tribbleähnlichen Kreatur gespielt, es ist nur nasser und viel weniger lustig.

Fragen stellte, wurde Barry klar, daß er sich überhaupt nicht mehr an sein Zuhause erinnern konnte, nicht mal an die Adresse.

»Tja, wenn du nicht darüber reden willst …«, murrte Zed und verließ den Raum.

»Hör auf, mir auf den Schniedel zu starren, du kleine Schwuchtel«, hörte Barry ihn grummeln.

Nach dem Duschen ging Barry zum Frühstücken in den Großen Saal. Hermeline vollendete gerade ihre wöchentliche Kolumne. »Willst du einen?« fragte sie und bot ihm einen Bagel an. »Auf der Packung steht, sie sind ›kabbalatastisch‹.«

»Wenn das was zu essen ist, dann will ich es nicht«, sagte Barry. »Ich will nur ein Glas Saft, dann geh ich wieder ins Bett.«

Er ging los, um sich etwas zu trinken zu holen, und stellte sich hinter ein paar Muffelpuff-Siebtkläßlern an.

»O mein Gott, Direktor Trotter.« Der Klang dieser Worte verzauberte Barry immer noch wie eine besonders schamlose Obszönität. »Darf ich Ihnen sagen, daß Ihre Filme das Tollste waren, was ich je erlebt habe?« sagte eine Schülerin. »Bis ich nach Hogwash gekommen bin.«

»Danke«, sagte Barry. »Eigentlich waren das gar nicht meine Filme, sondern …«

»Zum Beispiel, als Sie diesen Typen gerettet haben!« sagte sie.

»Ja, das war toll«, stimmte eine andere zu.

»Haben Sie wirklich Haare an den Füßen?« fragte die erste.

»Nein, ich – na ja, ein paar, aber …«

»Ist das der Ring?« fragte die zweite.

»Nein, das ist mein Ehe… Hört mal, ich glaube, ihr verwechselt mich mit …«

»Und dann, als Sie den Grünen Goblin getötet haben«, sagte die erste.

Jetzt hatte Barry keine Ahnung mehr, für wen sie ihn hielten. Spiderman? »Aber ich …«

»Oh, ich weiß, Sie haben es nicht mit Absicht getan, aber es war trotzdem cool«, sagte die zweite. »Wir sind jedenfalls froh, daß Sie unser Direktor sind und nicht irgendein verknöcherter Greis.«

»Ja! Oder ein durchgeknallter Perversling!«

»Genau! Meine Mum hat gesagt, Bumblemore hat ihr immer an den Busen gegrapscht!«

»Das kann ich mir vorstellen«, sagte Barry.

»Tschüs!« sagten sie und machten sich auf zum Unterricht.

»Lassen Sie mich schnell eine Anti-Beschränktheits-Beschwörung über sie sprechen«, sagte Professor Mumblemumble, der zufällig vorbeikam.

»Nur zu, wenn Sie glauben, daß das hilft«, sagte Barry und drehte sich um, um sich in seine Gemächer zurückzuziehen und ins Bett zu gehen. Ein paar hastig gesprochene Formeln, ein blaugrüner Blitz, und dort, wo die Schülerinnen gestanden hatten, lagen nur noch zwei Häufchen Staub, ein lustiger Bleistiftaufsatz und ein Fetzen von einem Schulranzen mit dem Namenszug »Chatterjee«.

Am nächsten Morgen kratzte Barry sich wach. Hunderte von winzigen, piksenden Härchen, die sein Kissen übersäten, hatten seinen Schlaf gestört. Er setzte sich auf, und ein paar längere Haare quollen zwischen den Knöpfen seines Geburtstagspyjamas heraus. (Der Schlafanzug sah wirklich lächerlich aus, aber schon Mitte September zog es in Hogwash zu sehr für solche Spitzfindigkeiten.) Als er an sich herunterblickte, entdeckte er die Härchen. Ihm blieb das Herz stehen, und er faßte sich an den Kopf. Nein, dort war alles noch da. Es schien sogar *mehr* geworden zu sein. Barry wollte seinen Zustand gerade dem Haarwasser zuschreiben, das er im Bad umgestoßen hatte, doch dann rieb er sich zufälligerweise das Kinn. Es war glatt wie ein Kinderpopo. Seltsam, dachte Barry. Natürlich hatte er immer noch das Gefühl, der Tod persönlich hätte sein Lager in seinem Mund aufgeschlagen – aber welche Krankheit verursachte schon eine perfekte Rasur?

Hermeline, der er beim Aufwachen vorgeworfen hatte, sie hätte sich ja wohl ihre Beine im Bett rasiert, war unerbittlich. »Ich bringe dich jetzt zu Schwester Pommefritte.«

»Aber Hermi, die Frau ist eine Menschenschinderin. Die ist der reinste Pferdedoktor.«

»Keine Widerrede. Und übertreib nicht immer so schamlos«, sagte Hermeline, zog sich etwas an und glättete ihre Haare mit Wasser. Die hat genug für zwei, wenn nicht sogar drei, dachte Barry verärgert.

»Nein, wirklich«, sagte er. »Bei der sind schon Leute gestorben.«

»Keine Angst, ich sorg schon dafür, daß die böse Schwester dich nicht mit einer Spritze pikst, armer kleiner Barry.«

»Oder mir ein Hundehirn verpaßt.«

»Ohne Schwester Pommefritte wäre Lon nicht intelligenter als eine Pflanze«, sagte Hermeline.

»Dafür ist er jetzt ein Tier.«

»Besser als ein Mineral«, erwiderte sie. Ihr vorgeschobenes Kinn signalisierte Barry, daß das für sie das Ende der Diskussion war, daher ließ er sich ohne weitere Widerrede auf die Krankenstation bringen. Wie üblich wütetete das Pfeiffersche Drüsenfieber an der Schule. Schwester Pommefritte hatte eine Menge Zeit und Geld für eine Aufklärungskampagne verwendet, die die Schüler davon abbringen sollte, Türgriffe, Klobrillen und andere unappetitliche Dinge zu küssen. Aber alles – selbst die Flugblätter, die täglich von Hunderten von Eulen abgeworfen wurden – hatte nichts genützt. Die grelle, furchteinflößende Propaganda konnte nichts gegen die Krankheit ausrichten, sondern brachte Barry lediglich dazu, ernsthaft zu erwägen, jeglichem Körperkontakt abzuschwören, und steigerte die Hypochondrie des armen Nigel ins Unermeßliche. (Er und die Schwester duzten sich bereits.)

Während es langsam hell wurde, begaben Barry und Hermeline sich zum Klinikflügel von Hogwash. Dieser hatte natürlich die Form einer Vogelschwinge. Von außen sah er ziemlich merkwürdig aus, aber drinnen war alles halbwegs normal, abgesehen von der leichten Tendenz des gesamten Gebäudes, im Wind mit dem Flügel zu schlagen.

Püppi Pommefritte hatte ihre Laufbahn in der Unterbringungsanstalt für Überaus Unartige Kinder in Hogsbleede begonnen, und ganz offensichtlich betrachtete sie eine schmerzhafte medizinische Behandlung als Teil der Bestrafung für die Dummheit oder die mangelnde sittliche Reife, die zu der Verletzung geführt hatte. Neben diversen spitzen, glänzenden Instrumenten, deren Besitz allein eine Verletzung der Menschenrechte darstellte, waren die Wände in ihrem Büro mit Fotos von Schwester Pommefritte und den führenden Köpfen der Zauberwelt tapeziert, die sie alle behandelt hatte. Und die, wie Barry feststellte, alle einen furchtbaren Preis dafür gezahlt hatten.

»Ich wußte gar nicht, daß Cornelius Grunge Fledermausflügel anstelle von Ohren hat«, sagte Barry.

»Tja«, sagte Hermeline. »Deshalb hat er sich doch die Haare lang wachsen lassen. Du weißt schon, der ›Grunge-Look‹.«

»Ich dachte, er wäre bloß modebewußt. Kann er fliegen?«

»Es reicht, um ein paar Zentimeter vom Boden abzuheben«, sagte Hermeline. »Aber sie dienen hauptsächlich der Zierde. Sonst würde das Ministerium ihn zwingen, den Pilotenschein zu machen.«

Hermeline entdeckte ein Foto von Barrys Patenonkel Serious, auf dem er da, wo vorher seine Finger waren, vier Fortsätze trug, die einem Schweizer Armeemesser ähnelten: einen Korkenzieher, eine Nagelfeile, ein ausziehbares Maßband für Angler … Er hatte das Nötigste gewissermaßen immer zur Hand. »Hast du Serious in letzter Zeit mal gesehen?« fragte Hermeline. »Was ist denn mit seinen Fingern passiert?«

»Ein paar Freunde von Lord Valumart wollten bei ihm Schulden eintreiben«, sagte Barry. »Soweit ich weiß, versucht er immer noch, den Muddeln seinen ›KüchenFee‹-Kram anzudrehen.« Dabei handelte es sich um eine Art verzauberte Moulinex, die im TV-Nachtprogramm beworben wurde. Sie war ziemlich nützlich, hatte aber einen fatalen Hang dazu, durchzudrehen und ihre Besitzer niederzumetzeln, und es gelang Serious nicht immer, das Unglück mit Witzen, Ausreden oder Erklärungen vergessen zu machen. Statt dessen bot er eine »lebenslange Garantie«, ohne darauf hinzuweisen, daß diese sich auf das Leben des Käufers und nicht das der KüchenFee bezog. In der Zauberwelt gab es den Begriff der »fahrlässigen Tötung« nun mal nicht. Davon profitierte auch Schwester Pommefritte.

»Guten Morgen!« sagte die Schwester gutgelaunt, als sie eintrat. Barry stopfte hastig die Broschüre über Gonokadabra, in der er gerade gelesen hatte, in die Tasche. Offenbar war man gesund, solange der Hosenelf noch da war.

»Legen Sie sich bitte auf die Liege, Herr Direktor.« Barry gehorchte. »Der Job hat Sie also schon geschafft?« fragte sie schroff. »Machen Sie den Mund auf.« Während sie ihm in den Hals schaute, fragte sie: »Sind Sie schwanger?«

Barry blieb die Spucke weg. »Nein, ich bin ein …«

»Sie sind ein Zauberer, und der Körper eines Zauberers ist so verdreht wie sein Kopf«, sagte die Schwester. Das alte Mädchen war offensichtlich nicht zum Scherzen aufgelegt. »Merkwürdige Eßgelüste? Dunklere Brustwarzen als sonst?«

»Ich hab ehrlich gesagt noch nicht nachgesehen.« Barry warf Hermeline einen Blick zu. »Schatz?«

»Laß mich da raus«, sagte seine Frau lächelnd. »Ich hab' genug zu tun, auch ohne den Zustand deiner Nippel im Auge zu behalten. Ich geh' mal raus und les' ein bißchen.«

»Aber du hast doch gesagt, du würdest …« Weg war sie.

Pommefritte fuhr fort, an Barry herumzukneten und -zuknuffen. »Wie ist es mit morgendlicher Übelkeit?«

»Was meinen Sie damit?« fragte Barry.

»Müssen Sie sich morgens übergeben?« fragte sie.

»Ja, gestern«, sagte Barry.

»Aha!« sagte Schwester Pommefritte.

»Aber in letzter Zeit hab' ich das eigentlich ziemlich oft …«

»Herr Direktor, Sie müssen mich wirklich meine Arbeit machen lassen.« Es klopfte an der Tür. »Ja?«

Eine hübsche junge Sprechstundenhilfe steckte ihren Lockenkopf zur Tür herein. »Morgen, Herr Direktor. Schwester Pommefritte, Cyril Broadbottom sagt, er habe einen Hoden verloren.«

»Cyril? Der muß doch inzwischen vierzig sein!« rief Barry aus.

»Es ist sein Neffe«, sagte die Schwester, und Barry war insgeheim erleichtert. Sein Rekord war ungebrochen.

»Ich komme gleich«, sagte Schwester Pommefritte zu dem Mädchen. »Warten Sie draußen.«

Barry, der Blut und Wasser schwitzte, daß es bei der Diagnose Schwangerschaft bleiben würde, begann eindringlich seine Symptome zu schildern. Er war entschlossen, sich Gehör zu verschaffen. »… und als ich heute morgen aufgewacht bin«, sagte er, »war meine gesamte Gesichtsbehaarung futsch.«

Schwester Pommefritte nahm ein verrostetes Skalpell von der Wand und begann es zu befingern. Zu Barrys Glück war das jedoch nur eine nervöse Angewohnheit.

»Hmm. Sie scheinen an einer Art Infantilismus zu leiden«, sagte Schwester Pommefritte. Barry sah sie verständnislos an.

»Sie werden jünger«, sagte sie. »Haben Sie sich in letzter Zeit die Hände gewaschen? Jeden Bissen dreißigmal gekaut? Irgendwas verspeist, was schrie?«

»Genausooft wie sonst, natürlich nicht und nein«, antwortete Barry.

»Haben Sie sich über irgendwelche mächtigen Zauberer lustig gemacht?«

»Ich tue seit zwanzig Jahren nichts anderes«, sagte Barry. »Aber was hat das damit zu tun?«

»Könnte ein Bann sein, ein Fluch – oder ein Zaubertrank, was bedeuten würde, daß es nicht mein Zuständigkeitsbereich ist«, sagte sie. »Darum müßte Snipe sich kümmern. Wenn es in den nächsten Tagen nicht besser wird, sollten Sie sofort zu ihm gehen.«

»Warum?« fragte Barry. »Ich sehe gern dabei zu, wie mir die Haare nachwachsen.«

»Wenn Sie dem Fortschreiten dieser Krankheit oder Hormonstörung oder was auch immer Sie sich da auch eingefangen haben nicht Einhalt gebieten, werden Sie immer jünger, bis Sie irgendwann null Jahre alt sind.«

»Das klingt gar nicht gut«, sagte Barry. »Und dann?«

»Sie verlöschen wie eine Kerze«, sagte Schwester Pommefritte. »Ich habe so etwas noch nie gesehen, aber es soll sehr schmerzhaft sein.« Sie ging zu einem Schrank und holte ein paar Fläschchen heraus. Eins enthielt Pillen und die anderen beiden irgendein dickflüssiges Zeug, dessen bloßer Anblick Barrys Magen Purzelbäume schlagen ließ. Barry erinnerte sich noch gut an diesen Schrank. Er und die Measlys hatten einst ein einträgliches Geschäft daraus gemacht, daß sie allerlei unter das Betäubungsmittelgesetz fallende Substanzen daraus stahlen und sie an Schüler verkauften. Das hatte den zusätzlichen Vorteil gehabt, daß alle Bumblemore für einen Junkie hielten, aber als das Ministerium begann, Razzien gegen die Zentauren im Vergessenen Wald durchzuführen, sahen sich Barry und seine Freunde genötigt, ihre Aktivitäten stark einzuschränken.

»Das ist Greisenwurz«, sagte Schwester Pommefritte und hielt ein Fläschchen hoch. »Nehmen Sie zweimal täglich zwei Tropfen auf eine Tasse Tee. Und das hier ist Görengift. Halbieren Sie die Dosis, wenn Ihre Beliebtheit bei den Schülern schwindet. Lassen Sie's uns ein paar Wochen lang damit versuchen. Wenn bis dahin keine Besserung in Sicht ist, werde ich Ihnen ein Rezept für einen Inhalator schreiben.«

»Einen Inhalator?« fragte Barry.

»Alte Fürze«, sagte die Schwester. »Das stärkste Mittel, das ich kenne.«

»Und was ist das hier?« Barry schüttelte eine kleine rosa Pille aus einem Fläschchen. Sie trug einen von einer Linie durchschnittenen Kreis.

»Die sind nur für den Fall, daß Sie schwanger sind«, sagte sie.

»ICH BIN NICHT SCHWANGER!« sagte Barry wütend.

»Herr Direktor, jeder ist ein bißchen schwanger.« Es war offenbar sinnlos, ihr zu widersprechen. »Guten Tag.«

Hermeline kam wieder ins Zimmer. »Und?« fragte sie.

»Ich werde jünger«, sagte Barry.

»Yahoo!« rief Hermeline. »Du rufst den Babysitter an, und ich besorge das erhitzbare Liebesöl mit Kokosnußduft!« Sie vollführte einen kleinen hüftwackelnden Geilheitstanz.

»Das heißt aber nichts Gutes«, sagte Barry.

»Wieso nicht?«

»Weil ich, wenn es nicht wieder aufhört, irgendwann bei Null ankomme und dran glauben muß«, sagte er.

»O nein«, sagte Hermeline. »Ich hab' gehört, das soll sehr schmerzhaft sein.«

Barry zog sich wieder an. »Ich hab's ja gewußt«, sagte er düster.

»Was?« fragte Hermeline.

»Das war Snipe«, sagte er, während er seine violetten Budapester mit den aufgerollten Spitzen schnürte. Als Schuldirektor mußte man nämlich, so wollte es der Brauch, sich wie ein Kellner in einem Themenrestaurant mit dem Motto »Mittelalter« kleiden. »Er wollte immer schon Direktor werden. Erst hat er Drafi umgebracht, und jetzt hat er mich verflucht.«

»Das sagst du immer, aber dieses Mal neige ich dazu, dir

176

recht zu geben. In der zoologischen Fakultät kursiert so ein Spruch, aber bis jetzt habe ich ihn nie so recht verstanden«, sagte Hermeline, während sie zurück zum Büro des Direktors gingen.

»Und wie lautet der?« fragte Barry.

»Ehrgeizige Akademiker schrecken vor nichts zurück.«

Im Laufe der nächsten Tage besserte sich Barrys Zustand, aber nur ein bißchen. Er wurde immer noch jünger, bloß weniger schnell. Nach einer Woche war jedoch klar, daß Schwester Pommefrittes Medizin ihn nicht retten würde.

»Dann gehen wir jetzt zu Snipe«, sagte Hermeline. »Wenn wir ihn nett bitten, vielleicht …«

»Kommt nicht in Frage, Hermeline! Dann kann ich gleich mein eigenes Todesurteil unterschreiben«, sagte Barry. »Und morgen um diese Zeit werde ich mit Drafi Kochrezepte tauschen!«

»Wie hast du ihn gestern nacht genannt? ›Das Phantom‹?«

»Der Hüllenlose«, sagte Barry.

Hermeline seufzte. Diese alte Feindschaft ging ihr auf den Keks. »Und was sollen wir deiner Meinung nach tun?«

»Kannst *du* nicht nach einem Gegenmittel suchen?« sagte Barry. »Komm schon, Hermeline. Du hast es früher doch geliebt, in alten Zauberbüchern zu schmökern.«

»Stimmt schon, aber wenn ich keins finde?« sagte sie.

»Dann gehen wir zu Snipe. Aber nur als allerletzte Notlösung.«

»Bist du sicher, Barry?« fragte Hermeline. »Warum rufen wir nicht Terry Valumart an? Du könntest zu seinem Leibarzt gehen.«

177

»O mein Gott …«, sagte Barry. »Daran hab' ich noch gar nicht gedacht. Vielleicht steckt Valumart dahinter?«

Hermeline hatte ihre Zweifel. »Ich glaube nicht …«

»Doch, hör zu: Egal wieviel Geld er durch mein nächstes Buch spart – tot bin ich für Valumart unendlich viel mehr wert als lebendig. Denk bloß an die Fernseh-Retrospektiven, den ganzen Nachrufmist – verdammt, wenn ich er wäre, würde ich mich umbringen!« sagte er mit einem sarkastischen Glucksen.

»Ich weiß nicht, Barry«, sagte Hermeline.

Ihr Mann ließ sich von seiner Theorie nicht abbringen. Es war ihm egal, daß er damit sein eigenes baldiges (und vermutlich schmerzhaftes) Ableben herbeiredete. Ihm kam es nur darauf an, daß sie ihm recht gab. »Sein Kontostand geht Terry über alles. Wußtest du, daß er jedesmal, wenn er zu uns kommt, etwas von mir mitgehen läßt und es dann bei eBuy verkauft? Ich hab's erst gemerkt, als meine Sammlung von Strip-Kugelschreibern dort aufgetaucht ist.«

»Strip-Kugelschreiber?«

»Diese Stifte mit einem Bild von einer Hexe oder so darin. Wenn man sie umdreht, verschwinden ihre Klamotten«, sagte Barry. »Oder die Bandagen der Mumie.«

»Geschieht dir recht. Wie kann man auch seinen eigenen Namen als Suchwort bei eBuy eingeben? Du bist einfach zu eitel.«

»Warte noch ein bißchen, und du brauchst dir darum keine Sorgen mehr zu machen«, sagte Barry Mitleid heischend. Dabei fühlte er sich eigentlich gar nicht so schlecht. »Dann kannst du meine ganzen Sachen da verkaufen, um davon das Schulgeld für Nigel und Wie-heißt-sie-noch? zu bezahlen.« Er konnte sich schon den ganzen Tag nicht mehr an den Namen seiner Tochter erinnern.

»Sie heißt Fiona! Daß sie für eine Weile bei meinen Eltern wohnt, ist noch lange kein Grund, sie gleich aus der Familie zu verstoßen! Du bist mir ja vielleicht ein Vater, Barry Trotter.«

»Tut mir leid, Hermi«, sagte Barry. »Ich hab's ehrlich vergessen. Ich hab' das Gefühl, auch mein Gehirn wird immer jünger.«

Aufgeputscht durch ihren Wutanfall, gab Hermeline im Kommandoton ihren Plan bekannt. »Okay, wir machen Folgendes: Als erstes fragen wir jeden Lehrer hier, ob er weiß, wie man dich heilen kann.«

»Etwa auch Snipe?« fragte Barry.

»Vor allem Snipe«, sagte Hermeline. »Aber da du so ein Feigling bist, fragen wir den als letzten. Und wenn keinem etwas einfallen sollte, gehe ich in die Bibliothek von Hogwash, und wir werden zusammen recherchieren.«

»Ach, die Bibliothek«, murrte Barry. »Das kann ja heiter werden.«

Hermeline ignorierte seine Worte. »Du mußt alles irgendwo aufschreiben, damit du es neu lernen kannst, sobald du es vergessen hast«, sagte sie. »Laß dir von Lon helfen. Und wenn du geheilt bist, finden wir heraus, welcher Schwachsinnige dir das angetan hat, und zahlen es ihm heim. Kapiert?«

In dieser Stimmung duldete Hermeline keine Widerrede – und Barry wußte ohnehin keine vernünftige Alternative. »Okay, Schatz«, sagte er matt. Aber aus alter Gewohnheit unternahm er zumindest einen Versuch, sich vor der Arbeit zu drücken. »Ich muß mit meinen Kräften haushalten [hust, hust]«, sagte Barry, nach Leibeskräften den Schwerkranken mimend. »Darf ich ein paar Sekretärinnen einstellen, die mir ein bißchen unter die Arme greifen? Nur drei oder vier? Natürlich müßten sie in exzellenter körperlicher Verfassung sein ...«

Hermeline warf ihm einen skeptischen Blick zu. »Alles klar. Du wirst vielleicht jünger, aber ich werde nicht blöd.«

»Okay, vergiß es. Ich schreibe meine Memoiren selbst.« Erneut tauchte das schreckliche Gespenst der Arbeit vor seinem geistigen Auge auf. »Ich werde sie diktieren. Und zwar Lon, wie du gesagt hast. Er wird mir helfen, mich zu erinnern.«

Und so trat Plan A in Kraft, und Eulen mit dem Vermerk »Persönlich/vertraulich« wurden an alle Fakultäten geschickt. Sicher würde jemand ein Gegenmittel wissen, und wenn nicht, gab es ja noch Plan B: Hermeline würde das tun, wozu sie geboren war – lesen und damit alle in große Schwierigkeiten bringen.

»Kopf hoch, Barry«, sagte Hermeline. »Du kannst immer noch Madame Ponce triezen.«

»Hermi, das ist eine *exzellente* Idee«, sagte Barry. Eine Eule wurde mit der Bitte um Anregungen an die Measly-Zwillinge geschickt.

Kapitel zehn

DAS DETEKTIVSPIELEN
BEGINNT

Im Laufe der nächsten Tage fühlten Barry und Hermeline dem Lehrkörper auf den Zahn, oder vielmehr: Sie versuchten es – ständig kam ihnen irgend etwas Unvorhergesehenes in die Quere. Zuerst wurde Madame Kraut verhaftet, nachdem die Polizei dank eines anonymen Hinweises Unmengen von Marihuana in den Gewächshäusern von Hogwash entdeckt hatte. »Das gebe ich immer den Venusfliegenfallen, damit sie Appetit bekommen«, lallte die ewig bedröhnte Kräuterkunde-Lehrerin. »Außerdem hat der Argusbeerenbusch ein Glaukom!«

Dann erfuhr Professor Bims, gerade als er dabei war, eine Antwort auf Barrys und Hermelines Eulenpost zu verfassen, daß er eigentlich verpflichtet war, der Gewerkschaft der Geisterlehrer beizutreten. Da er dies zwanzig Jahre lang versäumt und auch nie Mitgliedsbeiträge gezahlt hatte, machte Bims sich sofort auf die Suche nach einem einträglicheren Job.

Am selben Tag verliebte sich der roboterhafte Professor Flipswitch in den Schultoaster. Das Pärchen brannte nach Marokko durch, wo »wir in Würde als Mann und Frau zusammenleben können«. Selbst Barrys nächster Termin bei Schwester Pommefritte wurde nach einem mysteriösen Ausbruch von Schleichender Suaheli kurzfristig abgesagt.

Mit Madame Knutsch konnten Barry und Hermeline zwar sprechen, aber die arme Frau hatte in ihrem Leben so viele Gehirnerschütterungen erlitten, daß sie schon nach kurzer Zeit zu ihrem Lieblingsthema abschweifte, »diesem komischen Klingeln«.

»Hören Sie das auch?« fragte sie zum x-ten Mal.

»Nein«, antworteten Barry und Hermeline erneut.

Als sie schließlich wieder im Büro des Direktors waren, sagte Hermeline zu Barry: »Ich glaube, wir müssen Snipe um Hilfe bitten.«

»Nein, Hermeline«, sagte Barry. »Er ist doch derjenige, der dahintersteckt.«

»Barry, es ist ja dein gutes Recht, wie ein Idiot immer nur Snipe zu verdächtigen, und niemand respektiert das mehr als ich, aber am Ende stellt sich ja doch jedesmal heraus, daß es Valumart war«, sagte Hermeline. »Denk nur, wieviel Zeit du im Laufe deiner Karriere hättest sparen können, wenn du immer gleich Snipe um Hilfe gebeten hättest. Und Zeit ist genau das, was du im Moment am wenigsten hast.«

»Ich will aber nicht«, sagte Barry und drehte sich mit verschränkten Armen weg.

»Das zeugt mal wieder von großer Reife«, sagte Hermeline. »Ich werde ihn fragen, und du kannst mich nicht daran hindern.« Sie schrieb einen kurzen Brief, klebte der Eule einen Post-it-Zettel mit der Aufschrift »Dringend« an den Kopf und wartete auf eine Antwort.

Sie kam nicht. Während Milbi, die Eule, noch das Schulgelände überflog, wurde Hogwashs gefürchteter Professor für Zauberschwänke von Muddelpolizisten in Aura-Schellen aus seinem gruseligen, feuchten, mit Steppdecken vollgepfropften Büro abgeführt. Im Laufe der nächsten Tage wurde im *Tagessalbader* enthüllt, was geschehen war: Offenbar war Snipe durch die privaten Ermittlungen minderjähriger Mädchen, die sich als abgebrühte Undercover-Polizistinnen ausgegeben hatten, überführt worden. Seine unter Bergen von perversen Stickereien versteckte Kristallkugel wurde konfisziert, und man entdeckte Tausende Bilder von heruntergekommenen, nicht mehr ganz jungen Cops in verfänglichen Stellungen. Snipe war eindeutig zu beschäftigt gewesen, um Barry zu vergiften.

»Nun, da dieser Perverse hinter Schloß und Riegel ist«, stand in der Frühausgabe des *Schmirror*, »können die Polizeibeamten in aller Welt nachts wieder ruhig schlafen. Wir alle sind den kühnen Lolitas zu Dank verpflichtet.«

»Ekelhaft«, sagte Barry. Als er das Bild betrachtete, verbarg Snipe sein Gesicht mit seinen gefesselten Händen. »Ich sag's ja: Traue niemals einem Mann, der Makramee praktiziert.«

»Und was machen wir jetzt?« fragte Hermeline. »Ich finde, wir sollten mit Terry reden.« Sie riefen ihn an, aber selbst der Doofe Lord hatte ein hieb- und stichfestes Alibi.

»Niemand weiß das, aber ich bin damals in Latein durchgefallen«, gab Valumart zu. »Ich bin aus dieser verdammten Sprache einfach nicht schlau geworden.«

»Hui, das ist aber ein ziemliches Handicap für einen Zauberer«, sagte Barry. »Dafür hast du es ganz schön weit gebracht.«

»Danke für das Kompliment«, sagte Valumart. »Wie geht's mit dem Buch voran?«

»Äh, prima«, log Barry. Er legte rasch auf und überbrachte dann seiner Frau die niederschmetternde Neuigkeit.

»Es ist nur noch ein Mensch übrig, mit dem wir reden können«, sagte Hermeline. »Der ausländische Professor, Mumblemumble.«

»Ach, was soll der schon wissen?« sagte Barry vergnatzt. »Der weiß doch noch nicht mal, wie man eine Dragonade anmischt.«

»Ich versuche nur, dir zu helfen, weißt du?« sagte Hermeline. »An deiner Stelle wäre ich etwas freundlicher.«

»Ach ja? Na, bisher hast du deinen Job wirklich toll gemacht!« murrte er. »Du hältst dich immer für so clever – vielleicht brauche ich deine Hilfe gar nicht! Vielleicht werde ich allein damit fertig!«

Hermeline wurde wütend, aber sie riß sich zusammen. Offenbar trat Barry gerade wieder in die Pubertät ein.

»Na gut«, sagte sie geduldig. »Für heute machen wir Schluß. Geh was trinken oder drück dir einen Pickel aus oder so was.«

»Ja, ja«, schmollte Barry.

»Morgen gehen wir gleich in aller Herrgottsfrühe in die Bibliothek«, sagte Hermeline. Auf der Suche nach etwas anderem, an dem er seine wild oszillierenden Launen auslassen konnte, stakste Barry davon.

Am nächsten Tag schlug die Uhr gerade zwölf Uhr mittags, als Barry hereinkam.

»Wo bist du gewesen?« fragte er. »Ich hab' dich im Büro gesucht, und du warst nicht da.«

»Ich bin seit halb neun hier in der Bibliothek«, sagte Hermeline kühl. »Ich dachte, wir wollten früh anfangen?«

»Verschlafen«, sagte Barry. Er schwenkte einen Fetzen Pergament: die Liste der Todesopfer, die das Abendessen anläßlich ihrer Amtseinführung gefordert hatte. »Nigels Klasse hat sich gerade« – Barry zählte die Opfer – »um dreiundzwanzig Plätze verbessert!« Und der Extrem-Quaddatsch-Plan, von dem Hermeline nichts wußte, war dabei noch nicht mal einkalkuliert. Nigel würde doch noch Schulsprecher werden!

184

Barry frohlockte. Wie viele ehemals arme Schüler wünschte er sich nichts sehnlicher, als daß sein Sohn ein Musterschüler wurde. Hermeline andererseits, die selbst ein Ausnahmetalent gewesen war, erwartete von ihrem Erstgeborenen nichts Geringeres. Und die Moral von der Geschicht: Als Kind kann man es seinen Eltern nie recht machen.

»Wir müssen nur aufpassen, daß uns die Schüler nicht ausgehen«, sagte Hermeline. »Es werden schon wieder Muddel-Austauschschüler vermißt.« Die sich verschiebenden Treppen, die mit Sprungfedern gespickten Bärenfallenstufen und die mörderischen Tretminendielen, die die Geschichten über Hogwash so lesenswert machten, verwandelten die Schule in einen wahren Muddelfleischwolf. Ein falscher Schritt, und mit einem Mal hatte man nur noch die Wahl, sein eigenes Bein abzunagen oder jämmerlich zu verhungern.

Barry stand auf. Sein Stuhl quietschte, woraufhin eine Radishgnaw-Achtkläßlerin ungehalten aufblickte. Er schnaubte verächtlich in ihre Richtung, nur um dem Mädchen zu zeigen, wer hier der Boss war.

»Psst, Barry!« flüsterte Hermeline. »Das hier ist eine Bibliothek.«

»Ich geh' Lon abholen«, sagte Barry, küßte Hermeline auf den Kopf und nutzte die Gelegenheit, sie flüchtig zu begrapschen. »Ich hab' Hafwid überredet, ihn mir für eine Weile zu überlassen. Hab' ihm dafür ein paar Kupferleitungen für seinen Destillierapparat gegeben.«

»Das Zeug wird Hafwid noch blind machen«, sagte Hermeline.

»Zu spät«, sagte Barry. »Hast du mal die Direktorin von Beaubeaux gesehen?«

So oft Barry Hafwid auch besuchte – er war immer wieder aufs neue erschüttert, wie es bei ihm zu Hause aussah. Es war keine Hütte im eigentlichen Sinne, sondern einfach ein eingestürztes Haus, dessen Überbleibsel durch die Unmengen von Müll gestützt wurden, die sich im Innern türmten. Stellen Sie sich die schlimmste Junggesellenbude vor, die Sie je gesehen haben. Und jetzt stellen Sie sich vor, der Junggeselle ist zweieinhalb Meter groß und viereinhalb Zentner schwer. Und JETZT stellen Sie sich vor, daß die Bude über keinerlei sanitäre Einrichtungen verfügt. In der Tat war es so, daß viele weibliche Wesen, die Hafwid beim frühmorgendlichen Pinkeln überraschten, auf diese Weise zum ersten Mal einen Schniedelwutz zu Gesicht bekamen.*

Barry ging zur Tür und klopfte. Als niemand aufmachte, versuchte er durchs Fenster zu lugen, aber wegen des hellen Sonnenlichts draußen konnte er in der Finsternis drinnen nichts erkennen. Er öffnete die Tür und steckte den Kopf hinein. Ein Gestank, der im Lauf der Jahre das Aroma von Käse angenommen hatte, raubte ihm den Atem. Barrys brennende Nasenlöcher nahmen zu seinem Leidwesen ganz deutlich den Geruch von schlecht gewordenem Essen, schalem Bier und ungewaschenen Riesenfüßen wahr. Und da lag Hafwid: voll bekleidet und total weggetreten inmitten eines Haufens leerer Flaschen. Neon-Bierreklamen sorgten für ein geisterhaftes Licht, zerfetzte Poster von nackten Riesinnen flatterten im Luftzug. Der Bildschirm von Hafwids Fernseher (der zusammen mit seiner Fähigkeit, das Alphabet zu rülpsen, sein größtes Plus bei den Frauen darstellte –

* Das erklärt auch, warum auf Hogwash der Club Lesbisch Bis Zum Abschluß auf so eine lange Tradition zurückblickte. Das blanke Entsetzen wich süßer Erleichterung, wenn sie schließlich entdeckten, daß der Durchschnittszauberer nicht ganz so, ähm, üppig ausgestattet war.

Fernsehen war in Hogwash nicht erlaubt) schimmerte in einem schwachsinnigen Blau. Barry sah Lon zusammengerollt in Fings altem Körbchen liegen. Er zuckte im Schlaf. Dann und wann gab er ein halbersticktes Bellen von sich.

»He, Lon!« flüsterte Barry eindringlich. Der Hundemensch bewegte sich sacht. »Lon!« wiederholte Barry und pfiff leise. Plötzlich schreckte Lon hoch, landete auf allen vieren und stieß ein kurzes Warngeheul aus, gefolgt von einem drei Sekunden dauernden hysterischen Gekläffe, um sein neues Herrchen vor dem Eindringling zu warnen. Hafwid rührte sich nicht.

»Lon, halt's Maul, ich bin's«, sagte Barry. »Geh und sieh nach, ob Hafwid tot ist.«

Lon stand auf und bahnte sich einen Weg zwischen dem Leergut hindurch. Er leckte Hafwids Nase und prüfte seinen Atem mit der Zunge.

»Er lebt noch«, sagte Lon.

»Dann komm mit«, sagte Barry. »Du mußt mir einen Gefallen tun.«

»Okay, Barry«, sagte Lon gutmütig. Er war wirklich eine treue Seele – als Mensch wie als Haustier. Er ging hinaus und blieb dann stehen.

»Warte mal kurz.« Lon ging zu einer kleinen Schreibtafel, die Hafwid von innen an die Haustür genagelt hatte. Barry las die idiotischen Alltagsdialoge der beiden Wohngenossen. »Wir brauch'n mehr Bier. – H.« »Kein Fresn im Naph. Brauch Fresn! – L.« »Bin auf 'er Rennbahn. – H.« »Da wahn Mehdel vür dich dah. – L.« »*IMMER* DIE NAM' VON 'EN MÄDELS AUFSCHREIB'N, SCHWACHKOPF! – H.«

Barry fiel auf, daß Hafwid sich die Zeit nahm, Apostrophe zu setzen. Unter die letzte Nachricht kritzelte Lon quälend langsam: »Binn mid Barey wech. Biss spehtr. – L.«

»Okay, jetzt können wir los«, sagte Lon.

»Na, wie ist es, mit Hafwid zusammenzuleben?« fragte Barry. »Weißt du, du kannst jederzeit bei Hermeline und mir im Gästezimmer wohnen. Hermeline würde sich freuen.«

»Nein, alles okay, Barry. Mir gefällt's. Wir sind viel draußen«, sagte Lon. »Es stört ihn nicht, wenn ich an Sachen kaue.«

»Ich wette, er merkt es nicht mal«, sagte Barry.

»Das einzige, was ich nicht mag, ist, wenn er und seine Freundinnen diese Geräusche machen. Das tut mir in den Ohren weh.«

»Hafwid läßt immer noch den Hahn krähen, was?« sagte Barry lachend. Diesen Ausdruck hatte er nicht mehr benutzt, seit er die Schule verlassen hatte. »Ich dachte, diese Vaterschaftsklage hätte ihn ein bißchen ruhiger gemacht.«*

»Er versucht sich zu beherrschen«, sagte Lon. »Statt dessen geht er auf die Rennbahn. Er sagt, auf lange Sicht kommt ihn das billiger. Ich find's gut. Sie lassen mich da im Wasser spielen.« Die Rennbahn des Hippokampodroms von Hogsbleede war ein ovaler Wassergraben. Hippokampenrennen waren ein gefährlicher Sport – immer wieder ertranken Jockeys – und dazu ein betrügerischer. Hafwid war allen möglichen Arten des Glücksspiels verfallen, aber in kei-

---

* Hafwid war bei weitem nicht die einzige Hogwash-Größe, die mit ungerechtfertigten Prozessen belästigt wurde. Als Barry zum dritten Mal von einem Muddel nach einem Bagatellunfall wegen eines Schleudertraumas verklagt wurde, nachdem dieser gesehen hatte, wer da am Steuer des anderen Wagens saß, ließ er das Autofahren ganz bleiben. Doch wenn Hafwid unter Alkoholeinfluß stand, geriet sein Fortpflanzungstrieb leider ziemlich außer Kontrolle. Und da er immer unter Alkoholeinfluß stand, zeugte er Myriaden von unehelichen Kindern. Und das Schlimmste daran: Wenn eine 50-Kilo-Frau ein 25 Kilo schweres, gut einen Meter großes Baby zur Welt bringt, ist ziemlich offensichtlich, wer der Papa ist.

ner war er besonders erfolgreich. »Ich hab' ein Sistem«, sagte er immer – aber ein integraler Bestandteil all seiner »Sisteme« schien zu sein, daß er alles verlor.

»So«, pflegte er mit einem irren Funkeln in den Augen zu sagen, wenn er nur noch das Geld für einen Einsatz hatte, »jetzt aber!« Er legte diese letzte Gallone mit einer größeren Zuversicht auf den Tisch als jeder andere Spieler, dem Barry je begegnet war – fest davon überzeugt, daß diesmal alles anders wäre, daß sein Glück sich wenden würde, entschlossen, nichts aus der Vergangenheit zu lernen. Und dann verlor er. Nur seine gute Laune verlor Hafwid nie. Das mußte Barry ihm lassen (und das Geld für eine Busfahrkarte).

Früher hatte er Barry und manchmal auch Ferd mit zur Rennbahn genommen. Später konnte Ferd dann allerdings wegen seiner Teilnahme an Peter Potts 12-Punkte-Programm für Spielsüchtige nicht mehr mitkommen. Die Ausflüge endeten immer im selben Restaurant, Victor Crumbs bulgarischem Unten-ohne-Café. Das war ein wüster Laden, in dem hartgesottenen Gästen zähe Steaks serviert wurden. Es wäre Barry im Traum nicht eingefallen, ohne Hafwid dort hinzugehen, aber er unterhielt sich gern mit Victors Bruder Bob, der Comiczeichner war. Ein Blatt von ihm bewahrte Barry lange auf. Darauf war eine Frau mit irrsinnig breiten Hüften zu sehen, in deren Arschfalte Barry gerade verschwand. (Er war überzeugt, daß die Zeichnung eines Tages einiges wert sein würde, aber Hermeline warf sie nach ihrer Heirat »aus Versehen« weg.*) Ja, er hatte eine Menge schöner Erinnerungen – auch wenn stets er es gewesen war, der das Essen bezahlen mußte.

»Ich dachte, Hafwid darf das Hippokampodrom nicht

* Zweimal.

mehr betreten, weil er versucht hat, Rennen zu manipulieren«, sagte Barry. Leider waren Hippokampen nicht empfänglich für die üblichen Formen des Betrugs: Da sie Wassertiere waren, konnten sie ihre Nasenlöcher fest verschließen, wenn man versuchte, einen Schwamm hineinzuschieben. Und ihnen Cayennepfeffer auf die Geschlechtsteile zu sprühen war unmöglich, denn selbst wenn sie welche besäßen, so würde der Pfeffer doch im Wasser abgespült. Hafwid versuchte sogar, ein schnelles Tier so anzumalen, daß es aussah wie ein langsamerer Artgenosse, aber wie das Schicksal es wollte, regnete es an jenem Morgen.

»Ach, er macht sich einfach ein bißchen kleiner und gibt sich für dich aus«, sagte Lon.

Na toll, dachte Barry. Jetzt muß ich auch noch für Hafwids Spielschulden geradestehen. Er sah eine Zukunft voller dunkler, öliger Zauberer mit Nadelstreifen-Umhängen und Geigenkästen mit Zauberstäben darin vor sich.

Sie öffneten die großen Eisentüren von Hogwash (auf einer klebte ein kleiner Klebezettel mit der Aufschrift »Hausieren verboten«) und betraten die Schule.

»Was soll's. Also, hör zu, Lon: Ich brauch' deine Hilfe. Ich versuche die wahre Geschichte meiner Abenteuer aufzuschreiben, und da du dabeiwarst, möchte ich, daß du alles dazu beiträgst, woran du dich erinnerst.«

»Okay, Barry«, sagte Lon. »Können wir erst was essen?«

Kapitel elf

»WIE ES WIRKLICH WAR«

Nach einem Abstecher in die Küche, wo die Hauselfen Lon einen Napf mit Essen gaben, machten sich die beiden alten Freunde auf den Weg in die Bibliothek.

Dafür, daß er so ein schlechter Schüler gewesen war, hatte Barry überraschend angenehme Erinnerungen an diesen Ort, vor allem an die vielen Stunden, die er damit verbracht hatte, heimlich in der umfangreichen Abteilung für Fortpflanzungsbiologie zu stöbern.

Man konnte nicht behaupten, daß Madame Ponce viel von dieser Art Literatur hielt. Wenn es nach ihr gegangen wäre, hätte sie in der Bibliothek völlig gefehlt, aber aufgrund der Mannigfaltigkeit der Humanoiden in der Zauberwelt war *The Joy of Sex* nur die Spitze des Eisbergs. Es gab *The Joy of Nixensex, The Joy of Elfensex, Liebe mit Kobolden, Die erotischen Geheimnisse der Gnome.* Allein Girlrboy Rockhards reichhaltig illuminierte Bestseller-Reihe *Was fickt denn da?* kam auf vierzehn Bände! Es war ein großer Spaß. Wie Bumblemore immer sagte: »Masturbation ist das Opium der Massen.« Als neugieriger Jugendlicher hatte man jahrelang was zu gukken, und das taten viele Hogwash-Schüler denn auch (was ein Grund dafür war, daß sie auf der ganzen Welt im Ruf standen, ziemlich versaut zu sein). Barry erinnerte sich an viele Freistunden im ersten Jahr, in denen er nach Anekdoten gesucht hatte, die ihm besonders gefielen, ohne daß er so recht wußte, weshalb … Wenn er auf ein Bild stieß, dachte er noch tagelang daran.

Lon und Barry suchten sich ein ruhiges Plätzchen: zwei bequeme Stühle mit einem Tisch dazwischen. Barry zauberte einen Block und einen Stift für Lon herbei – in Sacramento wurde ein Siebtkläßler in die Ecke gestellt, weil er SCHON WIEDER seine Schulsachen vergessen hatte – und jeweils eine Ausgabe von allen Barry-Trotter-Büchern, was dazu führte, daß irgendwo auf der Welt sieben verschiedene Personen fälschlich wegen Ladendiebstahls angezeigt wurden.

»Und was machen wir jetzt?« fragte Lon.

»Na ja, ich reminisziere, und du schreibst mit«, sagte Barry.

»*Was* machst du?« fragte Lon.

»Ich erinnere mich«, sagte Barry. Lons Wortschatz war eigentlich erstaunlich groß, wenn man bedachte, wie beschränkt seine geistige Kapazität war.

»Okay«, sagte Barry und schlug *Barry Trotter und der Nachttopf des Schreckens* auf. »Offensichtlich hatte Bumblemore sich den Pißpott zugelegt, um nicht auf die Schultoiletten gehen zu müssen. Er hatte Hemmungen, in Anwesenheit anderer zu pinkeln.«

»Das weiß ich noch!« sagte Lon. »Der Pott sah aus wie du!«

Barry war darüber nicht ganz so begeistert wie Lon. »Nicht immer. Er paßte sein Aussehen immer demjenigen an, auf den Alpo gerade sauer war. Zum Beispiel, als du dich damals in dieser toten Chimäre gewälzt hast. Was hast du dir dabei bloß gedacht?«

»Sie roch gut, Barry.«

»Das muß sie wohl.« Barry begann in dem Buch zu blättern. »Ach, der Anfang hier, die Sache mit dem Kuchen, das stimmt überhaupt nicht. In Wirklichkeit habe ich Onkel Werners Kunden und dessen Frau dazu gebracht, ihr eigenes Kind zu essen.« Barry gluckste. »Hab' ich dir das mal erzählt?«

»Nein«, sagte Lon.

»Schreib auf«, sagte Barry. »Das Ministerium hat mich gezwungen, die Sache wieder geradezubiegen, diese Wichser. Aber die Muddel haben sich gewundert, wieso ihr Sohn mit Zahnabdrücken übersät war. Den Masochismus von Dali, dem Hauself, hat Rollins eigentlich ganz gut getroffen. Er hat immer seinen Schniedel in einer Schublade eingeklemmt. Das war bloß noch ein zerschundener, grün und blau gequetschter kleiner Fleischfetzen.«

Lon schauderte. »Das kann ich nicht schreiben.«

»Dann schreib einfach ›SCHNIEDEL‹ an den Rand, dann fällt's mir schon wieder ein«, sagte Barry. »Mal sehen … Als ihr mich bei den Dimsleys rausgeholt habt, haben deine Brüder kein Auto benutzt, sondern den guten alten C-4-Plastiksprengstoff. Jorge hat's ein bißchen zu gut gemeint und die gesamte Hausfront weggepustet.«

»Daran erinnere ich mich!« sagte Lon.

»Weißt du auch noch, wie das Ministerium die Schuld auf die IRA geschoben und Seamlus O'Stereotype mich in den Magen geboxt hat, weil meinetwegen ›der Friedensprozeß in die Binsen gegangen‹ ist?«

»Nein.«

»Tja, ich schon. Seamlus war, nein, er ist ein furchtbarer Säufer, wie schon sein Name sagt. Allerdings hat er einen wunderschönen Tenor.«

Barry fuhr fort, in dem Buch zu blättern. Plötzlich rümpfte er die Nase. »Gott, was ist das für ein furchtbarer Gestank? Lon, warst du das?«

»Tut mir leid, Barry. Ich hab' in der Küche Katzenfutter statt Hundefutter gekriegt. Das hat bei mir immer diese Wirkung.«

»Also, wenn du merkst, daß noch einer kommt, dann lauf um Himmels willen rüber zum Fenster und ziel nach draußen.«

»Okay, Barry.« Katzenfutter hatte immer gräßliche Auswirkungen auf Lons Verdauungstrakt. Barry versuchte ihn zu überreden, sich wie ein Mensch zu ernähren, aber daran hatte Lon kein Interesse. Wenigstens tötete er keine Kaninchen mehr – Hermeline hatte ihm *Watershit Down* vorgelesen.

»Nun denn. Die Nacktturmgasse. Ich weiß noch, daß ich J. G. davon erzählt hab'. Ein grauenhafter Ort. FKK-Gymnastik, wohin man schaut. Furchtbar – ich bin froh, daß sie das verfremdet hat. Manchmal ist die Wahrheit einfach zu – wahr.« Barry hielt inne. »Das war gut. Hast du das aufgeschrieben?«

»Ja«, sagte Lon.

»Gut.« Er blätterte weiter. »Ich treffe Girlrboy Rockhard, den bisexuellen Pornostar. Er schenkt mir sein Buch *Vom Fluffer zum Filmstar* ... Ich hab's nie gelesen.« Manchmal wäre es einem lieber, wenn die Bilder sich nicht bewegten, dachte Barry. »Erinnerst du dich an diesen Tag bei Busendouble? Das war das erste Mal, daß dein Vater Luderwig eins übergezogen hat.«

»Das weiß ich noch, Barry«, sagte Lon. »Dad hat immer gesagt, er ärgert sich, daß er damals kein Messer dabeihatte.«

»Der Laden mußte schließen, und jetzt ist da 'ne Missethat'sche Buchhandlung drin. Der gute alte Girlrboy. Was

194

macht der wohl heute? Er ist der einzige Mann in meinem Bekanntenkreis, der sich die Schamhaare scheitelt.«

»Ich finde ihn nett«, sagte Lon.

»Das glaube ich. Er hat dich ja auch immer an seinem Hintern schnüffeln lassen, um sich bei deiner Mum einzuschleimen.« Er blätterte weiter. »Unterricht in Doofem Kunsthandwerk … Rockhard läßt die Hühner frei … Ah, hier ist was: das erste Mal, als ich den Basilispen gehört habe.«

Lon kauerte sich ein bißchen tiefer in seinen Stuhl. »Barry, müssen wir davon sprechen? Der hat mir furchtbar angst gemacht.«

»Stimmt, er sah ziemlich furchteinflößend aus, aber das lag nur an seinem Augen-Make-up. In Wirklichkeit ist er eine harmlose alte Transe. Wenn er einen nicht mag, kann er einen lähmen – ganz allein durch seine Zickigkeit.«

Barry mußte daran denken, wie der Basilisp einmal seine Kleidung kritisiert hatte. Er konnte tatsächlich tagelang sein Zimmer nicht verlassen, ohne an seinem Geschmack zu zweifeln. Doch dann wurde ihm klar, daß jemand, der – drinnen! – eine Sonnenbrille mit kanariengelben Gläsern trägt, lieber nicht mit Steinen werfen sollte. »Als Schüler in entlegenen Bereichen des Schlosses auftauchten und Songs aus alten Musicals sangen, hatten wir natürlich gleich Snipe in Verdacht – aus Tradition. Aber dann fanden wir heraus, was wirklich dahintersteckte – mit Hilfe eines Körpersafttranks.«

»Eines was?« fragte Lon.

»Weißt du das nicht mehr? Du hast auch was davon getrunken – man mixt ihn aus den Körperflüssigkeiten der Person, in die man sich verwandeln will. Spucke, Schnodder, Blut, all so was. Eklig ist gar kein Ausdruck. Nachdem man das Zeug getrunken hat, sieht man genauso aus wie der, von dem die Flüssigkeiten stammen – zumindest solange, bis man es wieder auskotzt.« Fünfzehn gräßliche Minuten lang waren Barry und Lon Flabbe und Oyle gewesen. »Auf diese Weise haben wir entdeckt, daß Drafi gar keine Silverfish-Haare hatte. Er war wasserstoffblond.«

Lons glasiger Blick war über Barrys Schulter zu einem Vogel geschweift, der auf der Fensterbank saß. Barry schnipste ein paarmal mit den Fingern. »Bleib bei der Sache, Lon. Ich spüre, wie meine Erinnerungen sich langsam verflüchtigen.«

»Wuff«, sagte Lon leise und versuchte ein braver Junge zu sein. Der Vogel flog davon. Lon konnte sich wieder konzentrieren.

»Blabla, blabla, blabla«, sagte Barry, während er weiterblätterte und spürte, wie auch sein Interesse abebbte. Hätte Rollins' Illustrator ihn nicht ein bißchen muskulöser zeichnen können? »Valumarts magischer Tagesplaner, Eggnog, die Spinne. Lon, ich werde nie begreifen, wie du dich davor fürchten konntest.«

»Das war eine riesige Spinne, Barry! Ich hasse Spinnen!«

»Ja, aber sie trug eine Nikolausmütze!«

»Trotzdem sah sie furchterregend aus«, sagte Lon. Er bellte erneut, diesmal lauter. Der Vogel war zurückgekehrt, doch diesmal trug er eine falsche Nase und eine Brille, in der Hoffnung, daß Lon ihn nicht erkennen würde.

»Psst!« zischte Madame Ponce.

»Was bellst du denn die ganze Zeit?« fragte Barry. »Mußt du mal raus?«

»Da war schon wieder ein Vogel«, sagte Lon. »Jetzt ist er weg.«

»Ach«, sagte Barry, der nicht wirklich verstand, was Lon sagte. »Blablabla.« Lesen und schreiben nervt, parodieren macht viel mehr Spaß, dachte Barry. Ich hatte die *Ideen*, und diese Ghostwriterin hat sie in – wie war gleich das Wort? – *Worte* gefaßt.

Barry schlug das Buch zu. »Den Rest trage ich später nach.« Wenn es ein Später gibt, dachte Barry. »Schreib folgenden Schlußsatz: Und mit dem Zerschlagen der letzten Judy-Garland-Platte befreite ich Hogwash vom Bann des Basilispen. Aber mein Kampf mit Lord Valumart hatte gerade erst begonnen.«

Sie standen beide auf und reckten sich, bevor sie sich an das nächste Buch machten. Lon ließ sich auf alle viere nieder, um sich zu räkeln. Im Ernst, manchmal fehlte ihm nur noch ein Schwanz.

»Okay, Buch drei«, sagte Barry. »Ein ziemlich dicker Wälzer – mußt du deinen Bleistift anspitzen?«

»Nein«, sagte Lon.

»Ich hab' einen von diesen neuen Kugel-Federkielen, falls du den willst«, sagte Barry.

»Nein, es geht schon, Barry.«

»Na gut, dann nimm den Bleistift aus deinem Kopfloch«, sagte Barry. »Ich krieg vom Hingucken schon Kopfweh.«

»Okay«, sagte Lon. »Ich bewahre ihn bloß dort auf, damit ich ihn nicht vergesse.«

Barry räusperte sich und begann zu blättern. »An das hier erinnere ich mich. Da hab' ich gedacht, ich müßte sterben, denn ich glaubte, ich hätte den Schleim gesehen. Das ist ein Todesomen, eine Art Ektoplasmaklecks, den man sieht, kurz bevor man ins Gras beißt. Ich fand einen Batzen davon in Madame Tralalas Unterricht unter meinem Pult.«

»Sie hat mal vorausgesagt, ich würde sie beißen«, sagte Lon. »Und sie hat ständig versucht, mich dazu zu bringen, es tatsächlich zu tun. Als ich gerade kurz davor war, hat Professor Sinatra mich gepackt und mir eine gescheuert.«

»Das einzig Gute an Astronomie war, daß er uns am letzten Schultag immer Martinis gemixt hat«, sagte Barry.

»Und daß er uns vom Nordturm spucken ließ«, sagte Lon.

»Tralala hat uns nie irgendwas erlaubt, was Spaß macht. Weißt du noch, wie wir ihre Innenaugentropfen mit Chilisoße versetzt haben?« lachte Barry. »Ich werde nie begreifen, wozu Wahrsagen gut sein soll, wenn man so etwas nicht rechtzeitig merkt.«

»Ich konnte sie auch nicht leiden. Sie hat Genny gezwungen, eine Brille zu tragen.« Tralala war überzeugt, daß Genny Measly auf dem dritten Auge einen Astigmatismus hatte.

»Weißt du noch, wie sie vor der ganzen Klasse die erste Periode von diesem einen Mädchen vorausgesagt hat? Das war nicht fair«, sagte Barry. »Ich mußte so lachen, daß ich mir fast in die Hose gemacht hätte.«

»Periode?«

»Hitze, Lon. Wann sie das erste Mal heiß sein würde.«

»Oh«, nickte Lon und kicherte.

Barry wandte sich wieder dem Buch zu. »Okay: Hier habe ich Serious zum ersten Mal getroffen. Er saß wegen Steuererstattung in Aztalan. Nicht Hinterziehung, Lon, Erstattung, das mußt du unbedingt notieren. Er hat seine Steuererklärung so verzaubert, daß er eine Rückzahlung von sechzehn Milliarden Gallonen bekam.«

Barry lehnte sich in seinen Stuhl zurück. »Sie haben ihn beschuldigt, verbotene Zaubersprüche verwendet zu haben*, aber Serious ist kein schlechter Mensch, er hat bloß mit seinem Hindenware-Zeugs eine Menge Leute um ziem-

---

* Und zwar, kurz gesagt: Aveda Neutrogena, der Tod-durch-Feuchtigkeitscreme-Zauber, Cruciverba, der Tod-durch-Kreuzworträtsel-Zauber, und der Immuppetisier-Zauber, der einen völlig in die Gewalt eines anderen Menschen bringt.

lich viel Geld gebracht. Das war so was wie Tupperware mit im Plastik eingeschlossenen Wasserstoffbläschen. *Muy explosivo.* Und wer will schon seine Essensreste durch die Gegend schweben lassen?«

»Wow«, sagte Lon, der überhaupt nichts kapierte.

»Ja, einer seiner Geldgeber war Valumart. Der hat ihn in den Knast werfen lassen. Und nachdem Serious den Marketoren entkommen ist – die konnten ihm nichts anhaben, denn er war noch viel geldgieriger als sie ...« Barry sprang von einem Gedanken zum nächsten. Er wurde immer unkonzentrierter, je jünger er wurde. »*Das* war vielleicht lustig: Ich hab mal gehört, wie ein Marketor Serious gefragt hat: ›Finden Sie das richtig, die Leute so zu manipulieren?‹«

»Manip...?« Lon brachte das unbekannte Wort kaum über die Lippen.

»Vergiß es, das fällt mir schon wieder ein.« Barry blätterte weiter, bis zu dem Teil des Buches, in dem sie bei Gewitter Quaddatsch spielten. Er war mit Alyssa Spanner zusammengestoßen und hatte dabei mit seinem Mop bei ihr einen unabsichtlichen Dammschnitt vollführt. Das war ungefähr zu der Zeit, als Lon seinen Unfall gehabt hatte – er entschied sich, diese Begebenheit vorläufig wegzulassen. »Erinnerst du dich noch an deinen Hausgeist? Dieses kleine Reise-Scrabble-Spiel?«

»Ja, ich hab' mal einen Buchstaben gegessen«, sagte Lon. »Es tat weh, als er wieder rauskam.«

»Kann ich mir vorstellen. Das war jedenfalls einer von Valumarts Handlangern, ein Typ namens Pottagoo. Am Ende hat er seine gerechte Strafe gekriegt.« Ebenso wie die arme Alyssa, dachte Barry. Das letzte, was man von ihr gehört hatte, war, daß sie Hexenrechtlerin geworden war. Eine

Zeitlang hatte Barry aus schlechtem Gewissen ihre Zeitschrift *Damwild* abonniert.

»Erinnerst du dich an die Karte des Rumbumsers? Das Ding, mit dessen Hilfe wir nach Hobsbleede gelangt sind?«

»Ich erinnere mich an Gonzo's.« Gonzo's, benannt nach einem Drogenfreak in einem amerikanischen Comic, hieß der Laden, in den unvorsichtige Hogwash-Schüler gingen, um Stoff von den Habbits des Ortes zu kaufen. Auch Barry hatte das einmal gemacht, aber nachdem er für fünf Gallonen eine Tüte Oregano erstanden und eine ganze Nacht damit verbracht hatte, andauernd zu fragen: »Bin ich high? Ich glaub', ich bin high. Nein, ich bin doch nicht high. Hermeline, bin ich high?« beschloß er, daß Butterbourbon eher seinem Naturell entsprach.

»Was J. G. über die Karte geschrieben hat, stimmt hinten und vorne nicht. Schon, darauf konnte man jeden sehen, der in Hogwash unterwegs war, aber sie zeigte auch, was er gerade tat. Wenn zwei Menschen gerade vögelten, sah man zum Beispiel neben ihnen ein pochendes kleines, rotes Herz. Man konnte die Karte phantastisch für Erpressungen nutzen. Weißt du, wer sich am meisten herumgetrieben hat? McGoogle! Sie hatte etwas mit Angus Filz' Katze, bevor diese vom Basilispen gelähmt wurde. Das Ungeheuer hatte der Katze erzählt, McGoogle habe dicke Fesseln … Was wollte ich gerade sagen?« fragte Barry.

»Ich weiß nicht«, antwortete Lon wahrheitsgemäß.

»Ach ja, die Karte des Rumbumsers«, sagte Barry. »Ich habe sie benutzt, um heimlich nach Hogsbleede auszubüchsen. Nachdem ich den ersten Ausflug verpaßt hatte, wußte ich, da muß ich hin – die kamen alle mit magischen Schönheitsoperationen, Falschgelddruckmaschinen und allem möglichen lustigen Kram zurück. Aber das Beste an der

Karte, und das konnte J. G. in den Büchern natürlich nicht schreiben, waren die dazugehörigen Stempel. Einer stellte einen kleinen Atompilz dar, und jedesmal, wenn man ihn auf eine Stelle auf der Karte drückte, gab es dort eine winzige Atomexplosion. Genauso funktionierte es mit Rauch, Öllachen, ich glaube, es gab sogar einen, der Frösche regnen ließ, aber den habe ich irgendeinem Mädchen geschenkt … Mann, die haben uns so einige Male aus dem Schlamassel geholfen.« Barry schwelgte in der Erinnerung daran, wie er ein ums andere Mal, nachdem er irgend etwas angestellt hatte, durch die Gänge der Schule gerannt war und den Stempel wieder und wieder auf die Karte gepreßt hatte, um seine unglücklichen Verfolger durch die Luft fliegen zu lassen wie Stoffpuppen: »Bombe! Bombe! Öllache! Frosch! Bombe!«

Barry wischte sich eine Träne aus dem Auge und blätterte weiter. »Ah, Professor Drupin, der ehemalige Lehrer für Doofes Kunsthandwerk. Du erinnerst dich vermutlich nicht mehr an ihn, weil du da gerade auf der Krankenstation lagst und ein neues Gehirn kriegtest, aber er war eine Werforelle.«

»Was ist eine Werforelle?« fragte Lon.

»Eine Werforelle ist eine Art Werwolf, nur in Gestalt einer Forelle. Drupin hat mir später erzählt, daß er vermutlich beim Angeln in Schottland angefallen wurde, wenn man es so nennen kann. Immer wenn Vollmond ist, verwandelt sich eine Werforelle von einem Menschen in einen Fisch. Sehr gefährlich.«

»Wieso?«

»Weißt du, für jemanden, der eigentlich nur mitschreiben soll, stellst du ganz schön viele Fragen«, sagte Barry. Wenn Lon nicht alles gleich notierte, würde er es garantiert wieder vergessen. »Für den Betroffenen natürlich. Drupin mußte

201

immer daran denken, sich rechtzeitig in eine Badewanne zu legen und den Hahn aufzudrehen, denn sonst hätte er bei seiner Verwandlung bloß noch ein bißchen auf dem Boden herumgezappelt und wäre dann eingegangen. Und wenn jemand so dumm gewesen wäre, mit ihm in die Wanne zu steigen – nun ja, ich weiß nicht, was dann passiert wäre. Vielleicht hätte er ein paar unsanfte Stöße abgekriegt.«

»Oh«, sagte Lon. »Wie konnte Drupin es denn verhindern, daß er sich verwandelte?«

Gott sei Dank, er hört noch zu, dachte Barry. »Drupin mußte diesen Zaubertrank trinken, den Snipe für ihn anmischte, und wenn ich Zaubertrank sage, dann meine ich Single Malt Scotch. Permanente Trunkenheit ist die einzige Möglichkeit, die Ichthyanthrophie unter Kontrolle zu halten, aber sobald man älter wird als ungefähr fünfundzwanzig, muß man Tribut dafür zollen. Deshalb sah er auch immer so beschissen aus. Aber aus irgendeinem Grund fuhren die Weiber darauf ab«, fuhr Barry fort. »Er mußte sie sich mit einem Stock vom Leib halten – und zwar nicht nur die, die ihn filetieren und braten wollten.« Er nahm das nächste Buch zur Hand, eine wahrhaft gigantische Schwarte – der Umfang von J. G.s Büchern nahm exponentiell zu.* »Von hier an wird es wirklich hanebüchen. Das Quaddatsch-Turnier hieß ›Ibuprofen-Mobilat-Vomex-Cup‹ und nicht so, wie sie es genannt hat …« Barry hielt inne. »Wird deine Hand müde?«

* … und die Leser von *Barry Trotter und die schamlose Parodie* wissen, woran das lag: am sanften Druck ihres Verlages, Fantastic Books. Ob es Coleridge wohl leichter gefallen wäre, »Kublai Khan« zu Papier zu bringen, wenn man Elektroden an seinen empfindlichsten Körperstellen befestigt hätte? »Komm her, Mozart! Du hast ein Requiem zu vollenden, und hier steht schon eine Autobatterie für dich bereit!«

»Wovon?« fragte Lon.

»Vom Schreiben«, sagte Barry und versuchte, seinen auf-
wallenden Zorn zu zügeln. Immerhin tat Lon ihm einen Gefallen.

»Ja«, antwortete Lon.

»Nun, dann laß uns für heute Schluß machen«, sagte Barry. »Gib mir den Block. Ich behalte ihn bis morgen.«

»Okay, Barry«, sagte Lon und reichte ihm den Block.
Dann verstaute er den Bleistift in seinem Kopf und trottete
davon, vermutlich, um in einen Wasserstrahl zu beißen.

Barry spazierte durch die Bibliothek und störte ein paar
Teenager beim Fummeln, beim unfreiwilligen Aushändigen
von Taschengeld sowie beim gelangweilten Zündeln, aber
nicht beim Lernen. Schließlich fand er in der letzten Reihe
im entlegensten Teil der Verbotenen Abteilung Hermeline.
Sie saß an einem mit verstaubten Inkunabeln überladenen
Tisch, der sich darüber auch lautstark beschwerte. Hermeline versetzte ihm gelegentlich einen Tritt, um ihn zum
Schweigen zu bringen.

»Manchmal ist es echt nervig, zwischen lauter verzauberten Sachen zu leben«, sagte sie.

»Du willst ja bloß einen Tisch, mit dem du machen kannst,
was du willst«, meckerte der Tisch.

»Klappe!« Sie wandte sich Barry zu und fragte: »Na, wie
ist es gelaufen?«

»Ganz gut, glaube ich«, sagte Barry. Hermeline streckte
die Hand aus, und Barry gab ihr den Notizblock.

Sie blätterte darin – ihr Blick sprach Bände.

»Was denn?« fragte Barry. Er schnappte ihn sich und sah
ihn sich an. In Lons ungelenken Druckbuchstaben stand da
wieder und wieder der Satz: »All work and no play makes
Lon a dull boy.« Die Worte waren unterschiedlich angeord-

net, so daß sie zum Beispiel einen Hydranten oder einen Knochen formten, aber es war immer derselbe Satz.

»Ich fass' es nicht«, sagte Barry. »Die ganze Arbeit umsonst.«

»Tja, das kommt davon, wenn man es sich zu leicht machen will«, sagte Hermeline mit einem spöttischen Grinsen.

Barry antwortete nicht. Er schäumte vor Wut.

»Ich habe heute diesen sonderbaren Professor getroffen, im Magazin beim Buchstaben A«, wechselte Hermeline das Thema.

»Ach ja?« sagte Barry ironisch. »Das hast du ja gut eingefädelt.« Mit der Stimme eines Fernsehansagers fuhr er fort: »Dieser Fall von Ehebruch wurde Ihnen präsentiert von Viagra …«

Hermeline versetzte ihm einen Klaps. »Halt den Mund! Ich wollte ›Antidot‹ nachschlagen«, sagte sie. »Und jetzt kommt das Interessante: Er hatte den ganzen Arm voller Bücher über Atlanta.«

»Warum sollte er denn was über Atlanta lesen?« fragte Barry.

»Vielleicht ist er ein …« Hermeline suchte nach dem Wort.

»… einer von diesen Typen, die den amerikanischen Bürgerkrieg nachspielen?«

»Nein.«

»Ein extrem schlecht informierter Martin-Luther-King-Stalker?«

»Nein. Na ja, ist ja auch egal. Ich hab' jedenfalls noch kein Heilmittel für dich gefunden«, sagte Hermeline.

»Gar nichts?« fragte Barry und fühlte sich plötzlich verarscht.

»So gut wie nichts. Aber das hier könnte vielleicht helfen«, sagte sie. »Lies die mal.«

Sie schob mehrere Bücher zu Barry hinüber. Der Titel des obersten lautete *Die Magie des Marktes: Ein Börsenratgeber für Zauberer.* Er durchforstete den Stapel. »*Lebensversicherungen für Dahingeschiedene? Schöner wohnen in der Vorhölle?*« »Das ist ein altes Hausmittel«, sagte Hermeline. »Du hast doch sicher schon mal von ›junggebliebenen Greisen‹ gehört? Wir versuchen das Gegenteil. Wenn du das gleiche Zeug liest, mit dem Senioren sich beschäftigen, wirst du vielleicht wieder zum alten Knacker. Außerdem hab' ich dir ein paar Sätze rausgeschrieben, die du vorm Schlafengehen aufsagen mußt.«

Barry öffnete die Pergamentrolle, die sie ihm herüberschob. »›Als ich noch jung war, war alles besser‹«, las Barry vor.

»Lauter – je lauter du es sagst, desto besser wirkt es«, sagte Hermeline.

»Die Musik von heute ist das reinste Gewichse!« brüllte Barry, dann noch lauter: »Ihr steht auf diese Schauspielerin? Die sieht doch aus wie ein FLITTCHEN!« Schüler begannen die Hälse zu recken, um einen Blick auf den durchgeknallten Direktor zu werfen. Barry fand Gefallen an dem Gebrülle: »Dieses VIDEOSPIEL macht mich seekrank! Das WEICHT einem das GEHIRN AUF! Dieser FILM ist zu LAUT!« Nun war er voll und ganz bei der Sache, und er grölte: »DIE KIDS VON HEUTE SIND NICHTSNUTZIGE, FAULE, SEXGEILE GAMMLER, DIE GLAUBEN, GELD WÄCHST AUF BÄUMEN, UND DIE NICHT ZU SCHÄTZEN WISSEN, WAS IHRE ELTERN ALLES FÜR SIE TUN!«

Buhrufe erfüllten die Bibliothek, und ein Hagel von Radiergummis und zerknüllten Blättern ging auf Barry nieder. Jedesmal, wenn er getroffen wurde, pochte es in seinem

Fragerufzeichen. Ich sollte mir das wirklich mal wegmachen lassen, dachte er zum millionsten Mal.

Er setzte sich hin, hielt sich schützend die Hände vors Gesicht und sagte: »Das hat gutgetan, Hermi. Als hätte es etwas in mir ausgelöst.«

Hermeline blickte auf und legte ihre Hand auf Barrys. »Ach, Schatz, glaubst du wirklich? Vielleicht ist es doch noch nicht zu spät.«

Kapitel zwölf

MAN IST SO ALT,
WIE MAN SICH GIBT

Abgesehen von dem anfänglichen Brechreiz – und natürlich dem Sterben am Ende – war es ziemlich toll, jünger zu werden. Zum einen wurden Barrys Haare voller. Und wenn er sich morgens die Zähne putzte, glaubte er zusehen zu können, wie seine Falten sich glätteten, aber Hermeline überzeugte ihn, daß das bloß an der schummrigen Beleuchtung lag.* Sein Butterbourbon-Bauch schrumpfte jedoch unbestreitbar, und außerdem hatte er mehr Lust auf Sex – sehr zur Freude Hermelines, die schon seit Jahren dagelegen und Däumchen gedreht hatte. Er näherte sich allmählich wieder dem Gipfel seiner sexuellen Leistungsfähigkeit, einem Ort, an dem sie sich mit siebzehn häuslich eingerichtet und den sie nie wieder verlassen hatte.

Dafür, daß sie sich früher einmal vorgenommen zu haben schien, sich eine Art Vollversammlung der Vereinten Nationen in Form erotischer Eroberungen zusammenzuschustern, war Hermeline Barry während ihrer gesamten Ehe erstaun-

---

* Wenn man sich bei Kerzenlicht rasieren muß, kann das schon mal ins Auge gehen (harr, harr). Aus diesem Grund haben Bumblemore, Hafwid, Red-Eye Booty und die anderen auch so lange, üppige Bärte. Snipe wollte sich auch einen wachsen lassen, aber sein Körper produziert einfach nicht genug Testosteron, und Ponce war nicht bereit, ihm etwas abzugeben.

lich treu geblieben – mal abgesehen von dem einen oder anderen feuchten Traum um einen Inkubus … oder auch sechs. Statt dessen sublimierte sie ihre Triebe, was das Zeug hielt – indem sie Audrey unterrichtete, einen landesweiten Kreuzzug für Entschädigungszahlungen an Hauselfen startete, alles, was sie besaß, mit Stickereien und Applikationen verzierte und in Heimarbeit produzierte dekorative Pompons für Zauberstäbe in alle Welt verkaufte. Sie hatte schon immer ungeheuer viel Energie gehabt, und die investierte sie nun bis zum letzten Tropfen in die Rettung ihres Mannes. Als Gegenleistung mußte ihr Barry ein-, zwei-, manchmal auch dreimal am Tag zu Willen sein. Obwohl Barrys Ableben wie ein Damoklesschwert über ihnen hing, war es ein bißchen wie in den Flitterwochen.

Die nächsten Tage verbrachte Hermeline damit, in der Bibliothek zu stöbern. Barry fühlte sich inzwischen besser, was ein schlechtes Zeichen war. Schwester Pommefritte sah ein paar Papiere durch und sagte: »Ich schätze, Sie sind jetzt ungefähr vierzehn.«

»Woher wollen Sie das wissen?« fragte Barry.

Sie gab ihm die Bögen zurück. »Weil jeder, der älter ist, ›Extrem-Quaddatsch‹ als eine komplett bescheuerte Idee abtun würde. Ich kann Ihren Antrag nicht genehmigen.«

»Na schön!« sagte Barry. »Ich bin der Schuldirektor, ich brauche Ihre Erlaubnis nicht! Wir machen es trotzdem!« Er stapfte hinaus. Barry war so wütend, daß er beinahe mit voller Wucht mit Hermeline zusammengeprallt wäre.

»Barry!« sagte sie. »Ich hab' dich gesucht. Ich glaube, wir haben ein Gegenmittel gefunden!«

»Ach ja?« sagte Barry.

»Ja, in Florida gibt es den sogenannten Greisenbrunnen. Er wird von denselben Leuten betrieben wie der Jungbrunnen, nur daß dieser einen älter macht.«

Sonne, Sand, Bikinis – für Barry klang das ziemlich verlockend. »Okay, wann geht's los?«

»Heute!« sagte Hermeline. »Der Freizeitpark, in dem er sich befindet, wird demnächst für sechs Wochen geschlossen – die Sommersaison geht gerade zu Ende.« Sie zerrte ihn den Gang entlang. »Du brauchst nicht zu packen, wir werden nur ein paar Stunden dort bleiben.«

Nachdem sie den Zeitunterschied ausgerechnet hatten, war klar, daß hier das wesentliche Problem lag – Evaporation dauerte zu lange, ebenso wie Reiseschnupftabak. Daher beschloß Hermeline, auf einen Zauberspruch zurückzugreifen, den sie »das Große Hallo« nannte. Als sie wieder auf ihrem Zimmer waren, zauberte sie flink ein Feuer in den Kamin. Während sie sich hinkniete, um in die violetten und smaragdgrünen Flammen zu blasen, sagte sie: »Okay, wenn ich ›los‹ sage, bückst du dich und kriechst ins Feuer. Achte darauf, daß du dich mit dem ganzen Körper hineinzwängst. Du willst ja schließlich keine Gliedmaßen zurücklassen.«

Plötzlich fand Barry diese Art der Fortbewegung nicht mehr so spannend. »Bist du sicher, daß da nichts passieren kann?« fragte er.

Hermeline schwieg indigniert. »Was würde es denn für einen Eindruck machen, wenn mein Mann verbrennt, weil ich einen Zauberspruch verhauen habe?« sagte sie dann. »Vertrau auf meinen Perfektionismus, okay? Jetzt, LOS!«

Barry kauerte sich zusammen und spürte, wie er blitzschnell in Rauch aufging. Es folgten ein oder zwei Momente absoluter Finsternis, dann merkte er, wie er sich über der Pfeife eines Mannes wieder materialisierte.

»Bäh!« sagte der Mann, nahm die Pfeife aus dem Mund und schaute sie an, als hätte sie ihn gebissen.

Barry klopfte sich seelenruhig die Asche von den Klamotten. In Panik ergriff der Mann die Flucht.

Hitze schlug Barry entgegen – eine willkommene Abwechslung nach der übernatürlich feuchten Kälte Hogwashs. Kurz darauf sah er, wie seine Angetraute genau über dem Kopf einer Frau wieder auftauchte. Die beiden purzelten übereinander, und die Fremde begann zu röcheln und zu husten. Hermeline half ihr hoch und humpelte dann zu Barry hinüber.

»Alles okay?« fragte Barry. »Das ist ja eine ziemlich intime Art der Fortbewegung.«

»Ich bin bloß blöd gelandet« sagte Hermeline. »Schlechtes Timing. Sie war gerade beim Einatmen.«

Dann holte sie die Broschüre hervor. »So, mal sehen, ob's geklappt hat. Eigentlich müßten wir ganz dicht bei dem Brunnen sein.«

Sie entdeckten einen Laden namens »Der Mais ist heiß!«, der geröstete Maiskolben verkaufte. Barry bekam plötzlich Appetit – neuerdings war er ständig hungrig und nahm dabei kein Gramm zu. Er hatte so viele neue Löcher in seinen alten Gürtel gestanzt, daß dieser zweimal um seine Taille reichte. »Hermeline, macht es dir etwas aus, wenn ich mir erst was zu essen hole?«

»Lass uns lieber gleich den Brunnen suchen, Barry«, sagte sie. Und nach einem kurzen Spaziergang durch die engen Straßen des auf spanisch getrimmten Städtchens erblickten sie zwei riesige Springbrunnen mit schier endlosen Menschenschlangen davor. Sie traten an das Ende einer der mehrfach gewundenen, mit Seilen abgetrennten Wartezonen. »Benutzung des Brunnens für Personen unter zwölf

Jahren verboten«, las Barry vor. Nicht viele Leute in der Schlange sahen bedeutend älter aus.

Barry musterte die Menschenmenge, wandte sich wieder Hermeline zu und fragte: »Würde es dir etwas ausmachen, wenn ich zurückgehe und mir einen Maiskolben hole?«

»Ich hab' Angst, daß du dann deinen Platz verlierst«, sagte Hermeline.

»Keine Sorge – ich drängel' mich mit dem Essen einfach wieder dazwischen«, entgegnete Barry.

»Das hätten Sie wohl gern«, sagte ein besonders schmächtig aussehender Zwölfjähriger.

»Ach ja, Bürschchen?« sagte Barry. »Willst du mich daran hindern?«

»Barry«, sagte Hermeline. »Jetzt sei doch nicht so kindisch.«

»Ja, das will ich«, sagte der Junge. »Ich warte, bis ich was von dem Wasser getrunken habe und ungefähr achtzehn bin, einen Wachstumsschub bekomme und ungefähr fünfunddreißig Kilo zunehme, und dann können Sie was erleben.«

»Schon gut, schon gut.« Barry war nicht in der Stimmung, Spekulationen über die voraussichtliche Entwicklung dieses Jungen anzustellen. »Blödmann«, murmelte er.

»Das hab' ich gehört, was auch immer Sie gesagt haben«, sagte der Junge. »Machen Sie sich bereit, in …«, er schaute auf die elektronische Anzeige vor ihnen, »siebenundvierzig Minuten bekommen Sie eine ordentliche Abreibung.«

Hermeline versuchte, Frieden zu stiften – es war wie früher in der Schule. »Und warum willst *du* zum Brunnen?« fragte sie den Jungen, der eifrig an einem Pickel herumpulte.

»Ich will Auto fahren lernen«, sagte er und schnipste das, was er gerade abgekratzt hatte, in Barrys Richtung.

Barry packte ihn am Kragen und hob ihn hoch. »Hör mal zu: Ich kann dir die nächsten siebenundvierzig oder jetzt sechsundvierzig Minuten deines Lebens zu einer unendlichen Qual machen«, sagte er.

»Ich weiß, wer Sie sind! Sie sind der Typ aus diesen Filmen, Bilbao Baggage!«

Der Junge begann sich zu wehren und zu brüllen. Hermeline sah, daß ein paar Wachmänner herüberschauten.

»Laß ihn runter, Barry! Sofort!« sagte sie.

Barry gehorchte. »Hermi, manchmal geht mir das echt auf die Nerven, daß du dich immer auf die Seite der Schwachen schlägst.«

»Hauptsache, wir werden nicht rausgeschmissen«, flüsterte sie eindringlich. Unterdessen versetzte der Junge Barry ein wahres Trommelfeuer von Tritten in die Wade. »Tu mir den Gefallen und ignoriere ihn.«

»Au! Ich werd's versuchen«, sagte Barry, der bei jedem Treffer zusammenzuckte.

»Ich – hasse – Ihre – Filme!« deklamierte der Junge im Takt seiner Tritte.

»*Autoalgesis*«, flüsterte Barry und schwenkte dabei unauffällig seinen Zauberstab. Plötzlich verspürte der Junge jeden Tritt am eigenen Leibe.

»Au! Mist!« Mit einem Mal hatte das Spiel seinen Reiz verloren, und deshalb hörte er auf.

Während Hermi und Barry in der Schlange immer weiter vorrückten, fragten sie die Umstehenden, was sie sich von dem Brunnen versprachen. Manche wollten eher in Rente gehen, aber die meisten waren Jugendliche, die je früher je lieber Auto fahren, selbst Bier kaufen, heiraten oder sich anderen gefährlichen Beschäftigungen widmen wollten.

»Mir war gar nicht klar, daß nicht jugendfreie Filme so

eine Attraktion darstellen«, sagte Hermeline zu einem Mädchen namens Meredith.

»Das kann man wohl sagen«, erwiderte diese. »Ich bin hier, damit ich eher zur Wahl gehen kann.« Hermeline lächelte. Sie hatte eine Seelenverwandte gefunden.

Ist die beknackt, dachte Barry.

Schließlich war er an der Reihe. Aus hygienischen Gründen durfte man nicht direkt aus dem Brunnen trinken. Eine kleine Frau, die in ihrem gestärkten weißen Kostüm einer Krankenschwester ähnelte, schöpfte mit einem Plastikbecher Wasser heraus und reichte ihn dem Wartenden. Nachdem man ausgetrunken hatte, taumelte man hinüber zu ein paar Bänken, wo man die Verwandlung durchmachte. Den Becher durfte man behalten. In der Broschüre wurde er als »robuster Humpen mit dem Logo des Parks, der Sie noch viele Jahre an Ihren Aufenthalt erinnern wird« bezeichnet. (Barry pfefferte seinen ins Gebüsch.)

Unser Held nahm seinen Becher entgegen und nippte daran. Das Zeug war ziemlich zähflüssig.

»Was zum Teufel ist denn da drin?« fragte er.

»Magimucil«, sagte die Frau.

Barry verstand nur Bahnhof.

»*Ballaststoffe*. Die braucht man, wenn man älter wird.«

Hermeline war plötzlich sehr froh, daß *sie* nichts davon trinken mußte. Sie haßte alles, dessen Konsistenz sich in der Grauzone zwischen trinkbar und eßbar bewegte. Sanft nahm sie Barrys Arm und führte ihn zu den Bänken hinüber. In der Nähe flößten mehrere Parkbeamte einem runzligen alten Mann in Skater-Klamotten Wasser aus dem Jungbrunnen ein. Der Junge, der sich in der Schlange mit Barry angelegt hatte, hatte eine Überdosis erwischt. Ein Sicherheitsbeamter merkte, daß Hermeline herüberschaute.

»Das passiert jeden Tag«, sagte er. »Er hat ein paar Freunde dazu überredet, sich für ihn anzustellen – jetzt hat er die vierfache Dosis intus. Er hat gesagt, er wolle ganz schnell groß werden, um jemanden zusammenzuschlagen. Wir sind gerade noch rechtzeitig gekommen.«

Hermeline machte ein mitfühlendes Gesicht und wandte sich dann ihrem Mann zu, der mit den Fingern über die Becherwand fuhr und sich dann den Inhalt in den Mund schüttete.

»Irx«, sagte er. »Tut sich schon was?«

»Nichts Sichtbares jedenfalls«, sagte Hermeline. Nach fünfzehn Minuten stand sie auf und holte ihm noch eine Dosis. Jetzt, da niemand mehr in den Park gelassen und die Schlange ständig kürzer wurde, war das kein Problem mehr. Barry und Hermeline saßen ungefähr eine Stunde herum, bis sie den Park verlassen mußten, aber nichts geschah. Barry klaute dem alten Mann sogar das Skateboard und vollführte ein paar Kunststücke – ein ganz schlechtes Zeichen. Niedergeschlagen evaporierten sie und verbrachten den Abend damit, über den Atlantischen Ozean zu schweben.

Als sie wieder in Hogwash ankamen, erwartete sie eine unangenehme Aufgabe: Sie mußten Nigel zum Nachsitzen verdonnern. Offenbar hatte er ein Mädchen, das im Zauberschwänke-Unterricht eingenickt war, mit seinem Hausgeist beworfen. Ihre heftige, um nicht zu sagen total hysterische Reaktion hatte die Klasse in ein Tollhaus verwandelt, und der ohnehin überforderte Vertretungslehrer beschloß, an Nigel ein Exempel zu statuieren – ohne zu ahnen, daß er der Sohn der Schuldirektoren war.

Mit stolzgeschwellter Brust trat Nigel ein. Seine Mutter war entsetzt, als sie hörte, was er angestellt hatte.

»Das war Dads Idee«, sagte Nigel mit einem maliziösen Grinsen.

Hermeline drehte sich zu ihrem Mann um und fauchte: »Stimmt das?«

Barry druckste ein bißchen herum. »Na ja, vielleicht habe ich Nigel dazu ermutigt, das Komische an solchen Situationen zu sehen. – Du sagt, du hast ihr deinen Oktopus auf den Kopf geschmissen? Und sie wurde hysterisch, weil sie auf der Fahrt über den See von dem Kraken angefallen worden ist?«

Nigel nickte. Vater und Sohn sogen beide verzweifelt die Wangen ein, um sich das Lachen zu verkneifen.

Hermeline hingegen fand das gar nicht lustig. Sie zauberte eine Rute herbei, woraufhin das Lächeln von den Gesichtern der beiden verschwand – wen würde es treffen? Sie reichte sie Barry. »Da du ihm den Floh ins Ohr gesetzt hast, Schlauberger, darfst du ihn bestrafen«, sagte Hermeline. »Sechs – nein, acht. Einen für jeden von Chesterfields Armen.« Besagter Oktopus konnte das nicht mitansehen: Er spritzte ein bißchen Tinte ins Wasser, und in dem Beutel an Nigels Gürtel wurde es schwarz.

Hermeline schnappte sich ihre Schlüssel und ihre Tasche. »Ich gehe. Den Anblick ertrage ich nicht«, sagte sie. »In einer Stunde bin ich wieder da.«

Als sie ihre Männer so anschaute, kam sie zu dem Schluß, daß beide ungefähr die gleiche geistige Reife hatten – nur daß einer von ihnen ein ungeheuer mächtiger Zauberer war. Um ihres eigenen Seelenheils – und möglicherweise des Weltfriedens – willen mußte sie den Infantilismus ihres Mannes kurieren.

»Mann, war das knapp«, sagte Barry, als Hermeline gegangen war. »Ich hab' schon gedacht, sie würde sich hinsetzen und zugucken.«

»Ich auch«, sagte Nigel. »Du wirst es doch nicht tun, oder?«

»Nein«, sagte Barry und ließ die Rute verschwinden. »Ich glaube, ich weiß eine sinnvollere Strafe. Könntest du meine CD-Sammlung alphabetisch ordnen? Ich kann das zweite Album von Valid Tumor Alarm nicht finden.«

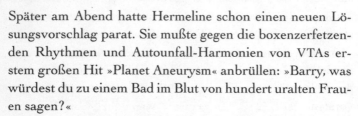

Später am Abend hatte Hermeline schon einen neuen Lösungsvorschlag parat. Sie mußte gegen die boxenzerfetzenden Rhythmen und Autounfall-Harmonien von VTAs erstem großen Hit »Planet Aneurysm« anbrüllen: »Barry, was würdest du zu einem Bad im Blut von hundert uralten Frauen sagen?«

»Ich würde Nein sagen. Hermeline, du bist wirklich der Mozart der abscheulichen Ideen.«

»Nun ja, im Blut von hundert Jungfrauen zu baden ist unter Zauberern und Hexen eine seit langem bewährte Methode, jung zu bleiben. Es soll sehr belebend sein.«

»Und Zielkotzen ist zweifelsohne ein ganz vorzügliches Herz-Kreislauf-Training«, sagte Barry.

»In diesem Buch steht, daß es außerdem ein wirksames Peeling ist«, sagte Hermeline. »Hör mal, einen Versuch ist es wert – wenn irgend jemand weiß, wie man in Würde altert, dann ist es Coco Chanel.«

Barry betrachtete das Buch. Auf dem Umschlag war eine unbestreitbar flotte alte Schachtel mit mächtigen Kehllappen abgebildet.

»Im Ernst, Barry – du hast kaum eine Wahl.«

»Okay«, sagte Barry. Entweder gab er nach, oder er würde mit dem Satz »Ich hab's dir ja gesagt« in den Ohren sterben.

Hermeline ließ sofort in ganz Hogsbleede Schilder für Blutspendeaktionen aufstellen, die sich vor allem an Frauen über fünfundachtzig wandten. Davon gab es nicht viele – Showgirls bekommen nun mal keine Rente –, aber mit Schwester Pommefrittes Hilfe und massenhaft Süßigkeiten und Apfelsaft gelang es, ungefähr eine viertel Badewanne vollzubekommen. Zuerst wollten sie das Bad in der Gästesuite benutzen, doch da sie befürchteten, daß der Abfluß verstopfen könnte, wenn das Blut gerann, borgten sie sich statt dessen einen alten Waschkessel bei den Hauselfen aus.

Als alles vorbereitet war, hatte sich Barry bereits fast eine ganze Flasche von Hafwids stärkstem Selbstgebrauten hinter die Binde gekippt – anders hätte er dem, was ihm nun bevorstand, nicht die Stirn bieten können.

»Kannech 'n Bad'anzuch anzihn?« lallte er.

»Nein«, sagte Hermeline.

»Un' wennich mich nur reinstell?« fragte Barry.

»Nein, im Buch steht, daß du ganz untertauchen mußt«, sagte Hermeline.

»Wo?« Barry griff nach dem Buch. »Wo stehds? Dsss wll-ich selba lesn.«

»Wow, du mußt wirklich betrunken sein«, staunte Hermeline und hielt das Buch mühelos aus Barrys Reichweite. »So undeutlich wie Hafwid hast du noch nie geredet. Steig rein!« sagte sie gut gelaunt.

Barry zog sich aus und blickte dann auf den Kessel hinunter. Er holte tief Luft und steckte seinen Fuß hinein. Es fühlte sich äußerst merkwürdig an – etwas glitschig, und es begann schon zu gerinnen.

»Nicht nachdenken«, sagte Hermeline. »Je mehr du denkst, desto schlimmer wird es.«

»Ds is' meine Lebensflosofie«, sagte Barry und setzte sich hin. »Arghh, dascha fuchba.«

»Plansch mal ein bißchen herum«, sagte Hermeline.

Plötzlich wurde Barry in vollem Ausmaß bewußt, was er gerade tat, und ihm kam die Galle hoch – es war einfach zuviel für ihn. Mit einem Satz war er aus dem Kessel und sprintete zur Toilette.

»Paß auf …«, sagte Hermeline, aber es war zu spät: Barry hatte Blutspuren auf dem Teppich hinterlassen. Sie würde bei Filz ein bißchen Vanish Hexi-Action besorgen müssen.

Aus dem Badezimmer drangen Geräusche, die in Hermelines Ohren wie ein ganzer Männerchor mit Lebensmittelvergiftung klangen. Nach dem Ende der letzten Nummer klopfte sie an die Tür und fragte: »Fühlst du dich schon älter?«

»Nein«, sagte Barry schwach. »Aber ich glaube, ich habe gerade einen Weisheitszahn verloren.« Dann stimmte der Chor eine Zugabe an.

Am Morgen nach dem Blutdebakel sagte Hermeline zu Barry: »Ich hab' noch eine Idee.«

»Ich weiß nicht, ob ich noch eine von deinen Ideen überlebe«, sagte Barry und rieb sich den schmerzenden Bauch. Er konnte kaum Toast und Wasser bei sich behalten. »Hoffentlich muß ich dabei nichts essen. Das steht nämlich völlig außer Diskussion.«

»Nein, nichts in der Art«, sagte Hermeline. »Ich möchte dich nur jemandem vorstellen.«

Wie sich herausstellte, war dieser Jemand Graf Eddie Fowler, der Chef der örtlichen Vampirgewerkschaft. Eddie war Friseur. Auch Vampire brauchen einen Haarschnitt, aber kein Muddel war dazu bereit, zu solch abartigen Zeiten zu arbeiten, und daher lief Eddies Geschäft blendend.

Er hatte sich mit Barry zum Mitternachtslunch im Vlad's verabredet, einem Café für die Untoten von Hogsbleede. Es war ein seltsamer Ort – ein typisches Kaffeehaus mit ganz viel unverputztem Klinker, Leuchtschienen und hellem Holz, aber bevölkert von den ungesündesten Kreaturen aller Art: Vampiren, Zombies, Mumien und und und. Alles, was eigentlich tot sein sollte, hing im Vlad's herum (und hinterließ beim Gehen verwesende Körperteile).

»Darf ich Ihnen sagen, wie sehr ich mich freue, Sie kennenzulernen?« sagte Graf Eddie zu Barry. »Mein Sohn hat all die Bücher gelesen. Nun ja, bis auf die Parodie. Die fand er furchtbar.«

Barrys Lächeln gefror kaum merklich.

»Könnten Sie mir ein paar signieren?« Eddie knallte einen Stapel Taschenbücher auf den Tisch. Ein paar Meter weiter schaute eine Mumie in einen Taschenspiegel und zupfte ihre Bandagen zurecht. »Schreiben Sie ›Für Chris‹. Wie gesagt, er liebt Sie, aber bei jedem neuen Band hofft er, daß Sie am Ende sterben. Damit Sie ein Vampir wie wir werden können. Er wird begeistert sein, wenn er hört, daß ich Sie getroffen habe. Stimmt es, daß Sie erwägen, einer von uns zu werden? Möchten Sie einen Kaffee oder irgend etwas anderes?«

»Nein danke«, sagte Barry, seinen Namen kritzelnd. Er hatte gesehen, wie ein Stück des verwesenden Arms der Barista, eines Zombies, sich ablöste und in einen Café latte fiel. »Ich möchte nicht wirklich Vampir werden, ich habe nur diese Krankheit – nun ja, wir glauben, daß es eine Krankheit ist oder ein Fluch, vielleicht hat mich jemand verhext – jedenfalls werde ich unaufhaltsam jünger.«

»Verstehe. Und Sie denken ...«

»Eigentlich ist es eher meine Frau, die denkt.«

»... und Ihre Frau denkt, wenn Sie ein Vampir werden, hören Sie auf, jünger zu werden.« Eddie nippte an seinem Drink (halb Vollblut, der Rest B+, keine Plättchen, mit extra Plasma und mit Gerinnseln bestäubt) und musterte diesen dann skeptisch. »Und dafür habe ich nun über vier Gallonen auf den Tisch gelegt«, sagte er. »Dabei läuft hier mehr als genug davon lebend herum. Übrigens, danke für die Austauschschüler. Das war eine großartige Idee. Ehrlich gesagt fand ich schon immer, daß Zauberer irgendwie merkwürdig schmecken«, fuhr Eddie fort. »Nichts für ungut.«

»Keine Ursache«, sagte Barry.

»Ich meine, man mag schließlich immer das am liebsten, was man als Kind gegessen hat.« Eddie säuberte den Nagel seines kleinen Fingers mit einem Reißzahn. »Ich habe keine Ahnung, ob Ihre Verjüngung aufhören wird, wenn Sie ein Vampir werden. Und jeder, der Ihnen etwas anderes erzählt, lügt – aus reiner Geldgier.« Er senkte die Stimme. »Wir kriegen ein paar Kröten für jeden, den wir ›umdrehen‹. Die Kehrseite der Medaille ist, daß man es mit den Leuten, die man ›umgedreht‹ hat, bis in alle Ewigkeit aushalten muß – und die meisten sind ziemlich unerträglich. Daher kriegen wir immer weniger ›frisches Blut‹.« Eddie lächelte über sein armseliges Wortspiel, und Barry lächelte aus Höflichkeit mit. »Das Ministerium für Untotheit muß uns Bestechungsgelder zahlen, damit wir weiter Leute umdrehen, sonst würden wir aussterben. Sie würden sich wundern, wie viele Vampire jeden Tag in einen Pfahl stürzen oder aus Versehen Knoblauch essen. Ein Beispiel: Erst letzte Woche wollte ein

Freund von mir seinen Führerschein verlängern lassen. Er stellt sich an, wird bedient und geht dann raus ins grelle Tageslicht! Seine letzten Worte waren: ›Ich hätte nicht gedacht, daß es so lange dauert.‹« Eddie lachte. »So ein blöder Flughund. Wollen Sie wirklich keine Knochenmehlbiscotti?« fragte Eddie. Barry schüttelte den Kopf.

»Wie auch immer. In Ihrem Fall wäre mir die Ehre schon Lohn genug. Das Geld würde ich der Leukämieforschung oder so spenden.«

»Dann ist es also wirklich wie im Film? Man schläft den ganzen Tag, zieht nachts durch die Gegend und beißt andere Leute?« fragte Barry.

»Ja, aber das ist noch längst nicht alles«, sagte Eddie. »Denken Sie bloß nicht, es wäre wie ein Job, den Sie einfach kündigen können. Es ist ein Lebensstil. Es prägt Ihr Naturell.«

»Verstehe«, sagte Barry. »Werde ich neue Klamotten brauchen?«

»Aber ja«, sagte der Graf. »Doch das ist nicht weiter schlimm. Umhänge und solche Sachen sind billig, und man kann sie jederzeit secondhand kaufen, sofern einen das eine oder andere Pfahlloch nicht stört. Die Kosten sind nicht allzu hoch, wenn Sie Ihre Seele nicht mitrechnen.«

Graf Eddie hielt inne. »Übrigens – darf ich Sie fragen, was für ein Parfüm Sie benutzen? Es duftet phantastisch.«

»Gar k... oh«, sagte Barry, als der Groschen fiel. »*Des Femmes Anciennes*«, improvisierte er. Graf Eddie machte nicht den Eindruck, als ob er Französisch konnte. »Aber was mich am meisten interessiert: Sind Sie glücklich?«

»Ich bin nicht unglücklicher als irgendein anderer Witzbold, den Sie hier sehen«, sagte Eddie und fuchtelte mit dem Arm. Das klingt ja vielversprechend, dachte Barry. Das ganze Café war von Stöhnen und Lamentieren erfüllt. Allerdings waren die Zombies sehr viel munterer, als das Klischee es wollte – offenbar brauchte es nur ein bißchen Koffein, um sie auf Trab zu bringen. Ein paar Tische weiter spielten zwei von ihnen Schach.

»Du hast einen Finger verloren«, sagte der eine, hob besagten Körperteil auf und reichte ihn seinem Gegner.

»Versuch bloß nicht, mich abzulenken«, erwiderte der andere Zombie lächelnd und steckte den Finger in die Tasche eines zerschlissenen, vergammelten Hogwash-Blazers.

»Hören Sie«, sagte Graf Eddie und griff in seine Gesäßtasche. »Ich würde gern noch einen Spaziergang über die Lover's Lane machen, bevor es zu spät wird, aber ich möchte nicht, daß Sie sich zu einer Entscheidung gedrängt fühlen. Lesen Sie das hier.« Er übergab Barry eine Broschüre mit dem Titel »Wie werde ich Vampir?«, auf der eine glückliche, totenbleiche Familie abgebildet war, die augenscheinlich ein paar entsetzten Nonnen hinterherjagte. Nach ihrer Kleidung zu urteilen, war das Faltblatt seit den siebziger Jahren nicht mehr aktualisiert worden. Wie clever, dachte Barry – warum sollte man auch ohne Not das Thema Aids anschneiden?

»Nur keine Eile«, sagte der Graf. »Das ist das Schöne daran, ein Vampir zu sein – wenn man sich ein bißchen vorsieht, gehört einem die Ewigkeit.«

»Danke«, sagte Barry. »Ich werde es lesen. Und vielen Dank, daß Sie sich die Zeit genommen haben«, sagte er und stand auf, um Graf Eddie die Hand zu schütteln.

»Meine Nummer steht auf der Rückseite«, sagte Eddie. »Sie dürfen natürlich nicht tagsüber anrufen, aber ich würde mich sehr freuen, von Ihnen zu hören.«

Netter Kerl, dachte Barry, nachdem Eddie sich in eine

Fledermaus verwandelt hatte und davongeflattert war. Er bemerkte ein Mädchen am Nachbartisch, das weinend seinen Café latte trank.

Normalerweise war Barry nicht neugierig, aber irgend etwas an dieser Gestalt – ein Gothic-Zombie, der eindeutig vor nicht allzu langer Zeit noch ein Teenager gewesen war – brachte ihn dazu, sie anzusprechen. Vielleicht waren es die Ameisen, die die ganze Zeit in ihre Kopfwunde hinein- und wieder herausmarschierten. »Was hast du denn?« fragte Barry.

»Ach, es ist alles so furchtbar«, sagte sie. »Ich bin in Hogwash zur Schule gegangen. Letzten Sommer haben mein Freund und ich uns getrennt, und da hab' ich beschlossen, mich umzubringen.«

»Daran war Direktor Malfies schuld, was? Er war ein so schlechter Schulleiter, daß du dich einfach umbringen mußtest, stimmt's?« fragte Barry.

»Nein, wie gesagt: Es war wegen meinem Freund«, wiederholte das Mädchen verwirrt. »Wir haben ständig darüber gesprochen, wie schön der Tod ist, und da dachte ich, wenn ich tot bin, kann ich ihn zurückerobern.«

Während Barry versuchte, diese Logik zu entwirren, erzählte das Mädchen weiter. »Aber nachdem ich es getan hatte, flog ein Komet über die Erde hinweg und machte mich zu einem Zombie. Diese verdammte STRAHLUNG!« brüllte sie und haute mit einer solchen Wucht auf den Tisch, daß die Zuckertütchen tanzten. Der Kopf einer Mumie fuhr so schnell herum, daß er abfiel. »Was soll ich denn bloß tun? Jetzt bin ich noch unbeliebter als vorher. Alle, mit denen ich an der Schule rumgehangen habe, laufen vor mir weg. Und da ich kein Gehirn mehr hab', das ich mir wegpusten kann, muß ich für immer hierbleiben!« schluchzte sie. »Glauben

Sie, Stephen und ich kommen wieder zusammen? Er stand schon immer auf Mädchen mit blassem Teint.«

»Ähm … schon möglich«, sagte Barry. »Ich kenne jemanden mit einem Loch im Kopf, und der ist sehr beliebt.«

Das Mädchen war sofort Feuer und Flamme. »Sucht er eine Freundin?« fragte sie.

»Äh, nein«, sagte Barry. »Es sei denn, du riechst wie eine Frikadelle.«

»Ach so, na dann …«, sagte sie.

»Wie wär's denn mit dem Schachspieler da drüben?« fragte Barry und zeigte auf den Typen im Hogwash-Blazer.

»Niemals«, sagte sie. »Der hat das Verfallsdatum doch schon längst überschritten!« Gerade als er zu bedenken geben wollte, daß jemand, der untot war, nicht so anspruchsvoll sein sollte, bemerkte Barry eine Gruppe von Aliens, die durch die Bar gingen, verschiedenen Leuten auf die Schulter tippten und sie abführten.

»He!« brüllte Barry. »Und was ist mit mir? Was ist mit mir, ihr Arschlöcher?«

Ein Alien schaute ihn an und schüttelte den Kopf. Ein paar andere zeigten mit dem Finger auf ihn und lachten, was bei ihren winzigen, platten Mündern ziemlich irre aussah. Verärgert evaporierte Barry, ohne ein Trinkgeld zu hinterlassen. In einem Laden wie dem Vlad's wußte man nie, wie das aufgefaßt wurde.

Hermeline wartete in ihrem Zimmer auf ihn. Barry erzählte ihr von dem Treffen, und sie schauten sich zusammen die Broschüre an. »Gute Sozialleistungen«, sagte Hermeline.

»Ja, aber lies mal das Kleingedruckte: Sterbliche Angehörige ausgenommen.«

»Oh, verdammt«, sagte sie. »Das ist etwas irreführend.«

»Beerdigungskosten werden erstattet«, sagte Barry. »Mitglieder erhalten einen Rabatt auf Särge.«

Hermeline zitierte: »Bei uns kaufen Sie günstig, denn wir kaufen en gros!«

»Verlockend. Hey, der Freizeitpark hört sich gut an.«

»Ja, aber wer will da schon nachts hin?« sagte Hermeline. »Ich weiß nicht recht, Barry. Ich hab' das Gefühl, da nimmt man einiges auf sich.«

»Denk an die Ermäßigungen bei Kino- und Busfahrkarten«, sagte Barry. »Im Laufe von ein paar Jahrhunderten läppert sich das. Also, wenn du's machst, mach' ich's auch.«

»Und was ist mit den Kindern?«

»Nigel wird es toll finden, Vampire als Eltern zu haben«, sagte Barry. »Er findet uns langweilig.«

»Ich weiß nicht«, sagte Hermeline. »Nigel hat es momentan ohnehin nicht leicht. Ich glaube, er würde uns das übelnehmen.«

»Wahrscheinlich hast du recht«, seufzte Barry. »Wir wären viel cooler als er.«

»Das hab' ich nicht gemeint«, sagte Hermeline. Was wäre sie froh, wenn sie endlich nicht mehr mit einem Teenager verheiratet wäre. »Aber trotzdem: Wer nicht wagt, der nicht gewinnt.«

»Genau«, sagte Barry. »Es ist beruhigend zu wissen, daß man noch Alternativen hat.« Er machte das Licht aus, und Hermeline schmiegte sich von hinten an ihn.

»O ja, kuscheln«, sagte Barry.

Hermeline stützte sich auf einen Arm, so daß er ihr Gesicht sehen konnte. »Lieber knallen«, sagte sie. Als sie fertig waren – es dauerte eine Weile, weil er vergessen hatte, wie es ging –, starrte Barry an die Decke und fragte sich, wie alt er wohl war. Hermeline döste an seiner Schulter. Ihr morgendlicher Mundgeruch machte sich bereits bemerkbar, eine Spezialität *de la maison*. In die Stille hinein furzte jemand. Als Barry kicherte, merkte er, daß seine Nasenspitze irgendwie wehtat. »He, Hermi, hab' ich was an der Nase?« fragte Barry.

»Das ist bloß ein Pickel«, sagte sie – und dann erstarrten sie beide. Die Feuerakne war zurückgekehrt. Die Zeit lief Barry davon.

Kapitel dreizehn

EINE GUTE UND EINE
SCHLECHTE NEUIGKEIT

Am nächsten Morgen erwachte Barry mit einem weiteren beängstigenden Symptom. Beim Leeren seiner Blase schaute er an sich herunter und stellte fest, daß ihm der Großteil seiner Schamhaare ausgefallen war. Als er Hermeline seine Entdeckung vorführte, bekam sie einen Schreikampf.

»Ich bin nicht minderjährig, ich schwör's!« sagte Barry. »Ich *fühle* mich jedenfalls volljährig!« Nachdem sie sich beruhigt hatte, sagte er zu ihr: »Weißt du, es stimmt, was man sagt – ohne Haare sieht er tatsächlich größer aus.«

Wenn mir nur noch so wenig Zeit bleibt, dachte Barry, dann sollte ich sie mit meinem Sohn verbringen. Daher schlenderte er, sobald er sich angezogen hatte (was ein bißchen dauerte – sein alter Umhang war ihm zu groß geworden, so daß er gezwungen war, sich die Sachen eines Elftkläßlers auszuleihen, der mit einer Vulvaveela durchgebrannt war), hinunter in den Großen Saal, um sich zu Nigel und seinen Freunden zu setzen. Leider waren keine Freunde da, sondern nur Nigel. Er steckte gerade die Nase in ein Buch, einen Band aus der Reihe »Abenteuer à la carte« mit dem Titel *Norman Normal und der Fluch der jährlichen Prostata-Untersuchung.*

»Hi, Nigel, was dagegen, wenn ich mich zu dir setze?« fragte Barry.

»Hi, Dad. Was ist eine ›Prostata-Untersuchung‹?« fragte Nigel.

»Eine Foltermethode der Muddel«, sagte Barry.

»Oh«, sagte Nigel. »Wieso erfinden die denn so was?«

»Ich weiß nicht«, sagte Barry. »Ich denk' mal aus Unwissenheit. Das sind eben Wilde.«

»Hey«, sagte Nigel. »Hast du schon die gute Neuigkeit gehört? Ich meine, die schlechte Neuigkeit?«

»Nein, was denn?« fragte Barry.

»Erinnerst du dich an diesen Zimmergenossen von mir, von dem ich dir erzählt habe? Der, der immer einen Umhang getragen hat? Der, der Art Valumart kennenlernen wollte?«

»Und, ist er ein Vampir?« fragte Barry.

»Nein, er ist durchgedreht und vom Grittyfloor-Turm gesprungen. Das ist die schlechte Neuigkeit.«

»Okay. Und die gute?« fragte Barry.

»Immer wenn ein Schüler Selbstmord begeht, bekommen in dem Schuljahr all seine Zimmergenossen gute Noten«, sagte Nigel.

»A-ha!« sagte Barry begeistert. »Das heißt, du brauchst nicht mehr zu lernen, stimmt's?«

»Stimmt«, sagte Nigel.

»Dann sollte ich dir wohl ein bißchen Privatunterricht geben, was?«

»Okay«, sagte Nigel mit einem argwöhnischen Lächeln. Sein Dad verhielt sich neuerdings wirklich ziemlich merkwürdig.

»Nach dem Frühstück fangen wir an«, sagte Barry. »Wir machen rechtzeitig Schluß, so daß du dich noch in Ruhe auf das Quaddatsch-Match vorbereiten kannst.« Er flüsterte Nigel ins Ohr: »Habt ihr die Bleirohre gekriegt, die ich euch per Eulenpost geschickt habe?«

»Ja«, sagte Nigel. »Einem aus der Mannschaft ist seins auf den Kopf gefallen, aber bis zum Spiel müßte er wieder fit sein.«

Im Überschwang der Gefühle durchwuschelte Barry Nigels Haare. Normalerweise konnte Nigel das nicht ausstehen, aber er war so gut gelaunt, daß er die Geste erwiderte.

»Hey, Dad, du hast mehr Haare gekriegt«, sagte Nigel. »Sieht gut aus.«

»Danke«, sagte Barry und versuchte sich nicht anmerken zu lassen, wie sehr ihn das bedrückte. Nigel widmete sich wieder seinem Buch. Das samstägliche Frühstück im Großen Saal war eine ziemlich entspannte Angelegenheit. Die Schüler schliefen lange, und alle Hauselfen hatten den Tag frei. Das bedeutete allerdings, daß man nur zwischen Cornflakes, Toast und Essen, das schon am Abend vorher herbeigezaubert worden war, wählen konnte. Als erfahrener Hexenmeister konnte Barry jedoch jedes Gericht, das er haben wollte, aus dem Äther herbeizaubern, und das tat er auch. (Eine Frau in Amiens sah ihr Omelett verschwinden und schob das auf ihre Tabletten. Ein Mann in Omsk beobachtete, wie sein Orangensaft sich in Luft auflöste, und ging wieder ins Bett.) Toast und Cornflakes besorgte Barry sich auf die konventionelle Art.

Da der Toaster aus dem Großen Saal mit Professor Flipswitch durchgebrannt war, hatten die Hauselfen einen bedauernswerten Salamander gezwungen, seine Funktion zu übernehmen. Das funktionierte auch recht gut – abgesehen davon, daß die Eidechse immer Fußabdrücke auf dem Brot hinterließ. Auch die magnetische Milch, die an den metallenen Schüsseln hängenblieb und nicht verschüttet werden konnte, war ganz nach Barrys Geschmack.

Nigel stieß seinen Löffel in eine winselnde Masse. »Wenn man Zauberer zum Mond teleportieren kann …«

»Das hab' ich mal mit Drafi gemacht, während er schlief.«

»… wieso gibt es dann keine Cornflakes, die nicht matschig werden?« beschwerte sich Nigel. »Und wer ist überhaupt auf die Idee gekommen, Cornflakes eine Seele zu verleihen? *Den* würd' ich gern mal kennenlernen.«

»Ich weiß, Nigel, aber was sagst du dazu?« sagte Barry und drehte den Napf auf den Kopf.

»Das Zeug kann nicht gesund sein«, sagte Nigel. »Es schmeckt nach Blech.«

Junior kam mit einem Tablett vorbei. »Hi, Nigel, Tag, Mr. Trotter«, sagte er. »Darf ich mich zu Ihnen setzen?«

»Klar«, sagte Barry.

»Danke.«

Barry rührte seine Cornflakes um. Nigel hatte recht, sie waren matschig. »Hey, Junior, wie geht's deinem Dad – äh, Lee?«

»Gut«, sagte Junior. »Er geht jetzt zu den Anonymen Fummeltrinen und kommentiert wieder FA-Cup-Spiele.« Der FA-Cup* war die Quaddatsch-Profiliga für jene Versager, die aus allen anderen Ligen rausgeflogen waren. Sie zeichnete sich, wie der Name schon sagt, durch schlechte Spiele und ständige Skandale aus. Lees Vater war vor mehreren Jahren verhaftet worden, weil er sich vor einer Gruppe von Muddel-Siebtkläßlern exhibitioniert hatte (und zwar auf einer Messe für Technik zum Anfassen – er hatte sich als Ausstellungsstück zum Thema »Hydraulik« verkleidet). Aber da er berühmt war, kam Jardin mit ein paar Stunden gemeinnütziger Arbeit davon. Erstaunlicherweise schien

* Das Kürzel steht für »Flaschen und Armleuchter«.

der Vorfall seine Karriere nach einem kurzen Knick eher zu beflügeln. Von da an schickten ihm seine Fans Fotos, auf denen sie selbst als versaute »Exponate« zu sehen waren.

»Na prima«, sagte Barry. »Nigel hat mir schon von der guten Neuigkeit erzählt. Waren's Ohrwürmer?«

»*Sie* kennen sich mit Ohrwürmern aus?« sagte Junior beeindruckt. »Die dreißig Sickies haben sich aber echt gelohnt!«

»Vielleicht hast du noch nichts davon gehört, aber ich habe zu meiner Zeit auch ganz schön viel Unsinn angestellt«, sagte Barry. »Übrigens wollte ich Nigel nach dem Frühstück ein paar Geheimnisse verraten. Sollen wir zusammen in den Themenpark gehen?« Barry warf den beiden Jungs einen verschwörerischen Blick zu. »Ich will schließlich nicht riskieren, daß meine Tricks sich herumsprechen.«

Junior strahlte. »Das wäre echt cool, Mr. Trotter!«

»Du kannst Barry zu mir sagen«, sagte Barry grinsend.

Mit dem Park, der auf einer Insel mitten im See lag, ging es voran. Als man mit der Idee dafür an J. G. Rollins herangetreten war, hatte sie diese als »abscheulich« verurteilt – »ein schäbiger Plan, um meinen Fans noch mehr Gallonen aus der Tasche zu ziehen«.

»Ja, genau, brillant, nicht wahr?« hatte Luderwig begeistert erwidert.

J. G. war da anderer Meinung, und das bedeutete, wenn das Projekt überhaupt eine Chance haben sollte, mußte das Kuratorium sie irgendwie austricksen. Der Entschluß, den es faßte, war kühn, aber riskant: »The Hogwash Experience« sollte *nicht* auf J. G.s allseits beliebten, familientauglichen (und selbstverständlich mit deftigen Lizenzgebühren behafteten) Figuren basieren, sondern auf deren wahren Vorbildern – welche, wie wir wissen, von kleinen Schrullen bis zur Unausstehlichkeit das gesamte charakterliche Spektrum abdecken.

The Hogwash Experience sollte im Juni eröffnet werden, aber aufgrund eines Streiks (die Zwerge, die das verdammte Ding bauten, fühlten sich durch die Größenbeschränkungen der Fahrgeschäfte diskriminiert und weigerten sich die Arbeit fortzusetzen, solange diese nicht aufgehoben wurden) hing man ungefähr sechs Monate hinter dem Zeitplan zurück. Die große Eröffnungsfeier war für Weihnachten vorgesehen. Insgeheim bezweifelten alle, daß eine Achterbahn mitten im Winter besonders viele Menschen anlocken würde, aber es hätte niemandem etwas gebracht, wenn er Malfies darauf hingewiesen hätte. »Vielleicht wird's ihm eine Lehre sein«, schien die allgemeine Haltung zu sein, und Barry konnte sich dem nur anschließen.

»Guck mal, da ist eine Achterbahn!« sagte Nigel und deutete auf den gigantischen ersten Buckel von »Hermelines wüste Libido«. Seine Mutter fand das offen gesagt gar nicht komisch. »Das ist doch schon ewig her«, hatte sie eines Morgens beim Frühstück gemault. »Ich begreife nicht, wieso alle so viel Aufhebens um eine gewisse jugendliche Lebensfreude machen.«

Darauf hüstelte Barry: »Flittchen!«

Hermeline schnappte sich ein Stück Apfelsine von Nigels Teller und pfefferte es ihrem Mann an den Kopf. »Warum nennen sie das Ding nicht ›Hermelines Jahre der Selbsterfahrung‹?«

»Ich ess' das nicht mehr – das hat Dads Kopf berührt«, sagte Nigel, und das Gespräch wandte sich anderen Themen zu. Aber nun lag sie vor ihm, die gesamte sexuelle Vergangenheit seiner Mutter, zusammengezimmert aus minderwertigem Holz und vorgerostetem Stahl. (Wie nicht anders zu erwarten, war Malfies der König der Pfuscher.)

»Guck mal, ›Hafwids großer Humpen‹ ist schon fast fertig«, sagte Junior. »Ich glaube, man soll sich so lange in diesen Bierseidel setzen, bis einem das Frühstück aus dem Gesicht fällt.«

»Was?« fragte Barry.

»Sie wissen schon, Engelsstaub husten, den Kessel küssen, Merlin anrufen.« Hingebungsvoll imitierte er, wie sich jemand übergibt. Das hatte Barry in letzter Zeit oft genug getan, um sich als Meister dieser bescheidensten aller Künste zu betrachten. Junior hatte Talent, aber er mußte noch hart an sich arbeiten.

Die Jungs schlenderten davon, auf der Suche nach coolem Schrott oder Insekten, die sie quälen konnten. Überall um sie herum gruben und löteten, tünchten und pflasterten die übellaunigen Zwerge. Barry dachte, daß er manche Attraktionen nie freiwillig ausprobieren würde – zum Beispiel »Madame Ponce' Höhle der sexuellen Ambivalenz«. Aber im Grunde seines Herzens konnte er es kaum erwarten, den fertigen Park in all seiner grellen, beängstigenden, todbringenden Pracht vor sich zu sehen. Doch dann fiel ihm ein, daß er vermutlich vorher ins Gras beißen würde.

Sollte er Nigel davon erzählen? Hermeline und er wußten nicht, was sie machen sollten. Sie wollten ihn nicht beunruhigen – aber hatte er nicht das Recht, es zu erfahren? War ihm etwas aufgefallen? Würde er es früher oder später nicht ohnehin merken? Es war wirklich keine leichte Entscheidung.

Ein Tentakel, der eine wasserfeste Schreibtafel hochhielt, erhob sich aus dem See. Es war der Krake.

»Na, wie geht's?« hatte das Seeungeheuer gekritzelt. (Der Filzstift war grellpink, seine Lieblingsfarbe.)

»Ach, geht so«, sagte Barry. »Ehrlich gesagt, nicht so toll.«

Die Tafel verschwand unter den Wellen und tauchte dann wieder auf: »Wieso?«

»Jemand hat mich verflucht oder so. Ich leide an Infantilismus. Das macht mich jünger.«

»Na und?«

»Wenn ich nichts dagegen tue, bin ich irgendwann null Jahre alt und tot.«

»Oh.« Dann tauchte die Tafel wieder auf. »Pech für dich.«

»He!« sagte Barry. »Danke für das Mitgefühl, Octopussy.«

»War nur 'n Scherz«, schrieb der Krake. »Weiß deine Familie Bescheid?«

»Meine Frau«, sagte Barry. »Aber mein Sohn nicht. Meinst du, ich sollte es ihm sagen?«

Die Tafel verschwand und tauchte nach einer Weile wieder auf.

»Unbedingt.«

Der Krake kann erstaunlich gut schreiben, dachte Barry. »Okay, danke für den Rat. Ich glaube, ich mach's.«

Das Schild tauchte wieder auf. »Gern geschehen. Könntest du mir den anderen Jungen zuwerfen?«

Barry lachte. »Nein, das ist Nigels Freund. Aber sprich mich nach dem Quaddatsch-Match noch mal an.«

»Peace«, stand auf dem Schild. Der Krake bemühte sich, hip zu sein. »PS: Chesterfield ist mein Neffe.« Er verschwand.

Barry rief nach Nigel, der damit beschäftigt war, ein paar Arbeiter in einer Grube mit Steinen zu bewerfen. »Nigel, komm mal her.«

»Ja! Jippie!« Nigel führte ein Freudentänzchen auf. »Ich hab' gerade einen am Kopf getroffen!«

»Gut gema… Ich meine, laß das«, sagte Barry. Die Erziehung seiner Kinder war noch nie seine Stärke gewesen, aber der Umstand, daß er Tag für Tag unreifer wurde, machte die Sache nicht einfacher. »Nigel, ich muß dir etwas sagen.«

»Dad, ich weiß schon alles über Feen«, sagte Nigel. »Ich hab's auf ValuVision gesehen. Da war so eine Hexe mit riesengroßen …«

»Nein, nein, das meine ich nicht … Es ist nur … Hm … Der Krake ist der Onkel von Chesterfield, und er läßt ihn grüßen.«

»War's das? Kann ich gehen und weiter mit Sachen schmeißen?«

»Nein, warte«, sagte Barry. »Ich … Da ist noch was …« Barry verstummte und sah seinen Sohn nachdenklich an.

»Ähm, Dad, wird das noch was, bevor wir beide an Altersschwäche sterben?«

Barry lachte wehmütig. »Schön wär's.«

Nigel nahm eine kleine Lupe aus Plastik aus der Tasche und begann der Sache auf den Grund zu gehen. »Du hast da aber einen hübschen Pickel, Dad.«

»Du machst es mir nicht gerade leichter.«

»Au! Mist!« sagte Nigel und rieb sich das Auge. »Ich hab' in den Schweißbrenner geguckt. Glaubst du, daß ich jetzt blind werde?«

»Nein …«

»Aber *wenn* ich blind werde, kriege ich dann einen coolen Hund?«

Ungeduldig platzte Barry heraus: »Nigel, ich bin irgendwie verzaubert worden oder so, und das führt dazu, daß ich immer jünger werde.«

»Kannst du mir trotzdem das Autofahren beibringen?« fragte Nigel.

»Wenn wir das bald machen, schon.«

»Okay. Ich würde ja Mum fragen, aber die kann nicht mit einer Gangschaltung umgehen.« Dann stockte Nigel. »Moment mal – *bald*? Was soll das heißen?«

»Es soll heißen, daß ich sterbe. Ich lebe vielleicht nicht mehr lange«, sagte Barry leise.

Nigel explodierte. »Dieser verdammte Zauberkram. Diese bekackte, scheißbeschissene Magie!« Das Fluchen beherrschte Nigel noch nicht fließend, aber was ihm an Erfahrung fehlte, machte er durch Gefühl wieder wett. »Ich hab' dir ja GESAGT, daß das böse ausgeht! Ich hab' dich immer angefleht: ›Hör auf zu zaubern! Du bist ja zaubersüchtig!‹ Warum können wir nicht normal sein, wie Oma und Opa?«

»Das sind nicht *meine* Eltern, Nigel«, sagte Barry. »Ich bin ein hundertprozentiger Zauberer – ich kann nicht anders.«

»Du bist hundertprozentig schwachsinnig, das bist du«, sagte Nigel mit puterrotem Gesicht. Er zählte an seinen Fingern ab: »Deine Eltern: tot! Bumblemore: weg! Valumart: gruselig! ›Onkel‹ Serious: auf der Flucht vor der Spuksteuer! Mach dir doch nichts vor, Dad. Alle, die zaubern, sind irgendwann im Arsch.«

Barry machte den Mund auf, um sich zu verteidigen, doch dann machte er ihn wieder zu.

»Was hast du denn angestellt? *Weißt* du das überhaupt? Oder hat dich jemand verflucht, ohne einen Ton zu sagen, nur damit wir dir beim Sterben zusehen können?«

»So ungefähr«, sagte Barry.

»Na toll! Wir wissen noch nicht mal, wer der Wichser ist. Großartig!« sagte Nigel. »Ich gehe jetzt zu Mum! Mit dir rede ich kein Wort mehr.« Er stapfte in Richtung Brücke und Schule davon, aber vorher sagte er noch: »Vielen Dank, daß du mir mein Schuljahr verdorben hast, Schlappstab!«

Junior kam auf Barry zu. »Was ist denn mit Nigel los?«

»Nichts, Junior.«

»In Ihrer Familie können die Kinder also die Eltern beschimpfen, ohne eine geklebt zu kriegen?«

»Normalerweise nicht«, sagte Barry. »Das hier ist gewissermaßen eine Ausnahme.« Nigel konnte Junior selbst informieren, wenn er wollte. »Hey, Junior, hat dein Dad – Lee – dir mal erzählt, wie wir Victor Crumb mit Pißballons beworfen haben?«

Das Wort »Pißballon« weckte Juniors Interesse. »Ach, Quatsch!«

Die beiden machten sich auf zur Brücke, um zurück zur Schule zu gehen. »Und ob. Das war während der Weltmeisterschaft.« Wenn Barry so erwachsen gewesen wäre wie früher, hätte er mit Rücksicht auf Juniors Alter einige Einzelheiten weggelassen. Aber so enthüllte er jedes blutrünstige Detail »… und schließlich holte er uns ein und sperrte mich in einer Kabine auf dem Herrenklo ein.«

»Hat Ihnen jemand geholfen?« fragte Junior.

»Nein, die haben bloß gelacht, diese Wichser!« sagte Barry. »Crumb fing an, mich mit seinem Mop zu verdreschen! Und dein Dad stand bloß da und kommentierte das Ganze live!« Barry lachte. Solche Erinnerungen würden ihm fehlen, wenn er tot war.

Junior lachte mit. »Mr. Trotter, Nigel hat immer schon gesagt, daß Sie ein cooler Typ sind.«

»Ach ja?« antwortete Barry hocherfreut.

Kapitel vierzehn

DAS ENDE EINER
EXTREM KURZEN ÄRA

Obwohl das Grittyfloor-Quaddatsch-Team die Einzelheiten seiner mörderischen Spieltaktik für sich behielt, sickerte genug davon durch, um die gesamte Schule zum Match zu locken, denn jeder wollte sehen, was passieren würde. Während Drafis Amtszeit hatten alle Schüler, die nicht zum Haus Silverfish gehörten, es nicht leicht gehabt, und jetzt, da zwei alte Grittyfloor-Mitglieder die Schule leiteten, schien die Stunde der Abrechnung gekommen zu sein. Aber niemand ahnte, wie vernichtend sie sein würde.

Aufgrund der zahllosen Kopfverletzungen, die sie in ihrem Leben erlitten hatte, besaß die Quaddatsch-Lehrerin der Schule, Madame Knutsch, den Scharfsinn eines Gartenzwergs. Daher mußte Barry als einer der beiden Direktoren die Funktion des Schiedsrichters übernehmen.

»Ich werde versuchen, die Silverfish-Fans so lange wie möglich im Zaum zu halten«, sagte Barry der Grittyfloor-Mannschaft im Umkleideraum. »Früher oder später werden sie randalieren, also tut das, was ihr zu tun habt, so schnell wie möglich.«

Junior saß in der VIP-Loge neben Direktor Cringer.

»Ich finde es großartig, daß du die Familientradition fortführst und das Spiel kommentierst, Don«, sagte Hermeline. »Dein Vater ist bestimmt sehr stolz auf dich.«

»Dad hat gesagt, er nimmt mich von der Schule, wenn ich es nicht mache«, sagte Junior. »Ehrlich gesagt, Frau Direktor, ich bin ganz Ihrer Meinung. Quaddatsch ist dermaßen öde, das zieht selbst einem Tausendfüßler die Schuhe aus. Ich würde lieber an der Hex-Box meines Zimmergenossen ›Meuchel den Muddel‹ spielen.«

Hermeline runzelte die Stirn. »Das klingt aber nicht gerade nach einem Spiel für Fünftkläßler«, sagte sie. Die Mordlust, die vor jedem Quaddatsch-Match in der Luft lag, bereitete ihr immer wieder Magenschmerzen.

»Ich weiß! Deshalb macht es ja solchen Spaß!« Als die Teams Aufstellung nahmen, wurde Junior ernst. Ein Startschuß wurde abgefeuert (er verwundete Broadbottom), und das Spiel begann.

»Der Schiedsrichter gibt die Bälle frei … Silverfish schnappt sich die Waffel«, sagte Junior. »Sie rasen aufs Tor zu …«

Das Publikum schnappte nach Luft, dann hörte man vereinzeltes Gelächter.

»O nein!« sagte Don. »Es sieht so aus, als wären in der vordersten Linie von Silverfish massenhaft Spieler enthauptet worden!«

»Das kann doch unmöglich legal sein?« fragte Hermeline.

»Doch, doch«, schwindelte Don – das war *sein* Part in dem Plan. Nachdem er die Direktorin beschwichtigt hatte, fuhr er fort zu kommentieren. »Schon eilen die Sanihexer herbei. Keine Angst, Leute, sie werden weiterleben – konserviert in einem Glas!« sagte Junior. Drei Viertel des Publikums lachten.

»Ich finde das höchst geschmacklos«, knurrte der Blutige Laie.

»Wenn Snipe hier wäre, wüßte er genau, wem er Punkte

abziehen müßte«, sagte Luderwig Malfies. Er hatte Larval auf der Krankenstation besucht und sich dazu durchgerungen, ihn zugunsten eines neuen Klons abzuschreiben.

Das Spiel wurde fortgesetzt, und die Silverfish-Kurve beruhigte sich ein bißchen. Obwohl es dezimiert worden war, schoß ihr Team in rascher Folge drei Tore, bis die Grittyfloor-Mannschaft eine unsichtbare Palisade aus angespitzten Pfählen vor ihrem Tor errichtete. Nachdem mehrere Silverfish-Spieler aufgespießt worden waren, hielt der Blutige Laie es nicht mehr aus. Er forderte ein Time-Out, sprang aus der Loge und schwebte zu Barry hinüber.

»He, Schiedsrichter, das war ein klares Foul!« sagte er.

»Ich hab' nichts gesehen«, sagte Barry.

»Eben. Die Spieler auch nicht!« sagte der Geist und zückte ein Regelbuch. »Hier steht's. Paragraph zwölf (b): Wenn eine Mannschaft irgendwelche unsichtbaren Hindernisse vor ihrem Tor aufbaut, erhält die andere Mannschaft so viele Strafstöße, wie dadurch Spieler getötet oder außer Gefecht gesetzt worden sind.«

»Laß mal sehen«, sagte Barry gespielt lässig. »Ist das auch die neueste Ausgabe …? Na, da hol mich doch … Du hast recht.« Hinter dem Baron befestigte der Grittyfloor-Drescher gerade eine Napfschneckenmine am Mop eines Silverfish-Spielers. Barry stieß in seine Pfeife. »Drei Strafstöße!« Silverfish lochte alle ein. Dann explodierte die Napfschneckenmine, und ein mobiles schwarzes Loch im Silverfish-Tor sog nicht nur den Torwart, sondern obendrein die Waffel in einen anderen Teil der Galaxie.

Der Grittyfloor-Kader rastete aus – das war das erste Tor, das sie im ganzen Jahr erzielt hatten.

»Ich glaube, hier stimmt was nicht«, sagte Hermeline, die inzwischen den Braten roch. »Barry!« brüllte sie.

»Was ist?« sagte Barry. »Ich hab' zu tun – wir reden nach dem Spiel.«

Es war nur noch ein Silverfish-Spieler übrig, und das war der Hascher, T. Granville Puss. Obwohl die Grittyfloor-Spieler in der Überzahl waren, hatten sie keine Chance, dieses As auszumanövrieren – schon gar nicht ihr Hascher, Nigel. Um der Wahrheit die Ehre zu geben, verbrachte Nigel den Großteil aller Spiele damit, daß er sich, über Kopf hängend, mit Knien und Fingernägeln an seinen Mop klammerte.

»Deswegen habe ich ja einen Plan«, hatte Barry seinem Sohn vor dem Spiel zugemurmelt. »Nigel, du darfst den Schmatz nicht fangen.«

»Keine Sorge«, lachte Nigel. Langsam begann er, seine armseligen Flugkünste mit einer gewissen Selbstironie zu betrachten. »Und warum?«

»Zwing mich nicht, es dir zu erklären«, sagte Barry. »Damit würde ich mich strafbar machen. Halt dich einfach fern von dem Ding.«

So kam es, daß Puss der einzige Spieler war, der dem Schmatz hinterhersauste, obwohl dieser Grittyfloors einzige Chance war, das Match zu gewinnen.

»Puss hat den Schmatz entdeckt – Grittyfloor hat ihn sich nicht geholt!«, rief Junior aufgeregt. »Puss muß sich ganz schön ins Zeug legen, um ihn zu kriegen.« Das Publikum hielt die Luft an. Hermeline schwante Böses.

»Er hat ihn! Silverfish …«

Plötzlich wurde das Spielfeld von einer gewaltigen Explosion erschüttert. Puss wurde in tausend Stücke zerfetzt. Doch als der Rauch sich verzog …

»Ich hab' ihn!« rief Nigel. Ein glücklicher Zufall hatte Puss' abgetrennte Hand, die immer noch den Schmatz umklammerte, in Nigels Richtung fliegen lassen. Ohne einen Gedanken daran zu verschwenden, wie ekelhaft das Ganze war, hatte er blind danach gegriffen, und so war Puss' nun herrenloser Körperteil in Nigels ausgestreckter Hand gelandet!

»Grittyfloor hat gewonnen!« brüllte Junior. Das Publikum tobte. Wütende Silverfish-Schüler begannen in die anderen Fankurven einzudringen und wild um sich zu schlagen, um ihrer Enttäuschung Luft zu machen. Der Blutige Laie hatte den leeren Schädel vom Beinahe Hirnlosen Bill im Schwitzkasten, und dieser peitschte ihm seinerseits wieder und wieder sein nasses Kleinhirn ins Gesicht.

»Igitt«, sagte Nigel und schwebte zu Boden. Er ließ die Hand fallen und wurde sogleich von seinen Mannschaftskameraden bestürmt. Unterdessen flitzten die Sanihexer hin und her und sammelten die Überreste des armen Puss ein.

Auf Barry wartete bei seiner Landung ein weniger herzlicher Empfang.

»Das fandest du wohl lustig?« sagte Hermeline.

»Ja!« sagte Barry.

»Mehrere Silverfish-Schüler sind tot und diverse andere dazu verurteilt, in Gläsern eingepökelt fortzuleben – und das alles für so ein blödes Spiel?«

»Hermi, hast du Nigels Gesichtsausdruck gesehen?« fragte Barry. »Für ihn ist das mehr als nur ein Spiel.« Das besänftigte sie ein bißchen. »Und komm schon«, fuhr Barry fort, »das sind Silverfish-Deppen, die verdienen es nicht besser.«

Hermelines Wut war erneut entfacht. »Genau das ist das Problem an dieser Schule – das war schon *immer* das Problem!«

»Du bist süß, wenn diese Ader an deiner Stirn hervortritt«, sagte Barry.

»Klappe! Zum Beispiel diese ganze *Fehde* zwischen dir und

Valumart«, zürnte Hermeline. »Dahinter steckt doch letzten Endes auch nur die alte ›Mein Haus ist besser als dein Haus‹-Leier. Wer dabei alles zu Schaden kommt, danach fragt natürlich keiner!« Barry konnte ihr nicht folgen. Schließlich war er ein Achtunddreißigjähriger, der rapide auf die dreizehn zuging. »Sei doch kein Spielverderber«, sagte Barry. »Manchmal bist du dermaßen verklemmt …«

Das ließ Hermeline sich nicht sagen. »›Verklemmt‹? ›Verklemmt‹? Wenn es etwas gibt, das ich nicht bin und nie war, dann ist das verklemmt!« brüllte Hermeline. »Aber das wird sich jetzt ändern, denn wenn du glaubst, ich laß dich in den nächsten vier Wochen noch mal ran, dann hast du dich getäuscht, du Quaddatsch-Held!«

Sie stampfte davon. Barry wurde plötzlich klar, daß alle Anwesenden Zeuge dieser Szene geworden waren. O nein, dachte Barry. Die werden mich für einen Pantoffelhelden halten! Schnell, ein deftiger Spruch muß her: »Mir doch egal, du alte Hexe!« grölte Barry und gesellte sich zum Grittyfloor-Team, das seinen Sohn gerade von oben bis unten mit Dragonade bespritzte.

Hermeline war nicht die einzige, die etwas gegen Grittyfloors Extrem-Quaddatsch einzuwenden hatte. Zwei Tage später erhielten Barry und Hermeline eine Eulenpost von Luderwig Malfies, der ihren sofortigen Rücktritt forderte.

»Die Schüler sind unsere Haupteinnahmequelle«, hieß es in dem Brief. »Man kann sie nicht einfach reihenweise umbringen. Selbst in seinen größenwahnsinnigsten Momenten hat Drafi die Schüler einzeln getötet und dafür gesorgt, daß es wie ein Unfall aussah, oder es einem anderen Schüler in die Schuhe geschoben. Jede andere Vorgehensweise beschädigt das Ansehen der Schule und verstößt gegen ihre ehrwürdigsten Traditionen.

Direktor Trotters direkte Beteiligung an der ruchlosen Ermordung und Verstümmelung des Silverfish-Quad-datsch-Teams ist durch nichts zu rechtfertigen. Außerdem hat sie mehrere Kuratoriumsmitglieder einen ganzen Batzen Geld gekostet.

Angesichts Ihres Fehlverhaltens haben das Kuratorium und ich Professor Opla Mumblemumble gebeten, Sie mit sofortiger Wirkung als Interimsdirektor abzulösen.«

Vor Wut schäumend, packte Hermeline ihre Sachen und ging. Sie schlief nun in anderen Gemächern als ihr Mann, der ohnehin zunehmend länger aufblieb, um Hex-Box zu spielen. (Inzwischen war er süchtig nach »Meuchel die Muddel«.*) Einmal versuchte Barry sich in ihr Schlafzimmer zu schleichen, aber Lon schlief vor der Tür.

Professor Mumblemumble war keineswegs begeistert, Direktor der berühmtesten Zauberschule der Welt zu werden. Er nahm seine Beförderung eher gelassen. Wenn man sich anschaute, wie er den Vorsitz über den Hohen Tisch der Lehrer führte, wie er jeden aufkeimenden Streit während des Abendessens im Keim erstickte, wie er sich mit dem abgenagten Bügel seiner Lesebrille Essen aus den Zähnen pulte, wie er die Soße mit seinem langen, weißen Bart auftunkte und ihn dann auslutschte, dann konnte man fast meinen, in Mumblemumble lebe der Geist von Alpo Bumblemore weiter.

Das erste, was Hermeline nach achtundvierzig Stunden

* (»Dad, geh ins Bett!« – »Nur noch ein Level, Nigel. Ich ballere mich gerade durch das UNO-Gebäude.«)

zu ihrem Mann sagte, war dann auch: »Ich glaube, Mumblemumble und Bumblemore sind ein und dieselbe Person.«

Barry konnte es nicht fassen. »Geht das schon wieder los! Ich weigere mich, meine wertvolle Zeit damit zu verschwenden, mir deine schwachsinnigen Theorien anzuhören«, sagte er und bückte sich unter den Hohen Tisch, um mit Lon »Polizeirevier« zu spielen. Jeder weitere Versuch, ihm ihre Argumente vorzutragen, wurde mit Explosionsgeräuschen und Walkie-Talkie-Dialogen quittiert.

»Krrscht«, sagte Barry. »Hermeline ist eine Null, over.«

Lon lachte. »Genau. Krrscht, Hermeline …«

»Sag, du hast verstanden, Spasti!«

»Du hast verstanden«, sagte Lon.

»Nein!« sagte Barry. »Ach, vergiß es.«

Obwohl viel dagegen sprach, sah es aus, als habe Barry recht, denn Direktor Mumblemumble machte eine Ankündigung, die Bumblemore so gar nicht ähnlich sah. Bumblemore war überzeugt, die Fähigkeit zu zaubern sei einem ebenso in die Wiege gelegt wie die, die Zunge zu rollen. Seiner Ansicht nach handelte es sich dabei um etwas, das man zwar fördern, aber nicht steigern oder gar messen konnte. Entweder man hatte »es«, oder man hatte »es« nicht. Daher war das letzte, was Bumblemore unterstützen würde, ein allgemeiner Zaubertest für die ganze Schule. Aber genau den kündigte der neue Direktor an.

Mumblemumble wurde während seiner Ansprache durch einen unsichtbaren Schild geschützt. »Der Test, für den man übrigens nicht im voraus pauken kann, wird diesen Samstag durchgeführt, also in zwei Tagen. Er wird ungefähr eine Stunde dauern. Wir haben den Test extra auf einen Samstag gelegt, damit ihr nichts von eurem normalen Unterricht versäumt.«

Die Schüler reagierten auf diese Neuigkeit mit einem Hagel von Lebensmitteln, der auf den ahnungslosen Barry niederprasselte, denn Mumblemumble hatte seinen unsichtbaren Schutzschild auf Kippe gestellt.

»Hey! Paßt doch auf!« sagte Barry, als die ersten Geschosse ihn trafen. Dann schnappte er sich einen Brötchenkorb und begann zurückzufeuern. Mumblemumble setzte seine Ansprache fort.

»Es ist eine große Ehre, daß Hogwash als erste Zauberschule der Welt für diesen Test auserwählt wurde, und jeder von euch sollte sich dabei anstrengen, so gut er kann. Nachdem die Quaddatsch-Saison aufgrund der unerfreulichen Vorfälle des letzten Spiels vorzeitig beendet wurde ...«

Was, wirft mir jetzt jeder Direktor böse Blicke zu? dachte Barry und zückte dann ein weiteres Brötchen.

»... wird das Haus, das bei dem Test am besten abschneidet, den Hauspokal gewinnen.«

Dann muß ich mich wohl geirrt haben, dachte Hermeline nach der Ansprache und schob lustlos Gemüse auf ihrem goldenen Teller hin und her. Dann kam die ewige Musterschülerin in ihr durch: Ob ich wohl auch an diesem Test teilnehmen kann? Nur um zu zeigen, daß ich es immer noch draufhabe ...

Kapitel fünfzehn
DER HASE IM PFEFFER

Am nächsten Tag saß Hermeline wieder in der Bibliothek. Sie war ausgesprochen ratlos und deprimiert. Zum ersten Mal, seit sie denken konnte – vielleicht überhaupt zum ersten Mal – gab es für ein Problem keine Lösung. Oder vielleicht konnte sie sie auch nur nicht finden. Diese Möglichkeit war zu niederschmetternd, um darüber nachzudenken. Seit sie als Direktorin gefeuert worden war, hatte sie jede wache Minute damit verbracht, nach einem Gegenmittel zu suchen. Sie war sauer auf Barry, verdammt sauer, und sie würde ihn nicht sterben lassen, ohne ihn vorher dafür büßen zu lassen. O ja, Hermeline war entschlossener denn je, Barry das Leben zu retten – ihr würde schon noch eine Möglichkeit einfallen, wie sie es ihm anschließend zur Hölle machen konnte.

Immerhin war der Infantilismus-Zauber gar nicht mal so schwierig – schon als Teenager hatte sie angefangen, der Zeit das eine oder andere Schnippchen zu schlagen. Verdammt noch mal, hatte sie sich nicht mit sechzehn Paul McCartney monatelang als eine Art Haustier gehalten? (Für ihn war es nur ein bizarrer Traum, aber für sie war es ein denkwürdiger Sommer.) Sie hatte ihn auf knapp zehn Zentimeter schrumpfen lassen, und immer wenn sie ihm seine normale Größe zurückgeben wollte, machte sie ihn naß –

schließlich hatte sie keinen Bock auf unnötige Diskussionen mit Mum und Dad (»Hermeline, was macht Paul McCartney in unserem Badezimmer?«). Am Ende flog sowieso alles auf – sie geriet mit Paul in der Tasche in einen Sommerregen. Ihre Bluse platzte auf, und sie wurde wegen Exhibitionismus verhaftet. (Die Autofahrt mit ihrem Dad nach Hause hatte dem Wort »Alptraum« eine ganz neue Bedeutung verliehen.)

Kurz gesagt: Hermeline Cringer kannte sich aus mit der Zeit, ihre Schleichwege und Einbahnstraßen waren ihr bestens vertraut, und dennoch konnte sie nichts gegen diesen Zauber ausrichten. Das roch verdammt nach Lord Valumart. Doch der hatte ein Alibi.

Vielleicht hat ja gar keiner gezaubert, vielleicht ist es einfach passiert, sagte sich Hermeline, während sie im hundertsten oder auch zweihundertsten Wälzer blätterte. Vielleicht gibt es kein Gegenmittel. Vielleicht hat das Schicksal einfach kein längeres Leben für Barry vorgesehen. Nach so vielen Sackgassen und Wegen, die nach einem vielversprechenden Start im Nichts endeten, war die Saat des Zweifels nicht nur gesät, sondern sie war zu einem ganzen Gestrüpp von Zweifeln herangewachsen, und dieses Gestrüpp bildete wiederum ein ganzes Gewirr von Hecken – wie nennt man das noch mal? Ich weiß genau, daß es einen Namen dafür gibt. Egal, Sie wissen schon, was ich meine. In diesem Wie-auch-immer-es-heißen-mag irrte sie also herum, und vielleicht sollte ich mir einen besseren Wortschatz zulegen oder mir einen anderen Job suchen.

»Die Bibliothek schließt in fünf Minuten«, sagte die körperlose Stimme von Madame Ponce. »Wer noch etwas ausleihen möchte, möge jetzt bitte nach vorne kommen. Alle, die gerade ein Nachschlagewerk benutzen, werden gebeten, es jetzt zurückzugeben, damit es wieder einsortiert werden kann.«

Hermeline las schneller, in der Hoffnung, in den letzten Minuten noch den Schlüssel zu finden. Schüler gingen lachend und scherzend an ihr vorbei. »Udos Umkehrformel« – das klang vielversprechend … Verdammt, die funktioniert nur bei Katzen. Und was nützt mir das? Vielleicht ein Zwickmühlenzauber …?

»Ähem.« Madame Ponce stand vor ihr, die spiddeligen Arme voller Bücher.

Hermeline fuhr zusammen. »Oh, Madame Ponce, haben Sie mich erschreckt! Ich war gerade ganz vertieft.«

»Und was veranlaßt Sie, sich so intensiv mit« – Ponce warf einen Blick auf das Buch – »*Merlins Leitfaden* zu beschäftigen? Es würde mich schwer schockieren, wenn *Sie* jemals einen Zauberspruch verhauen hätten!« sagte sie. Ihre Kleidung war wie immer merkwürdig geschnitten und äußerst trist. Sie trug ausschließlich säurefreie Stoffe.

Hermeline war entschlossen, nichts zu verraten, solange sie nicht genau wußte, was mit Barry los war. »Oh, ich wollte nur mal nachsehen … wie man Wein für eine Dinnerparty altern läßt.«

Ponce war ernsthaft beunruhigt. »Um Himmels willen, nehmen Sie dafür bloß nicht den *Merlin!* Sie wollen ihn doch nicht in Nitroglyzerin verwandeln!« Der vollständige Titel des Buches lautete *Merlins Leitfaden zum Ausbügeln schwerer magischer Pannen.* Es galt allgemein als letzter Strohhalm in extremen Notsituationen – die Rezepturen darin waren ungenau, unpraktisch und ungeheuer wirkungsvoll. Der *Merlins* empfahl jene Art von Behandlung, nach der man nur noch sagen konnte: Operation gelungen, Patient tot.

»Ich habe genau das richtige Buch für Sie«, sagte Ponce.

»Haben Sie schon *Leck ein bißchen* von Nutella Larsson gelesen? Es geht darin vor allem um Gifte, aber im hinteren Teil gibt es eine Umrechnungstabelle. Ich kann es Ihnen allerdings erst morgen zeigen – wir schließen jetzt.«

Hermeline stand auf. »Okay«, sagte sie. »Soll ich Ihnen das Buch hier geben?«

Ponce schüttelte den Kopf. »Ich hab' genug damit zu tun, die hier zurückzustellen, und dann muß ich auch los. Ich bin mit diesem hinreißenden ausländischen Professor zum Abendessen verabredet.« Seit wann ist eine mit getrockneten Essensspritzern übersäte Sturmhaube hinreißend? dachte Hermeline. »Legen Sie es vorn auf den Tresen.«

»Alles klar, Madame Ponce«, sagte Hermeline. »Danke für Ihre Hilfe.«

Die Bibliothekarin lächelte, dann drehte sie sich um und ging einen Gang hinunter.

Hermeline packte ihre Sachen zusammen und nahm das Buch in die Hand. Gott, war das schwer, und es schien zu vibrieren. Sie mußte daran denken, wie sie und ihre Freundinnen sich früher zum Spaß auf Bücher gesetzt hatten. Vielleicht hatte jemand genau das Werk, das sie brauchte, falsch ins Regal gestellt. Schließlich wüteten die Schüler hier wie kleine Wikinger. Jeden Abend pflegte Madame Ponce den *Abiszet*-Zauberspruch zu sprechen, und alles flog an seinen Platz zurück. Aber schon am Mittag des nächsten Tages war die Bibliothek wieder ein Monument des Chaos.

Sie legte das Buch auf den Tresen. Vielleicht, wenn sie es nur noch einmal versuchte … Sie zog eine Schublade des Katalogs auf und blätterte die Karteikarten durch. Die Schublade kicherte.

»Psst!« sagte Hermeline und blätterte weiter. Diesmal lachte die Schublade laut auf.

Das hatte Ponce gehört. Ihr Kopf tauchte aus dem Gang auf. »*Gute Nacht,* Hermeline«, sagte sie, offensichtlich ein bißchen verärgert. »Ich muß schließen.« So ging das schon seit Hermelines Schulzeit.

»Tut mir leid, Madame Ponce, ich wollte gerade gehen«, sagte Hermeline. Sie nahm ihre Sachen, um aufzubrechen, als ihr etwas hinter Ponce' Schreibtisch ins Auge fiel. Es war ein Leihverzeichnis mit der Aufschrift »Kollegium«. Hermeline mußte daran denken, wie prompt und unerbittlich einem Madame Ponce' Mahnungen ins Haus flatterten, sobald ein Buch auch nur eine Sekunde überfällig war. Und wenn man den Briefschlitz verstopfte, ergossen sie sich durch den Kamin, durch die Oberlichter, unter der Tür durch … Zauberpost läßt sich nicht recyceln, und was soll der ganze Aufstand, wo man das blöde Buch doch einfach kaufen kann?

Vielleicht würde das Leihverzeichnis sie auf ein paar Ideen bringen, in welchen Büchern sie noch nachschauen konnte. Oder, dachte Hermeline, vielleicht finde ich darin sogar einen Hinweis, wer Barry verzaubert hat … Sie *mußte* einfach einen Blick hineinwerfen.

Am anderen Ende des Raums gingen ein paar Lichter aus – Madame Ponce würde jeden Moment aus ihrem Gang auftauchen. Hermeline stützte sich mit beiden Händen auf die Marmorplatte, schwang sich flink über den Tresen und landete neben dem Hochstuhl, von dem aus Ponce alles zu überwachen pflegte, was in der Bibliothek vorging. (Die etwas erhöhte Sitzposition erleichterte es ihr, sofort einzugreifen, wenn ein Schüler beim Lesen geistesabwesend an sich herumspielte.) Sie hörte, wie Ponce pfeifend zurückkam – war das etwa »The Book of Love«? Zu ihrem Entsetzen fiel Hermeline ein, daß ihre Tasche immer noch auf dem Tresen lag. In der Hoffnung, die Bibliothekarin würde sie nicht sehen, griff sie nach dem Gurt und riß sie zu Boden. Dann quetschte sie sich in den Hohlraum unter dem Tisch. Und wenn Ponce sie nun entdeckte – was dann? Sie würde wohl kaum nachsitzen müssen, aber andererseits war Madame Ponce innerhalb der Mauern der Bibliothek von Hogwash so etwas wie ein König oder eine Königin. Vermutlich hatte man ihr auf der Bibliothekarsschule alle möglichen obskuren Foltermethoden beigebracht – Daumenfesseln, die Fußsohlen mit Lesezeichen auspeitschen, mit Papier so oft in die Finger schneiden, bis man verblutet … Das Pfeifen kam näher, und die fluoreszierenden Kohlenbecken verloschen eins nach dem anderen.

Unten auf dem Fußboden wetteiferte der Staub von tausend dicken Zauberbüchern darum, Hermeline in die Nase zu steigen. Sie nieste.

Das Pfeifen verstummte. »Hallo? Ist da jemand?« fragte Madame Ponce mit lauter Stimme. Als niemand antwortete, sagte sie: »Ich möchte daran erinnern, daß auf das unerlaubte Stöbern in der Bibliothek Kastration steht.«[*] Hermeline rührte sich nicht. Als ihr dann sogar ihr Atem zu laut vorkam, hielt sie die Luft an.

Nach einer schieren Ewigkeit verzog sich Ponce und schaltete die Haupt-Kohlenbecken aus. Hermeline hörte, wie die Tür der Bibliothek geöffnet wurde. Ponce trat über die Schwelle in den Flur hinaus, sagte mit energischer Stimme »*Abiszet!*« und knallte die Tür zu.

---

[*] Diese Strafe mag zwar übertrieben wirken, sie zielte jedoch auf das vermutete Hauptmotiv für den Aufenthalt in der Bibliothek nach Feierabend ab: Viele Schüler wollten den Gerüchten über eine geheime Sammlung antiker Pornographie auf den Grund gehen, die angeblich aus der Bibliothek von Alexandria entwendet worden war, bevor diese abbrannte.

Hermeline kam sich plötzlich vor wie in »Meuchel die Muddel«. Die Luft war von hin und her sausenden Büchern erfüllt, manche schlossen sich mit einem Knall, bevor sie zu ihrem Regal schwebten, andere erreichten ein solches Tempo, daß sie im Wind flatterten. Wer auch immer in dieses Kreuzfeuer geriet, würde garantiert nicht ungeschoren bleiben: Während ein Taschenbuch einem vielleicht nur eine Rippe brach, konnte man durch ein Hardcover ohne weiteres ein Auge verlieren oder k. o. gehen. Und ein Wörterbuch brachte einen womöglich um, wenn es einen richtig traf.

Immer noch unter dem Tisch hockend, langte Hermeline nach oben und tastete auf dem Tresen herum. Sie erwischte etwas, das ungefähr das richtige Gewicht hatte, aber als sie versuchte, es nach unten zu ziehen, traf ein fliegendes Telefonbuch sie am Musikantenknochen. Die gute Nachricht war, daß sie sich nicht getäuscht hatte – es war tatsächlich das Leihverzeichnis. Die schlechte Nachricht war, daß der Umschlag beim Herunterfallen einen großen, deutlich sichtbaren Knick bekam. Das würde Ponce garantiert auffallen. Hexen waren keine Muddel.

Doch es war zu spät, sich darüber Gedanken zu machen. Hermeline nahm sich das Buch vor. Professor Flipswitch bildete sich laufend fort (für einen Roboter zugegebenermaßen keine besonders schwere Aufgabe, aber andererseits: Wozu um Himmels willen brauchte man einen »Lenden-Leitstrahl«?) Professor Kraut hatte sich Hunderte von Büchern über Pflanzen angeschaut, von gewöhnlichen bis zu exotischen Arten. Aber da sie offenbar allesamt aus der Reihe »Auf dem Trip um die Welt« stammten, bezweifelte Hermeline, daß ihr Interesse rein akademischer Natur war. Snipe bevorzugte aus nunmehr offensichtlichen Gründen Kriminalromane, und Bumblemore …

»Moment mal«, sagte Hermeline laut. »*Bumblemore?*«

Da stand es, in Ponce' verkrampfter Handschrift: »Alpo Bumblemore.« Und die letzte Eintragung war von gestern!

Hermeline schlug das Herz bis zum Hals. Sie hatte also von Anfang an richtig vermutet! Opla Mumblemumble und Alpo Bumblemore waren *Brüder!* Und Snipe? Hatte natürlich nicht das Geringste damit zu tun! Auf so eine Schwachsinnsidee konnte auch nur Barry kommen.

Und für welche Bücher hatte er sich interessiert? Es war kein roter Faden zu erkennen. *Gedemütigt durch die Medien – na und?*, *Wie man eine überzeugend wirkende Schlägerei inszeniert*, *Untertauchen leicht gemacht* ... Moment mal!

Konnte das sein? Waren Opla Mumblemumble und Alpo Bumblemore etwa *ein und dieselbe Person?* Das entbehrte nicht einer teuflischen, albernen, nicht besonders intelligenten Logik, mit anderen Worten, es entsprach genau dem Niveau dieses Buchs! Und Madame Ponce wußte Bescheid. Warum behielt sie das Geheimnis dieses Mannes für sich? Etwas extrem Gottloses und Perverses ging Hermeline durch den Kopf, und jener »sechste Sinn«, der dafür reserviert war, den Wahrheitsgehalt von gottlosen, perversen Gedanken zu beurteilen, sagte ihr, daß es wahr war. Bevor ihr der Schokoriegel, den sie nachmittags immer als kleinen Muntermacher zu sich nahm, wieder hochkam, blätterte Hermeline um.

Es folgten weitere Titel, die per Fernleihe aus einer anderen Bibliothek bestellt worden waren: *Zauber dich reich*, *Mein Leben als Muddel – Jahrzehnte undercover*, *Zauberer im Untergrund*. All diese Werke deuteten auf ein Leben auf der Flucht hin. *Wie man sich als angeblicher Ausländer tarnt*, *Wie man leicht zu durchschauende Pseudonyme erfindet*. Es ist doch immer wieder ein schönes Gefühl, recht zu haben, dachte sie, während die Bücher weiter über ihrem Kopf hin und her flitzten.

Aber was hatte es mit dem nächsten auf sich, *Teleportation im großen Stil?* Was wollte Bumblemore teleportieren? Das konnte alles sein – Goldbarren, Prostituierte aus Thailand, unverschnittenes peruanisches Koks … Es gab nichts, was dieser alte Knacker nicht tun oder wofür man in Valumart nicht einen dankbaren Abnehmer finden würde. In letzter Zeit hatte Bumblemore vor allem Reiseführer ausgeliehen: *Let's Go: Mu, Die FKK-Strände von Lemuria* … Welches Buch hatte Mumblemumble noch mal in der Hand gehabt, als sie sich in der Verbotenen Abteilung getroffen hatten? Es war gar keins über Atlanta, sondern eins über *Atlantis*! Und dann war da noch ein letzter, verwirrender Titel aufgeführt: *Döskopp: Die inoffizielle Biographie des berüchtigten Niccolo von Pollomusca.* Hä?

Das war der letzte Eintrag. Hermeline wußte nicht, wie all das zu Barrys Infantilismus paßte, aber wenn Bumblemore am Leben war und irgendwelche Intrigen schmiedete, hatte er garantiert etwas damit zu tun. Das spürte sie. Doch warum sollte er Barry töten wollen?

Ein weiterer spezieller Sinn (beim wievielten sind wir denn jetzt – beim achten? Oder neunten?) sagte sich Hermeline plötzlich, daß sie die Bibliothek verlassen mußte, und zwar schleunigst. Was auch immer Bumblemore im Schilde führte – es war auf jeden Fall nichts Gutes. Aber die Bücher … Sie würde sich einfach ein paar Wälzer über den Kopf halten und das Beste hoffen.

Hermeline strich den Umschlag des Leihverzeichnisses so glatt es ging und legte es dann auf den Tresen. Sie hockte sich dahinter, so daß sie gerade über die Marmorplatte hinweglugen konnte, und versuchte abzuschätzen, ob die Bücher bald zur Ruhe kommen würden. Nach ein paar Minuten wurde sie ungeduldig.

»Ach, verdammt!« sagte Hermeline und stürzte sich in den Mahlstrom der Literatur. Eine vorbeizischende Inkunabel verpaßte ihr zwar einen häßlichen blauen Fleck, aber es gelang ihr, halbwegs unversehrt aus der Bibliothek zu schlüpfen.

Jetzt, da Barry wieder ein Kind war, aß er gern früh zusammen mit den Schülern zu Abend und ging dann Hex-Box spielen, bis sie ihn rauswarfen. Dann stieg er in Godawfles Grotte hinunter, um Bier zu trinken und irgendeiner grauenhaften Schülerband zuzuhören, die wild herumrockte und mit heiligem Ernst auf ihre Gitarren eindrosch. Wenn er schon ziemlich einen sitzen hatte, krallte sich Barry irgendeinen unseligen Schüler und ließ sich darüber aus, wie unnütz doch das Lernen war. »Ich hab's auch so geschafft, oder etwa nicht?« lallte er und beugte sich so dicht zu dem Jungen hinüber, daß dessen Hemdkragen unter Barrys Bierfahne welkte. Die Schüler lernten, ihm zuzustimmen, einfach um ihn wieder loszuwerden. Es gelang ihm aber durchaus, einige zu überzeugen: Seit seiner Ankunft waren die Leistungen der Schüler stetig gesunken.

Meistens kam der ehemalige Direktor erst gegen vier Uhr morgens in sein Zimmer gestolpert, nachdem er mehrere Stunden lang mit ein paar Elftkläßlern darüber gestritten hatte, ob man ein Anpasser ist, wenn man einen Job annimmt, bei dem man eine Hose tragen muß. Als Hermeline also in Barrys Zimmer ging, um ihm die Neuigkeit zu erzählen, war er nirgends zu sehen. Obwohl ihre Entdeckung ihr ein Loch ins Gehirn brannte, mußte Hermeline sie – zumindest vorerst – für sich behalten.

Morgen stellen wir Alpo zur Rede, dachte sie. Ja, das machen wir, und wir zwingen ihn dazu, uns seinen Plan zu verraten. Und dann drohen wir, ihn auffliegen zu lassen, wenn er Barry nicht wieder entzaubert. Hermeline wartete auf ihren Mann, bis sie einschlief.

Als Barry endlich schwer angeschlagen in sein Zimmer kam, war er hocherfreut, Hermeline in sein Bett gekuschelt vorzufinden. Allerdings war er nicht in der Verfassung, die Situation auszunutzen. Er brabbelte irgend etwas von Diebstahl, und Hermeline war lange genug seine Frau, um zu wissen, wann sie sich besser schlafend stellte.

Na gut, dachte Hermeline. Ich sag's ihm beim Frühstück.

Unglücklicherweise war Madame Ponce Frühaufsteherin, und es wäre auch nicht gut gewesen, wenn ein Schüler sie in den Klamotten vom Vortag aus dem Büro des Schulleiters hätte schleichen sehen. Daher schlief Hermeline noch fest, als ihre Schnüffelei entdeckt wurde. Bei Sonnenaufgang zog ein Schwarm böser Drosseln, die auf der Gehaltsliste des Direktors standen, ganz sanft ihre Bettdecke zurück, hob sie hoch und ließ sie verschwinden.

Kapitel sechzehn

Magï-Ex

Es war nur gut, daß Hermeline Barry nicht verstanden hatte, denn andernfalls wäre sie an die Decke gegangen. Das, was die beiden männlichen Trotters angestellt hatten, reichte für einen Rausschmiß. Ihnen selbst hätte das nichts ausgemacht – Barry hätte es nur begrüßt, wenn der Ehemaligenfonds seine Bettelbriefe eingestellt hätte, und Nigels gemischte Gefühle Hogwash gegenüber sind hier ja hinreichend dokumentiert worden. Hermeline jedoch hätte sich in Grund und Boden geschämt.

An der Schule ging wieder alles seinen geregelten Gang. Seit Professor Mumblemumble die Leitung übernommen hatte, war es fast wie früher. Eine ganze Woche lang war niemand ums Leben gekommen, in den Schulstunden wurde unterrichtet, wenn auch nicht unbedingt gelernt, und Hogwash hatte sich im großen und ganzen zu einer friedlichen, gutfunktionierenden Lehranstalt gemausert. Die Bauarbeiten am Themenpark gingen sogar schneller voran, und es sah aus, als würde The Hogwash Experience gut und gern mehrere Stunden vor Ablauf des weihnachtlichen Ultimatums fertig werden.

Ein anderer Umstand, der die alten Zeiten in Erinnerung rief, war das ständige Chaos, für das Barry Trotter sorgte. Die Auflösung des Grittyfloor-Quaddatsch-Teams nach dem »Extrem-Quaddatsch«-Match hatte die Chancen des Hauses auf den Hauspokal zwar anfangs geschmälert[*], doch man konnte noch auf andere Art Punkte erzielen, und zwar vor allem durch das Sammeln von Geld für wohltätige Zwecke. (Grittyfloor sammelte für den Kessel auf Rädern, eine Einrichtung, die Ingredienzen für Zaubertränke an alte Hexen lieferte, die so arm waren, daß sie sich selbst die elementarsten Zutaten nicht mehr leisten konnten.) Und nun, da Severus Snipe ihnen endlich nicht mehr im Wege stand – in seinem Kerker in Aztalan konnte er so viele Punktabzüge aussprechen, wie er wollte –, war Barry entschlossen, ein letztes Mal diesen Pokal für Grittyfloor zu gewinnen.

Barry stellte eine Gruppe Jungen und Mädchen zusammen, die das rechte Maß an Lebenslust an den Tag legten (ergo: notorische Schulschwänzer), und begann sein Wissen an sie weiterzugeben. Natürlich wurde auch Nigel hinzugezogen, obwohl er eigentlich ziemlich brav war – schließlich konnte er nicht durch Zauberei Unfug anstellen –, und der bestand wiederum darauf, daß Junior ebenfalls in die Gruppe aufgenommen wurde.

Barry lehrte sie, wie man Kobolden ihr Gold abknöpfte, und sagte ihnen, welche Pfandleiher dumm genug waren, es einem abzukaufen. Ein paar andere stiftete er dazu an, sich ein hübsches Zubrot zu verdienen, indem sie bei den Drachen der Gegend »Schutzgelder« kassierten. Bald kamen die Schüler auf den Trichter und ließen sich selbst etwas einfallen. Junior färbte einen Haufen Aspirin durch Magie blau,

---

[*] Irgendwann in der fernen Vergangenheit der Schule war ein uralter Sportfan unbekannter Herkunft als Totem des Hauses mit den meisten Punkten ausgewählt worden. Die Frage, wessen Fan er ursprünglich war und warum die Wahl auf ihn fiel, gab immer wieder Anlaß zu Spekulationen, die zu abscheulich sind, um sie hier zu erörtern.

und Nigel verkaufte sie den Gästen im Eierkopf als »Viagra für Zauberer«. Barry war sehr stolz auf ihn.

Selbst Hafwid half mit. Sie machten sich sein legendäres Talent im Umgang mit Tieren zunutze (sein Geheimnis war, daß er sich so oft von ihnen beißen ließ, wie sie wollten) und richteten einen Beißzoo ein: Kinder konnten zu einer kleinen Koppel neben seiner Hütte kommen und sich von den Tieren große Fetzen Fleisch aus dem Körper reißen lassen. Auch Hafwids Begeisterung fürs Schnapsbrennen ließ sich zu Geld machen: Der Riese versuchte sowieso ständig, alle möglichen Substanzen zu berauschenden Getränken zu verarbeiten. Neuerdings waren es Gänseblümchen und davor Zahnpasta.

Hafwid hatte Barry und seiner Clique mehrere Liter von dem Gänseblümchenschnaps überlassen, und sie verkauften ihn am Straßenstand direkt vor der Stadtgrenze von Hogsbleede (um Lord Valumarts unverschämt hohe Steuern zu umgehen). Es erfüllte sie mit Stolz, daß niemand, der einen Becher der »Gelben Gefahr« kaufte, weiter als zehn Meter kam, ohne zusammenzubrechen. Wie üblich trank Hafwid die Hälfte des Vorrats selbst, aber das, was der Rest ihnen einbrachte, reichte locker für den Hauspokal, und daher waren Barry und seine Schützlinge in Feierlaune, als sie sich in Sir Godawfles Grotte entspannten.

»Kacke!« sagte Barry, der gerade hingebungsvoll mit Nigel flipperte. Das Gerät stand unter einem Muddelmotto, daher gurgelte von Zeit zu Zeit eine elektronische Stimme Sätze wie: »Du hast schon wieder ein Balg zur Welt gebracht!« oder »Such dir endlich einen Job! oder »Paß auf, daß du nicht stirbst!« Schwitzend und grunzend versuchte Barry den Ball im Spiel zu halten – wo hatte Nigel das nur so gut gelernt? Gerade als ihm die endgültige Niederlage drohte, nahm Barry seine rechte Hand vom Flipper, zog den Zeigefinger über die Glasscheibe und bewegte so den Ball in eine Bucht, die massenhaft Punkte brachte. Die Beschriftung lautete: »Deinem Vater gehört die Firma«.

Nigel platzte der Kragen. »Betrug!« brüllte er. »Das hab' ich gesehen, du hast geschummelt! Und zwar durch Zauberei!«

»Nein, hab' ich nicht«, sagte Barry lahm.

»Doch!« sagte Nigel. Er dachte gar nicht daran, klein beizugeben. »Das Spiel zählt nicht. Du schuldest mir einen Slumgullion-Cider.«

»Na gut«, sagte Barry und zog Geld aus der Jeans, die er nun ständig trug. »Ich hab' nur versucht, dir zu zeigen, wozu Magie gut sein kann.«

»Ja, ja«, sagte Nigel und ging mit den Münzen zum Tresen.

Etwas ernüchtert durch diesen Reinfall, suchte Barry wieder in Stimmung zu kommen, indem er für seinen nächsten Plan warb. Um den Tisch herum saßen Junior, Barry, später auch Nigel und eine Ansammlung von durchtriebenen, diebischen Statisten. Untendrunter lag Lon.

»Also, es wird nicht einfach sein, diesen Test zu stehlen«, sagte Barry. »Das heißt, im Grunde ist es einfach, aber um der Spannung willen werden wir es schwieriger machen.«

»Wie meinen Sie das?« fragte Junior.

»Ich könnte einfach einen Dalli-dalli-Zauber sprechen, und das wär's«, sagte Barry. »Dieser neue Direktor ist ein ziemlich ausgekochter Bursche, aber wir haben einen Vorteil: Er weiß nicht, daß ich etwas damit zu tun habe. Auch wenn er den Test verzaubert hat, ist er dabei vermutlich davon ausgegangen, daß irgendein Schüler ihn zu stehlen versucht und nicht *der* Barry Trotter.«

»*Der* Mega-Anorak«, sagte Nigel. Er und sein Dad waren inzwischen praktisch Kumpel geworden. Es war ziemlich schräg, aber da Barry bald ins Gras beißen würde, nahm Nigel, was er kriegen konnte.

»Was glauben Sie, womit der Direktor ihn verzaubert hat?« fragte Junior.

»Mit einer Altersgrenze oder so was«, sagte Barry.

»So wie bei den Pornoheften?« fragte Junior.

»Genau, nur unendlich viel wirkungsvoller«, sagte Barry. »Mumblemumble ist Meister des Doofen Kunsthandwerks – und er hat vermutlich selbst einen Haufen Pornohefte vor fremdem Zugriff zu schützen, das heißt, er ist kein Anfänger. Ich denke, ich kann jeden Zauber außer Kraft setzen, es braucht nur etwas Zeit, und deshalb …«, Barry nahm einen Schluck von seinem RhaBlubb, »brauchen wir ein Ablenkungsmanöver. Und zwar ein großes. Ich plädiere für einen generalstabsmäßigen Höschenklau.«

»Einen Röschenklau?« fragte ein Schüler, der nur für diesen armseligen Kalauer in die Geschichte geschrieben wurde.

»Nein, nein, Höschen – so wie Schlüpfer«, erklärte Barry. »Wir gehen rum und stehlen den Leuten die Unterhosen. Das ist ein alter Muddelbrauch.«

»Klingt eher, als hätte das ein Zauberer erfunden, wenn du mich fragst«, sagte Nigel. »Simsalabim! Und schon hast du nichts mehr drunter.«

Junior dachte kurz nach. »Ich denke, das könnte funktionieren, aber fliegen wir dann nicht von der Schule?«

Barry verdrehte die Augen. »Du hast Sorgen! Hör zu, wenn ich dir alles erzählen würde, was ich angestellt habe, als ich hier zur Schule ging …«

»Ja, Dad, aber wir sind nicht du«, sagte Nigel. »Wir haben keine Narbe, sind nicht der Auserwählte und verdienen kein Geld durch Merchandising. Wir sind alle nur Schüler.«

»Nigel, du kommst mit mir, um den Test zu stehlen. Und falls ihr anderen geschnappt werdet, sage ich, daß ich euch dazu angestiftet habe«, sagte Barry. »Später tilge ich die Angelegenheit dann mit einem Zauberspruch aus dem Klassenbuch.«

Die Schüler dachten nach. »Einverstanden«, sagten sie dann.

»Einverstanden«, sagte Nigel ein bißchen argwöhnischer. Da er ganz nach seiner Mutter kam, ahnte er, daß etwas schiefgehen würde.

Der Plan nahm rasch Gestalt an: Mit Hilfe der Karte des Rumbumsers wurden Wege festgelegt und Abschnitte zugeteilt. Um für das nötige Maß an Hysterie und Schadenfreude zu sorgen, richtete Barry ein Prämiensystem ein – fünf Sickies für einen normalen Schlüpfer, egal ob männlich oder weiblich, drei für einen engen weißen Slip, drei für einen BH und fünf für einen Stringtanga. »Und sieben für alles Außergewöhnliche«, sagte Barry. »Ich bin der Schiedsrichter und führe Buch über die Prämien.«

»Sollen wir die Unterwäsche hinterher wieder zurückgeben?« fragte Don.

»Meinst du, die wollen sie wiederhaben, nachdem Lon sich daran zu schaffen gemacht hat?« sagte Nigel.

»Ich würde sagen, nach dem Zählen gebt ihr alles wieder zurück – außer den Sachen von Silverfish«, sagte Barry, infantilisiert, wie er war. Er war wieder in das simple »Wir gegen die anderen«-Denken eines Schülers zurückverfallen, und es durchrieselte ihn wie ein wohliger Schauer des Hochmuts. »Lehrer-Unterwäsche zählt doppelt. Die von Snipe dreifach.«

»Trotzdem würd' ich die nicht anrühren«, sagte Junior.

Sie sollten nachts auf die Jagd gehen, im Schutze der Dunkelheit und nach dem Essen, wenn die Leute schläfrig waren von dem stark gesalzenen, schweren Essen, das die Hauselfen stets servierten.

»Um zwei Uhr morgens geht's los«, sagte Barry. »Nicht vergessen! Und zwar nicht in ZZ!«

»ZZ?« fragte Junior.

»Zaubererzeit«, sagte Nigel. »Immer zu spät.« Für seine Mutter war das ein ständiges Ärgernis.

»Uhrenvergleich!« sagte Barry, und eine ganze Kollektion von Sonnen-, Wasser- und Sanduhren wurde zutage gefördert.

»Okay – wir treffen uns morgen früh vor der Klassenarbeit hier, um die Prämien auszuzahlen und zu versuchen, die Aufgaben zu knacken. Viel Glück! Waidmannsheil!«

Tief in der Nacht, als ihre Freunde davonstürmten, um an der gesamten Schule so geräuschvoll wie möglich Unterwäsche zu klauen, machten sich Barry und Nigel zu einer ganz besonderen Vater-Sohn-Erfahrung auf.

»Au! Du bist mir auf den Fuß getreten, du Trampel!«

»Nichts schweißt eine Familie so zusammen wie ein Tarncape, was, Nigel?« sagte Barry.

Nigel wollte ihm gerade sagen, wo er sich seinen Familiensinn hinstecken könne, als sie an der Tür zum Büro des Direktors anlangten.

Barry holte das Arschoskop heraus, doch es blieb stumm. Die Luft war rein.

»Cool!« flüsterte Nigel erfreut. »Und das hab' *ich* dir geschenkt!«

»Psst!« sagte Barry. »Wer weiß, was für einen teuflischen Zauber Mumblemumble ausgebrütet hat, um den Test zu schützen.«

»Ich versteh' nicht, wozu es gut sein soll, an der Tür zu lauschen«, sagte Nigel.

Der Junge hatte recht, es war absolut sinnlos, aber diesen Triumph gönnte Barry ihm nicht. »Okay, wenn du soviel von Zauberei verstehst, dann geh doch als erster rein«, sagte er.

Jetzt werden Sie vielleicht denken, daß es nicht gerade väterlich ist, seinen des Zauberns gänzlich unkundigen Sohn vorzuschicken, wenn man in unlauterer Absicht das Allerheiligste eines mächtigen Hexenmeisters zu betreten gedenkt. Zu Barrys Verteidigung sei jedoch gesagt, daß er dank des Fluchs inzwischen im gleichen Alter wie Nigel war. Er hätte noch nicht einmal mehr gewußt, daß dieser sein Sohn war, wenn er sich nicht auf die linke Hand geschrieben hätte: »Der Junge mit der Brille und den verkrusteten Ohren ist dein Sohn Nigel.«

»Okay, mach' ich«, sagte Nigel. Er näherte sich der Türklinke wie einer schlafenden Kobra. Nachdem er das Öffnen ein paarmal nur angetäuscht hatte, knuffte sein Vater ihn in den Rücken und sagte: »Komm schon. Mach einfach die verdammte Tür auf.«

Nigel berührte sie, und … nichts passierte.

Er öffnete die Tür, und … nichts passierte.

Nigel griff nach dem Schalter einer Lampe, doch Barry schlug seine Hand weg.

»Der könnte präpariert sein«, sagte er.

Als sie in das dunkle Büro lugten, sahen sie um den Schreibtisch des Direktors herum einen schwachen Lichtkegel. Auf der Schreibtischunterlage lag ein einzelnes Stück Pergament.

»Ich hab' die Tür aufgemacht, jetzt geh du und hol den Test«, sagte Nigel spitz. Das ganze »Mein Sohn, ich bin verflucht und werde bald sterben«-Gelaber ging ihm langsam auf die Nerven.

Sie zogen das Cape aus, und Barry ging hinein. »Komm rein, Nigel. Keine Gefahr«, sagte er. Mit energischem Schritt trat er an den Schreibtisch heran, bis er eine verschmierte goldene Linie sah, die darum herum gezeichnet war.

»Da hast du deine Altersgrenze«, sagte Barry. »Er hat bestimmt ziemlich lange gebraucht, um einmal um den Tisch herumzulecken. Dabei hat er sich den Mund ganz umsonst dreckig gemacht, denn der alte Mumblemumble hat bestimmt nicht damit gerechnet, daß der große …« Barry versuchte, die Linie zu übertreten, und bekam einen heftigen Schlag. Gleichzeitig dröhnte Mumblemumbles Stimme aus der Dunkelheit:

»Ha! Trotter, du Trottel! Versuch's noch mal!«

Barry gehorchte und bekam wieder einen Schlag, diesmal noch heftiger.

»Du HEXENSOHN!« sagte Barry. Die Stimme lachte.

»Na los, Barry! Der Test liegt direkt vor deiner Nase! Komm schon, du Zauberkünstler«, spottete sie.

Barry ging rückwärts zur Tür, um Anlauf zu nehmen. Aber er prallte sofort wieder zurück, und diesmal war der Schlag so heftig, daß er kurz das Bewußtsein verlor. Die Stimme lachte lauter und lauter. Barry hatte dieses Lachen schon mal gehört – konnte das sein? Aber der Mann war *tot* …

»Dad, darf ich's mal versuchen?« fragte Nigel.

»Nein, Nigel, das ist zu gefährlich«, sagte Barry, in dessen vom Schmerz vernebelten Hirn der Stolz sich Bahn brach. »Ahhhh!« Barry stieß ein lautes Geheul aus und warf sich erneut gegen die Barriere.

»Du kapierst einfach nicht, wann du verloren hast, Trottel«, sagte die Stimme. »Aber mach nur weiter. Jede Sekunde deiner Niederlage wird für die Nachwelt aufgezeichnet. Wenn du nicht mehr bist, werde ich mich noch jahrelang darüber kaputtlachen!«

Während Barry sabbernd umherwankte, näherte sein Sohn sich der Linie. »Das wird doch nichts«, sagte Nigel – und überschritt sie.

»Dad! Ich bin drin!« rief er aus.

»Llllo … lllos … hol'n Tesss …« Barry wurde kurz ohnmächtig.

Nigel schnappte sich das Pergament. Er musterte es.

»Dad, das klingt aber gar nicht nach einem Test«, sagte er und las dann vor: »Lieber Muddel! Wir gratulieren Ihnen zum Kauf von original Magi-Ex! Magi-Ex ist der beste Anti-Zaubererfluch auf dem Markt! Dagegen ist jeder Zauberer machtlos! Magi-Ex befreit Ihr Haus und Ihren Garten von Zauberern, oder Sie bekommen Ihr Geld zurück – garantiert!

Die Anwendung ist ganz einfach: Legen Sie diesen Fluch einfach irgendwo ab, wo Zauberer herumlungern könnten – unter dem Bett, im Schrank, im Keller oder auf dem Dachboden –, und warten Sie. Für Menschen mit magischen Fähigkeiten stellt dieser Fluch eine Reihe von lächerlich leicht zu entschlüsselnden Anagrammen dar. Der Test verspricht, all jene, die mehr als fünfundsiebzig Prozent richtig haben, an den weltberühmten Ferienort Atlantis zu bringen. In Wirklichkeit jedoch wird jeder, der den Fluch ausspricht, AUF DER STELLE IN FLAMMEN AUFGEHEN! (Wir dürfen mal kurz lachen, ja? Ha! Ha!) Bis er merkt, daß etwas schiefgegangen ist, ist es schon viel zu spät! Und durch unsere neue aschereduzierte Formel macht das Saubermachen hinterher noch weniger Mühe ...«

»Dad! Wach auf!« sagte Nigel und überschritt wieder die Altersgrenze, um zu seinem Vater zu gehen, der wie ein Häufchen Elend auf dem Boden lag. Nigel schüttelte ihn.

»Hä? Wa? Was'slos?« Barrys Verstand erwachte zögernd wieder zum Leben. In seinen Ohren summte es. War es »Das Lied der Schlümpfe«?

»Wach auf, Dad«, sagte Nigel. »Irgendwas an diesem Fluch ist merkwürdig.«

»Merkwürdig?« sagte Barry. Vom Korridor draußen drangen Geräusche herein – Geschrei, gefolgt von Gelächter, dann Mumblemumbles aufgebrachte Stimme.

»Wir sollten jetzt lieber gehen«, sagte Barry, dessen zerbeultes Hirn langsam wieder zu funktionieren begann.

»Aber Dad!« protestierte Nigel. »Guck dir mal den Test an!«

»Erst hauen wir hier ab«, sagte Barry und schwang ungeschickt das Cape über sie beide. Sie verließen das Zimmer und machten schnell die Tür zu. Gerade noch rechtzeitig – Mumblemumble kam mit einem Megaphon in der Hand den Korridor entlang und brüllte: »Wer auch immer meinen Schlüpfer geklaut hat, sollte ihn besser *unverzüglich* wieder zurückgeben!«

Mumblemumble ging in sein Büro und schloß die Tür: Barry war sicher, er würde das Fehlen des Tests bemerken und Alarm schlagen, doch das tat er nicht. Statt dessen kam der Direktor mit einem seltsamen Lächeln im Gesicht wieder heraus, zog die Tür zu und schloß ab.

Auf dem ganzen Weg zurück in Barrys Zimmer flehte Nigel seinen Vater an, den Fluch zu lesen.

»Das tu' ich, mein Sohn, ganz bestimmt«, sagte Barry. »Aber im Moment habe ich entsetzliche Kopfschmerzen.«

»Glaubst du mir nicht?« fragte Nigel.

»Ich spüre nur noch den Schmerz in meinem Hirn«, sagte Barry, schloß die Tür auf und trat ein.

»Aber du *mußt* ihn lesen!« sagte Nigel. »Der Test ist ein Fluch! Der Fluch ist eine Falle!«

»Der Test ist wer, und die Falle ist was?« murmelte Barry.

»Eine Falle! Eine Falle! Ein Fluch, der Zauberer umbringt!« sagte Nigel. *Nie* nahmen seine Eltern ihn ernst.

»Ja, ja, ganz bestimmt«, sagte Barry und schob seinen Sohn (der jetzt ungefähr das gleiche Gewicht und die gleiche Größe hatte wie er) aus der Tür. »Morgen«, sagte Barry. »Gleich als erstes.«

»Morgen schreiben wir den Test!« brüllte Nigel. »Dann ist es ZU SPÄT!«

Barry zuckte zusammen. »Nigel, bitte nicht so laut. Diese Elektroschocks waren echt furchtbar. Ich habe rasende Kopfschmerzen, und ich kann nicht mal mehr scharf sehen«, sagte er. Er schob Nigel in den Gang.

»Okay, versprichst du mir, daß du ihn gleich morgen früh zu Mum bringst?« sagte Nigel.

»Ja, klar. Mach' ich«, sagte Barry und wollte die Tür schließen. »Sie ist hier. Moment mal – sie ist hier?«

»Okay!« sagte Nigel und schlüpfte wieder ins Zimmer.

»Übrigens, warum schlaft ihr beide neuerdings in getrennten Zimmern?«

»Äh, mir scheint, das tun wir gar nicht mehr … ist alles ein bißchen kompliziert …«, sagte Barry. »Hör zu, das erzähl' ich dir, wenn du älter bist.«

»Älter? Ich bin *jetzt* schon älter als du«, sagte Nigel gekränkt.

Barry schloß die Tür und fiel, ohne Licht zu machen, neben seiner Frau aufs Bett. Er schlief bis in den späten Vormittag.

Kapitel siebzehn

DAS BÄRTIGE BABY

Auf Geheiß ihres Meisters brachten die Satanischen Drosseln Hermeline zu ihm und legten sie ganz sanft in die Gondel seines Ballons. Dann umschwirrten sie sie unter gewitztem Gezwitscher, bis sie so fest in ihr Bettzeug gewickelt war wie eine Mumie.

Als die Morgensonne ihr in die Augen schien, war Hermeline völlig orientierungslos.

»Guten Morgen, Mata Hari«, sagte der Direktor und trat von seinem Teleskop zurück. Sie befanden sich in einem Beobachtungsballon, der am Nordturm verankert war und hoch über der Schule schwebte.

»Wo …?«

»Ich habe es mir zur Angewohnheit gemacht, jeden Morgen hier heraufzukommen, um mich in Ruhe umzuschauen«, sagte Mumblemumble, dessen alberner Aeronauten-Mantel (mitsamt langem Seidenschal) im Wind flatterte. »Ein Schulleiter muß *alles* im Auge behalten. Wenn Sie und Ihr Gatte besser auf die Vorkommnisse an der Schule geachtet hätten, anstatt Ihre Nase in Dinge zu stecken, die Sie nichts angehen, wären Sie vielleicht heute noch Direktorin.« Mumblemumble lachte. »Ach, was rede ich: Ich hätte schon einen Weg gefunden, euch beide loszuwerden!«

Mumblemumble schnippte mit den Fingern, und sie waren wieder im Büro des Direktors. Er schnippte noch einmal, und schon hatte er seinen normalen Umhang wieder an. Dann schnippte er *noch* einmal und hatte plötzlich eine Zitronenscheibe in der Hand. Er preßte sie in eine Tasse Tee auf seinem Schreibtisch und nahm dann durch seine schäbige, mit verkrustetem Essen gesprenkelte Sturmhaube hindurch einen Schluck.

»Nein, Sie träumen nicht«, nahm er Hermelines Frage vorweg. »Und ich fürchte, schlafen tun Sie auch nicht mehr.« Er murmelte etwas auf lateinisch und machte ein paar Jitterbugartige Schritte. Dann klatschte er laut in die Hände, und eine Tuba erschien in seinen Armen. Der alte Spinner setzte sich auf einen Hocker in der Ecke und begann zu spielen.

»Übung macht den Meister«, sagte er. »Dauert nicht lange.« Hermeline mußte den gesamten »Flight of the Bumblebee« über sich ergehen lassen.

»Meine inoffizielle Hymne«, sagte Mumblemumble. »Heute ist ein großer Tag, und ich bin ein bißchen aufgeregt.«

Das Büro, in dem sie saßen, hatte sich in genau den Zustand zurückverwandelt, in dem es sich zu Barrys und Hermelines Schulzeit befunden hatte: dunkel, unaufgeräumt, vollgestellt mit Regalen voller Büchern und Kuriositäten und vom geriatrischen Muff über Jahrhunderte akkumulierten Staubs erfüllt. Ein Kristallschädel beschwerte die Pergamente auf dem Schreibtisch. Selbst Sparky, der Phönix, glomm genau wie früher schläfrig auf seiner Sitzstange vor sich hin.

Hermeline stellte fest, daß sie keinen Finger rühren konnte. Dieser Erkenntnis folgte prompt das übliche morgendliche Bedürfnis auszutreten.

»Ich muß mal pinkeln«, sagte sie benommen.

»Was?« sagte der Schulleiter.

»Ich muß mal pinkeln, Alpo. Machen Sie mich los, dann gehe ich aufs Klo, und ich verspreche, daß ich mich hinterher wieder von Ihnen fesseln lasse.«

»Alpo? Von wem sprechen Sie?« fragte der Direktor. »Ich kenne niemanden dieses Namens. Und was das andere angeht ...« Er wedelte mit der Hand, und der Druck auf Hermelines Blase war verschwunden.* Mehrere Mitglieder des Silverfish-Quaddatsch-Teams, die total zerfleddert auf der Krankenstation der Schule lagen und auf ihre Genesung warteten, ließen plötzlich ihre Bettpfannen voll laufen.

»*Bravo!*« Eine Lernschwester klatschte lächelnd in die Hände.

Im Büro sagte Hermeline: »Danke. Und jetzt hören Sie mit dieser albernen Scharade auf – die meisten Leser wissen schon seit hundert Seiten Bescheid. Selbst der Lektor ist Ihnen auf Seite hundertzwanzig auf die Schliche gekommen. Lassen Sie die Maske fallen, Bumblemore. Ich weiß, daß Sie es sind.«

Der Direktor überlegte einen Moment. »Ach, was soll's«, sagte er und nahm seine Sturmhaube ab. Hermeline zuckte zurück – sie hatte noch nie so fettige Haare gesehen.

Bumblemore merkte davon nichts, denn er war zu sehr damit beschäftigt, sich derart energisch den Bart zu kratzen, daß kleine Rauchwölkchen daraus aufstiegen.

»Mann, wie das juckt«, sagte er. Er ging zu einem Wand-

---

* Dieser ungemein praktische Zauber – eine Variante davon hatte Barry gegen das Silverfish-Quaddatsch-Team eingesetzt – war von Amos, dem Semikontinenten, für lange Autofahrten erfunden worden. Er war dafür verantwortlich, daß sich Quaddatsch-Matches manchmal tage- oder sogar wochenlang hinzogen.

schränkchen, öffnete es und holte eine Salbe heraus. Die klatschte er sich auf Wangen und Kinn, so daß er noch ungesünder aussah.

»Mein Gott, diese Hitzepickel spotten wirklich jeder Beschreibung«, sagte er mit glänzendem Gesicht. »Ich bin froh, daß ich das Ding endlich abnehmen kann, wenn der heutige Tag vorbei ist.«

»Der heutige Tag? Was passiert denn heute? Warum sind Sie so aufgeregt?«

»Wegen des Tests natürlich«, sagte Bumblemore. »Wir nehmen an einem Pilotprojekt teil. Da werden wir so richtig abheben!« gnickerte er über sein eigenes lahmes Witzchen. »Ich schmeiß mich weg!«

Hermeline beschloß, alles auf eine Karte zu setzen. »Raus damit, Alpo. Ich weiß alles – über die Prügelei, Ihr Verschwinden, die Verkleidung – alles. Ich habe in der Bibliothek etwas darüber gelesen.« Dann fügte sie spontan hinzu: »Warum haben Sie Barry verzaubert? Wenn er stirbt, ist das vorsätzlicher Mord.«

»Und ein Segen«, sagte Bumblemore. »Die Zauberwelt steht Kopf, seit Ihr Gatte den Mutterleib verlassen hat.«

»Wer hat Sie dazu angestiftet?« fragte Hermeline. »Valumart? Der wird Sie garantiert im Stich lassen. Der interessiert sich nur für Geld.«

»In der Hinsicht haben Sie aber auch keine weiße Weste, Miss Cringer«, sagte Bumblemore. Er schloß die Augen, und Hermeline wurde die seltsame Erfahrung zuteil, ihre Stimme aus dem Körper eines anderen Menschen kommen zu hören. »Dieses neue Gorgomobil ist wirklich hübsch ... Ich *muß* so einen haben, Barry, allein wegen der *Sicherheit!*« Jetzt sprach Bumblemore wieder mit seiner eigenen Stimme und fixierte sie dabei mit vorwurfsvollem Blick. »Diese Viecher sind riesengroß, stinken und richten furchtbare Umweltschäden an – sie hinterlassen verbrannte Erde, wo sie auch fahren. Und was die Sicherheit angeht – ich wette, die armen Zauberer und Hexen, die auf gewöhnlichen Mops neben Ihnen fliegen, werden sich nicht besonders sicher fühlen.« Bumblemore merkte, daß er voll ins Schwarze getroffen hatte. »Sie lieben also auch dieses gewisse prickelnde Verlangen.«

Hermeline zuckte zusammen, aber nicht aus Wut – mehrere Drosseln hatten sich auf ihrem Kopf niedergelassen. »Können Sie den Zauber denn nun aufheben? Und Barry wieder in sein normales Alter zurückversetzen?«

»Nein«, sagte Bumblemore.

»Nein? Wie meinen Sie das?«

»Ich meine, ich kann ihn nicht aufheben, er läßt sich nicht rückgängig machen. Ich weiß, in ›Hermeline hilft‹ heißt es immer: ›Verwenden Sie nie einen Zauber, den Sie nicht durch einen anderen wieder aufheben können‹, aber, nun ja, ich brauchte etwas, womit ich euch zwei Nervensägen beschäftigen konnte. Als ich eines Abends beim Essen den Humbug mitanhören mußte, den Ihr Mann von sich gab, konnte ich der Verlockung nicht widerstehen, ihm ausgerechnet den Infantilismus-Fluch auf den Hals zu schicken. Aber wo gehobelt wird, da fallen eben Späne«, sagte Bumblemore. Plötzlich war er richtig aufgekratzt. »Darf ich Ihnen meinen Plan erklären? Dies ist der Teil des Buches, in dem der Schurke erzählt, was er im Schilde führt!«

»Schurke? Pfft. Jämmerlicher Versager trifft es besser.« Hermeline wackelte mit den Händen und Füßen. »Aber tun Sie sich keinen Zwang an. Ich kann ja sowieso nicht weglaufen.«

Eine Drossel landete auf Bumblemores Arm. »Ja, meine

279

Lakaien sind ziemlich tüchtig.« Er hielt inne, um den Kopf des Vogels zu streicheln. »Und todbringend.«

Hermeline konnte sich ein Lachen nicht verkneifen.

»Lachen Sie nur. Wer ist denn hier diejenige, die sich nicht rühren kann, Fräulein Schlau? SIE! Und wer wird die Zauberer der Welt regieren, wenn wir alle in das neue Königreich Atlantis gelangt sind? NICHT Sie!«

Eine Pause entstand. »Warten Sie darauf, daß ich frage, wer?« sagte Hermeline.

»Ja.«

»Okay. Wer dann?«

»ICH!« sagte Bumblemore. »Ich, Alpo Bumblemore, werde die Spezies der Zauberer aus dieser stillosen, öden, muddelverseuchten Welt in eine neue und bessere führen! In eine Welt, in der wir in Frieden leben können, weit weg von all diesen erbsenhirnigen, magisch unbegabten, zaubereifeindlichen Dummköpfen!« brüllte er. Das triumphierende Lachen, das folgte, ging sogleich in ein Husten über.

»Alpo, Sie sind als Bösewicht vollkommen ungeeignet«, sagte Hermeline. »Manche Leute haben's drauf, aber Sie gehören eben einfach nicht dazu.«

»Ich hab' Sie mit diesem Fluch ganz schön in Verlegenheit gebracht, was?« sagte Bumblemore und traf damit Hermelines wunden Punkt. »*Selberhexen*, Juli 1973 – ›Felix' flotte Flüche‹. Ich hab' dafür das Foto benutzt, das Colin beim Einsteigen in den Zug von Barry gemacht hat. Er hat es mir nur allzu gern überlassen. Er haßt Sie, falls Sie's noch nicht wissen.«

»Das beruht auf Gegenseitigkeit«, sagte Hermeline. »Warum tun Sie das? Sie haben doch Ihr ganzes Leben lang in Frieden mit den Muddeln zusammengelebt.«

Bumblemores Augen blitzten. »Frieden? Was verstehen

Sie denn unter Frieden? Dabei sind Sie doch selbst in deren Welt aufgewachsen. Diese Muddel schlagen sich doch permanent die Köpfe ein, und wir Zauberer werden da alle mit reingezogen. Was spielt es schon für eine Rolle, auf welcher Seite einer imaginären Linie man lebt? Oder ob der Briefträger Rot oder Blau trägt?«

»Das ist nicht fair«, sagte Hermeline. »Manche Muddelkriege sind einfach unvermeidlich.«

»Dann sollen sie das unter sich ausmachen.«

Hermeline quetschte den alten Schwachkopf weiter aus. »Aber Sie selbst haben doch 1945 den Doofen Zauberer Grundlemumble getötet.«

»Sie dürfen nicht alles glauben, was Sie auf der Rückseite eines Sammelbildchens lesen«, schniefte Bumblemore. »Mein lieber Freund Heinz Grundlemumble ist wohlauf und steht hundertprozentig hinter meinem Plan – zumindest hinter dem Teil, von dem er weiß.«

Hermeline zerrte an ihren Fesseln. Bumblemore lächelte über diese Energieverschwendung. »Sie sind jung, und bei jungen Leuten läßt sich Idealismus bis zu einem gewissen Grad entschuldigen – solange er niemanden das Leben kostet. Ich bin schon um einiges länger auf dieser Welt als Sie, und ich interessiere mich schon seit Jahrzehnten für dieses Thema. Gute Kriege sind so selten wie Jungfrauen in Hogwash.«

Hermeline war beleidigt. »Sex ist etwas sehr Gesundes und Natürliches, und ich glaube, daß …«, begann sie. Bumblemore machte eine Handbewegung, und es wurde still im Raum.

»Sie durften schon das ganze Buch lang das Wort führen. Jetzt bin ich an der Reihe.« Bumblemore spielte mit dem Arschoskop herum, das Barry in seinem Büro vergessen hatte (es summte wie verrückt). »Mir ist klar, daß mein Atlantis-Plan Sie überraschen muß, aber glauben Sie mir, ich arbeite schon seit Jahren daran … Lustig, daß Sie ausgerechnet Heinz erwähnen – er war dabei, als die ganze Sache ihren Anfang nahm.

Ich wurde im Jahr 1840 geboren. Die ersten rund fünfundsiebzig Jahre meines Lebens herrschte in dem Muddelland, in dem ich lebte, Frieden. Ich war ein begabter junger Zauberer – ähnlich wie Sie –, und ich liebte diese Ruhe. Das Leben damals war sehr angenehm. Denn wenn in einem Muddelland Krieg ausbrach, packten alle Zauberer und Hexen im Land ihre Sachen und zogen in ungefährlichere Gefilde. Ein bißchen lästig, aber es hat jahrtausendelang funktioniert.«

Bumblemore begann, Ballontiere zu basteln, eine nervöse Angewohnheit. »Aber dann nahmen die Muddelkriege überhand – wegzuziehen reichte irgendwann nicht mehr. Natürlich kann ein Zauberer, der nicht ganz unvorbereitet ist, fast jede Wahnsinnstat überstehen, zu der Muddel nur imstande sind, aber wer will schon so leben? Die k. u. k.-Monarchie war uns gleichgültig. Was hatte *die* schon mit dem Schierlingspreis zu tun?

Nach Ausbruch des Ersten Weltkriegs trafen sich Zauberer von Rang aus aller Welt in Stonehenge und debattierten darüber, was zu tun sei. Eine ganze Reihe von ihnen wollte sich damals von der Muddelwelt abspalten – rückblickend muß man sagen, daß wir das vielleicht hätten tun sollen. Aber genau wie Sie war ich jung und idealistisch und habe die anderen zum Bleiben überredet. Wir waren Teil der Muddelwelt, sind aber dennoch immer Außenstehende geblieben.«

Bumblemore stellte eine soeben vollendete Giraffe auf den

Tisch und begann an einem neuen Ballon zu zwirbeln. »Es wurde beschlossen, daß die Zauberer und Hexen in einem Land, in dem Krieg herrscht, zuallererst anderen Zauberern und Hexen und nicht ganz offensichtlich von allen guten Geistern verlassenen Muddelregierungen gegenüber loyal sind. Das Motto der Magier besagt, daß man jeden nach seiner Fasson leben lassen und nicht irgendeinem mit Orden behängten Schurken folgen soll. Deshalb ist Terry Valumart auch so ein unmöglicher Mensch.«

Der Ballon, an dem Bumblemore arbeitete, platzte. »Mist«, sagte er und begann mit einem neuen. »Die meisten von uns Jüngeren haben die verschiedenen Armeen infiltriert, um wenigstens etwas zu tun. Wir betrachteten uns als neutrale Beobachter und stellten alles mögliche an, um Leid zu verhindern. Bald beherrschte ich den Amnesie-Zauber, den Unverwundbarkeitsspruch und die Akinesia-Formel im Schlaf. Wenn mir ein Bursche besonders sympathisch war, habe ich ihm angeboten, ihn mit der Akinesia-Formel zu verhexen, damit man ihn für tot hielt, und ihn an irgendeinen schönen Ort zu versetzen, wo er bis zum Ende des Krieges leben konnte. Ich weiß, daß Grundlemumble auf der anderen Seite dasselbe für die Deutschen machte – wir haben regelmäßig gepanzerte Eulen ausgetauscht.

Nach ein paar Monaten war im Grunde klar, wie es weitergehen würde. Es würde zu keiner Einigung kommen, viele Menschen würden sterben – vor allem Muddel, aber auch ein paar Zauberer – und am Ende würde es der ganzen Welt noch schlechter gehen als vorher. Doch damals habe ich noch an das Gute im Muddel geglaubt.

Grundlemumble empfand genauso. Er schrieb mir, er sei überzeugt, wenn man die Kriegshandlungen nur einmal unterbrechen könnte, würden die Muddel die Idiotie des ganzen Unternehmens erkennen und aufhören, sich gegenseitig umzubringen. Schließlich hat doch niemand Lust zu sterben, oder? Grundlemumble und ich schmiedeten einen Plan: Zuerst wollten wir dafür sorgen, daß wir am gleichen Ort stationiert wurden. Dann würde jeder von uns zu einer vorher verabredeten Zeit in seinem Schützengraben die weiße Fahne schwenken und hinausklettern. Wir wollten aufeinander zugehen, uns die Hände reichen, Zigaretten tauschen – und vielleicht sogar einen freundschaftlichen kleinen Walzer tanzen. Sobald die anderen Soldaten das sähen, so dachten wir, würden sie zu kämpfen aufhören, anfangen zu lachen, und es wäre Frieden. Er würde sich ausbreiten, und alles wäre wieder gut. Logisch, oder?

Wir haben die Sache durchgezogen, und das Ergebnis war die weihnachtliche Waffenruhe von 1914. Es war nicht ganz einfach, das kann ich Ihnen sagen. Es gab da einen Heckenschützen, der mindestens zehnmal auf mich gefeuert hat. ›*Entschuldige* mal! Weiße Fahne!‹ hab' ich immer gerufen. Auf Grundlemumble wurde eine Granate geworfen. Das ist typisch für die Muddel: Erst stellen sie all diese Regeln auf, und dann brechen sie sie, wann immer es ihnen paßt. Das ist das erste, was man beim Zaubern lernt – für alle gelten die gleichen Regeln.

Wie auch immer, wir hätten es eigentlich wissen müssen: Es gab zwar Frieden, aber gleich nach Neujahr herrschte schon wieder Krieg. Ich konnte es nicht fassen. Offenbar *wollten* diese Muddel sich gegenseitig umbringen. Angeekelt änderten Grundlemumble und ich gemeinsam mit den meisten anderen Zauberern und Hexen unserer Generation unseren Entschluß – wir wollten weg von diesen blutrünstigen Schwachköpfen, und zwar so weit wie möglich. Unglücklicherweise waren wir in der Minderheit – Mischehen sind ein nicht zu unterschätzender Faktor – und mußten einen Kompromiß schließen. Wir lebten weiterhin unter den Muddeln, aber undercover.

Und so habe ich den Großteil meines Lebens verbracht. Es war keine perfekte Lösung, aber sie bewährte sich recht gut. Nicht zuletzt wurden viele neue Arbeitsplätze geschaffen – zum Beispiel das ganze Ministerium für Zauberallerlei. Im Verborgenen gedieh die Zauberwelt prächtig. Und ich möchte sogar sagen, daß auch die Muddel davon profitierten. Schließlich muß sich jeder Zauberer irgendwie beschäftigen, wenn das Frühstück herbeigezaubert und der Kessel geschrubbt ist, und daher waren die meisten großen Künstler und Denker der Welt Zauberer. Sie glauben nicht, daß Andy Warhol Magie anwandte? Jedesmal, wenn er wieder eine Suppendose für ein paar Millionen Dollar verkauft hatte, dachten wir: Langsam müssen die Muddel doch mal Lunte riechen. Doch das haben sie nie getan. Von Stephen King bis zu Stephen Hawking – alles Zauberer.

Und dann kam Ihr verfluchter Mann. Durch diese Bücher – und die Filme, das Spielzeug, das Deodorant und all den anderen Kram – flog unsere Deckung auf, und es gab kein Zurück mehr. Als Valumart erst mal auf den Geschmack gekommen war, legte er den Muddeln die Zauberwelt direkt in den Schoß – obwohl er wußte, wozu sie fähig waren. Ich fürchte, daß während seines Lebens unter ihnen einige ihrer schlechtesten Eigenschaften auf ihn abgefärbt haben. Geldgier zum Beispiel. Terry Valumart war schon immer geldgierig, selbst damals in der Schule, aber bei den Muddeln ist es noch viel schlimmer geworden.

Solange ich in Hogwash war, konnte ich mich aus allem raushalten und so tun, als gäbe es gar keine Muddel. Aber kaum lebte ich wieder unter ihnen, kam ich zu der Überzeugung, daß es nicht mehr lange dauern wird, bis sie irgend etwas unternehmen, um sich gegenseitig umzubringen, und uns dabei gleich mit ins Verderben reißen. Ich glaube zwar, in einem ausreichend dicken Regenmantel könnte ich eine Interkontinentalrakete überleben, aber ich habe keine Lust, es auszuprobieren.«

Bumblemore vollendete ein unförmiges Tier, eine Art Hund mit Elefantenrüssel. »Danke für Ihre Geduld, Hermeline. Ich bin fast fertig. Nachdem Barry den Film nicht verhindern konnte und der Hype erst richtig losging, habe ich nach einem Weg gesucht, wie wir Zauberer uns von den Muddeln abspalten können, so schmerzhaft das auch sein mag. Dann bekam ich wie durch ein Wunder einen Zauberspruch per Post – von einer Muddelagentur. Kaum zu fassen, was? Dieser Spruch, von dem ich bis dahin nichts gewußt hatte, soll alle Hexen und Zauberer der Welt nach Atlantis bringen. So etwas Ähnliches hat es schon mal gegeben – mein Urururururururgroßvater blieb damals zurück und Ihrer auch. Von denen haben wir vermutlich unseren verdammten Idealismus.

Von da an wußte ich, was ich zu tun hatte: die Zauberer der ganzen Welt überzeugen, mit mir zusammen für immer in die Ferien zu gehen. Sie von diesen gräßlichen, langweiligen, habgierigen, dummen Muddeln fortbringen!«

Bumblemore nahm noch einen Schluck Tee. »Tee ist übrigens eine Ausnahme – diese Muddelerfindung schätze ich sehr.

Der Zauber braucht allerdings viel Power, denn er kann nur en bloc angewandt werden – das heißt, es gilt viele Zaubererleiber zu bewegen. Und alles mußte geheim bleiben, denn wenn das Ministerium je herausgefunden hätte, was ich vorhabe, wären die ausgerastet. Vermutlich würden sie mich umbringen, denn schließlich verlieren jetzt alle ihre Jobs, verstehen Sie? Auch die Bürokratie ist etwas, das wir von den Muddeln übernommen haben.

Es ist erst ein paar Wochen her, daß mir die Idee kam, wie es sich machen läßt: Ich brauchte den Fluch nur zu einem Test umzuarbeiten, den alle Schüler absolvieren müssen. Wenn all diese jungen Zauberer die Formel gleichzeitig sprechen, kommt eine gewaltige magische Energie zusammen, und bevor irgend jemand begreifen würde, was vor sich geht, wäre es zu spät.

So, jetzt wissen Sie Bescheid«, sagte Bumblemore. »Entschuldigen Sie, daß ich Ihnen einen so langen Vortrag gehalten habe.« Er machte eine Handbewegung. »Jetzt dürfen Sie sprechen.« Er hatte Hermeline die Zunge gelöst, und sie atmete auf.

»Sie zaubern aber *fest*«, sagte sie. »Jetzt, wo Sie mir Ihren schurkischen Plan enthüllt haben, nehme ich an, daß Sie mich umbringen werden?«

»Nein, ich werde Sie gehen lassen«, sagte Bumblemore. »Wenn Sie zugehört haben, wissen Sie, daß daran nichts Schurkisches ist. Leben und leben lassen, sage ich immer – nur daß wir bald woanders leben.«

»Ich finde das ziemlich schurkisch!« sagte Hermeline. »Eine ganze Spezies ohne ihr Wissen zu versetzen …«

»Okay, es hat etwas Autoritäres. Aber es ist nur zu ihrem Besten«, sagte Bumblemore. »Atlantis ist phantastisch – haben Sie die Broschüre gesehen?« Er angelte sie aus seinem Umhang und fuchtelte aufgeregt damit herum. »Bambushütten am Strand! Frühstück *und* Abendessen inklusive!«

Hermeline fragte: »Finden Sie es nicht merkwürdig, daß man nirgends Leuten aus Atlantis begegnet? Nicht mal Touristen?«

»Vermutlich wollen sie vergessen, daß sie jemals an einem finsteren Ort wie diesem gelebt haben«, sagte Bumblemore.

»Und was ist, wenn wir auf irgendeinem interdimensionalen Busdepot oder etwas Schlimmerem steckenbleiben?« Sie machte eine Pause und legte dann wieder los. »Sie haben diesen Zauber nicht getestet – wie auch, dann wären Sie schließlich nicht hier! Sie wollen also unser aller Leben mit einem ungeprüften Zauber, den Sie auch noch per Post bekommen haben, aufs Spiel setzen? Bumblemore, ich wußte immer schon, daß Sie dumm und eingebildet sind, aber ...«

»Dumm und eingebildet, sagen Sie?« Bumblemore erhob sich zu voller Größe. »Ich bin vielleicht nicht berühmt, Mädel, aber einem größeren Zauberer als mir werden Sie in Ihrem Leben nicht begegnen. Haben Sie mal meinen Trick mit der Zeitung und dem Krug Wasser gesehen? Dumm und eingebildet ...«, schniefte er. »Ich bin mit diesem Bart geboren worden« – zur Bekräftigung zog er daran –, »ein magisches Zeichen ersten Ranges! Meine Mum hat schwer geschluckt, als sie ihn sah, aber sie wußte gleich, daß ich zu Höherem bestimmt war.«

»Machen Sie mit Ihrer Bestimmung, was Sie wollen«, sagte Hermeline. »Aber was ist mit dem Schicksal der anderen?«

»Wenn wir bleiben, werden die Muddel uns auf irgendeine Weise umbringen – uns in einem Atomkrieg verglühen lassen oder durch die globale Erwärmung ersäufen, uns tiefgefrieren, infizieren oder Gott weiß, was für schreckliche Sachen sie sich noch einfallen lassen«, sagte Bumblemore. »So bestimmen wir zumindest selbst über unser Schicksal.«

»Alpo, Alpo«, flehte Hermeline, »warum bleiben wir nicht? Warum bleiben wir nicht und bringen den Muddeln bei, was wir wissen? Gehen wir mit gutem Beispiel voran!

Erziehen sie dazu, nicht so dumm, habgierig, blutrünstig und … muddelig zu sein.«

»Tut mir leid, Hermeline«, sagte Bumblemore. »Es steckt einfach zu tief in ihnen drin. Ich habe es hundertfünfzig Jahre lang mit dieser Strategie versucht, aber es hat keinen Zweck.« Bumblemore wirkte müde. »Sie werden mir einfach glauben müssen.« Er sah auf sein Chronometer. »Wie auch immer. Der Zauber ist bereits aktiviert, und es gibt nichts, was ihn aufhalten kann. Ich nehme an, Sie wollen noch ein paar Leute anrufen, bevor wir abreisen? Wir brechen übrigens in alphabetischer Reihenfolge auf. Sie sind also ziemlich früh dran …«

»Ein paar Leute anrufen?«

»Ihre Eltern«, sagte Bumblemore. »Und natürlich werden Sie Vorsorge für Ihren Sohn treffen wollen.«

Hermeline entfuhr ein Schrei. »Meinen Sohn? Was meinen Sie?«

»Nigel ist ein Muddel«, sagte Bumblemore. »Er muß hierbleiben.«

»Das werde ich verhindern!« sagte sie und war mit einem Satz bei der Tür.

»Hermeline, Sie übertreiben …«

Hermeline richtete ihren Zauberstab auf Bumblemore. »Ein Schritt, und ich mache Feuchtigkeitscreme aus Ihnen, Sie Tattergreis.« Dann stürmte sie aus dem Zimmer.

»Dabei fällt mir ein, vergessen Sie nicht, Ihren Sonnenbilch mitzunehmen!«, rief Bumblemore ihr hinterher. »Und glauben Sie mir: Für eine wie Sie, Hermeline / ist so eine Reise doch Routine … Ich schmeiß mich weg«, sagte er, gluckste in sich hinein und begann zu packen.

Kapitel achtzehn
EIN IRRER TRIP

Hermeline rannte von Bumblemores Büro zum Gritty-floor-Turm, um Nigel zu suchen. Alle Schüler schrieben bereits den Test. Als sie in den Gemeinschaftsraum kam, stieß sie auf Barry, Nigel und Junior. Jeder trug einen Koffer bei sich. Kaum daß sich die Trotters wiedergefunden hatten, begannen sie alle gleichzeitig zu sprechen.

»Hermi! Ich hab' gestern nacht den Test gestohlen. Das ist in Wirklichkeit eine Reise …«

»Jungs! Bumblemore hat mich entführt und mir von diesem Zauber erzählt, wir müssen …«

»Mum! Dad hält mich für verrückt, dabei hat *er* sie nicht mehr alle, denn der Test ist wirklich eine Reise, und die Reise ist eine Falle, und deshalb müssen wir sie verhindern!«

Barry, mit Sonnenbrille und Zink auf der Nase, schnitt seinem Sohn das Wort ab. »Der Test ist in Wirklichkeit ein Zauber, und er wird uns …«

»Nach Atlantis versetzen«, sagte Hermeline.

Mit offenem Mund starrte Barry sie an. »Woher weißt du das?« fragte er. »Hast du etwa auch den Test geklaut, du kleines Biest?« schimpfte er.

»Ich hatte gerade eine lange Unterhaltung mit Direktor Bumblemore – oder besser gesagt: Er hat mir einen langen Vortrag gehalten.«

»Meinst du nicht Mumblemumble?« fragte Nigel.

»Das ist ein und dieselbe Person«, sagte Hermeline.

Barry klappte wieder der Unterkiefer herunter. Seine Zunge trocknete aus. »Woher …?«

»Keine Zeit für Erklärungen, Schatz«, sagte Hermeline. »Ich brauche einen von diesen Tests. Hast du deinen noch?«

»Hier«, sagte Barry und reichte ihn ihr. »Weißt du, was ich dachte, als ich das gelesen hab'? Ihr könnt mich mal, ihr blöden Außerirdischen! Behaltet eure beknackten Planeten für euch – Barry Trotter geht nach *Atlantis*.« Er schüttelte triumphierend die Faust.

»Ach, echt?« sagte Hermeline, die gar nicht zugehört hatte. Sie reichte Nigel das Blatt Papier. »Nigel, was hältst du davon?« Er erzählte seiner Mum, was er in der vergangenen Nacht gelesen hatte.

»Verstehe«, sagte Hermeline. »Und wie kommt es, daß du der einzige bist, der das durchschaut?«

»Ich bin ein Muddel«, sagte Nigel ohne jede Scham.

Hermeline nahm ihn fest in den Arm. »O ja, das bist du. Es war falsch von uns, zu versuchen, aus dir einen Zauberer zu machen. Jetzt weiß ich's.«

Nach diesem großen emotionalen, die Nebenhandlung zu einem Abschluß bringenden Moment fragte Hermeline. »Steht da noch irgendwas?«

»Nur: ›Wer dies findet, schicke es bitte an Niccolo di Pollomusca zurück.‹« Er reichte das Blatt wieder seiner Mutter.

»Barry, erinnerst du dich noch an Niccolo di Pollomusca?« fragte Hermeline.

»War das nicht der Typ, der mir die unechte Affenpfote verkauft hat?«

»Nein«, sagte Hermeline. »Ich meine den aus dem Geschichte-der-Zauberei-Unterricht.«

»Das gibt es bei uns nicht mehr«, sagte Junior. »Es wurde durch ›Muddelgerechtes Marketing‹ ersetzt.«

»Dieser verdammte Malfies«, murrte Barry.

»Sagt dir der Name ›Niccolo, der Unkluge‹ etwas?«

»Nein«, sagte Barry.

»›Niccolo, die Nervensäge‹?«

»Nein«, sagte Barry.

»›Niccolo, der Undurchsichtige‹? ›Niccolo, der Geistesgestörte‹? ›Niccolo, der vom Selbsthaß Zerfressene‹?«

»Der letzte kommt mir vage bekannt vor«, sagte Barry.

»Das ist alles ein und dieselbe Person, du Schwachkopf«, sagte Hermeline. »Dieser Fluch ist das Werk von Niccolo di Pollomusca alias Der Niccolo der Richtig Schlechten Ideen alias Nicholas Henratty.«

»Nick Henratty!« sagte Nigel. »Dad, das ist der Mann von der SOKO Magie! Ich werde nie wieder einen Schluck Cola herunterkriegen!«

»Wir müssen sie daran hindern, den Test zu schreiben«, sagte Hermeline.

»Er hat bereits begonnen«, sagte Nigel.

»Dann müssen wir ihn unterbrechen und hoffen, daß es noch nicht zu spät ist.« Sie krempelte die Ärmel hoch – sie hatte immer noch die Klamotten von gestern an und fühlte sich alles andere als frisch. »Ihr werdet eure Zauberstäbe brauchen. Und ich brauche einen schwarzen Kaffee.«

Eine Viertelstunde später hatten sie sich im Kreis aufgestellt. In der Mitte lag der Test, umringt von Kerzen (die Nigel aus den Habseligkeiten des toten Byron geklaut hatte). Barry, Hermeline, Junior und Nigel hielten sich an den Händen und stimmten folgendes Lied an:

Beim heiligen Peter, beim heiligen Paul
Ihr Lamas in Tibet, seid bitte nicht faul,
Wir rufen den Imam, den Ajatollah,
Rabbi und Priester – nun seid für uns da!

Die Macht des Glaubens jedweder Konfession
Vereinige sich in einer Art Weltrevolution,
Auf daß Buddah, Allah wie Brahma nun läßt
Gar niemand bestehen bei Bumblemores Test!

Die beiden Strophen wiederholten sie mehrere Minuten lang. Zwischendurch verstellte Barry immer wieder seine Stimme, einfach um die Stimmung ein bißchen zu heben, woraufhin Hermeline ihm auf den Fuß trat. Als sie fertig gesungen hatten, wurde es sehr still. Ein langes Schweigen trat ein, das schließlich von Nigel gebrochen wurde.

»Es ist nichts passiert«, sagte er niedergeschlagen.

»Das stimmt nicht«, sagte Barry. »Eine Kerze ist ausgegangen.«

»Tut mir leid, ich habe eine ziemlich feuchte Aussprache«, sagte Junior.

Ein Fünftkläßler namens Algy kam durch das Gemälde herein. »Hi. Was macht ihr da?«

»Hast du den Test geschrieben?« fragte Hermeline nervös. »Läuft er noch?«

»Soweit ich weiß, ja«, sagte Algy. »Ich bin früher fertig geworden – ihr hättet ihn mitschreiben sollen, es war ganz leicht.«

Algy ging die Treppe hoch in sein Zimmer. »Wir sehen uns beim Mittagessen!« sagte er.

Nigel brach in Tränen aus. »Mum, Dad – ich will nicht, daß ihr weggeht!«

Hermeline zog ihn an sich und begann ebenfalls zu weinen. »Du schlüpfst erst mal bei Oma und Opa unter, Nigel. Barry und ich werden einen Weg finden, wieder zurückzukommen, das versprechen wir dir.«

»Aber ihr werdet doch verbrennen!« sagte Nigel, der inzwischen heulte wie ein Schloßhund.

»Schht, schhht«, sagte Hermeline. Sie versuchte, stärker zu sein, als sie sich fühlte. »Wenn irgend jemand diesen Fluch austricksen kann, dann dein Vater und ich. Oder zumindest ich.«

»Und was machen wir jetzt?« fragte Barry leicht gekränkt.

Hermeline schaute auf die Uhr. Es war Mittag. »Mittag essen«, sagte sie und putzte sich die Nase. »Nigel, du D. E. P.«*

Als sie in den Großen Saal kamen, trudelten bereits die ersten Schüler ein – diejenigen, die früher fertig geworden waren.

»Blöde Streber«, sagte Nigel.

»Begreifst du jetzt, wieso die Menschen Besserwisser nicht leiden können?« fragte Barry seine Frau. »Sie verursachen Apokalypsen! Apokalypsi! Was auch immer!«

Sie setzten sich hin und begannen zu essen. Plötzlich bemerkte Hermeline aus dem Augenwinkel einen Blitz.

Junior ließ klirrend die Gabel fallen. »Dieser Junge – gerade hab' ich ihn noch genau gesehen, und dann war er weg.« Dort, wo Reg Adams eben noch gesessen hatte, lag ein kleines, sacht schmurgelndes Staubhäufchen.

»Tschüß, Reg!« rief jemand. »Wir sehen uns am Strand!«

Voller Entsetzen beobachteten Junior und die Trotters

---

* Trottersche Familien-Geheimsprache für »Du hast da einen Popel«.

noch einen Blitz, dann noch einen, diesmal mit kürzerem Abstand, und dann ganz viele auf einmal. Immer weitere Kinder verschwanden – und sogar ein paar Hauselfen.

»Wie hieß dieser Junge mit Nachnamen?« fragte Hermeline ihren Sohn.

»Benson, glaube ich.«

Inzwischen hatte die Menge bemerkt, daß der Fluch nach dem Alphabet vorging, und mit jedem neuen Abgang riefen sie einen Namen.

»Boodles!«

»Burton!«

»Dann ist Bumblemore auch weg«, sagte Barry und klatschte schadenfroh in die Hände.

»Nur dumm, daß du dich nicht mehr viel länger darüber freuen kannst«, sagte Hermeline.

»Du kannst einem auch jeden Spaß verderben!«

»Barry, wenn wir aus dieser Sache irgendwie heil rauskommen, kannst du dich auf was gefaßt machen«, sagte Hermeline.

»Einen langen Urlaub?«

»Ja, aber auch auf Privatunterricht für Nigel«, sagte Hermeline. »Dieser Laden macht einen ja verrückt.«

»Carson!«

»Church!«

»Cooper!«

»Cotytto!«*

Jetzt dauert's nicht mehr lange, dachte Hermeline. Nigel schob seine Hand in die ihre.

Ein wütender älterer Junge, der bereits eine Badehose

---

* Arg exotisch für Hogwash, finden Sie nicht? Sie hat immer behauptet, sie habe früher ›Smith‹ geheißen, und der Name Cotytto sei ihr bei ihrer Emigration verpaßt worden.

anhatte, platzte herein. »Hey, mit dem Fluch stimmt irgendwas nicht!« brüllte er. »Irgend jemand hat ihn verhext! Plötzlich sind alle Schreibfedern durchgedreht und haben ganz von selbst die Kreise ausgemalt!« Er hielt einen schmalen Papierstreifen hoch.

»Laß mal sehen!« sagte ein anderer Schüler und entriß ihm den Zettel. Manch einer schnappte hörbar nach Luft, als er von Hand zu Hand ging. Schließlich landete er auf Barrys Tisch. Die ausgefüllten Kreise bildeten die Worte:

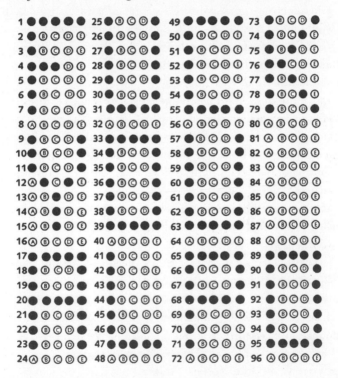

Doch es verschwanden immer noch Kinder – die ahnungslosen Hauselfen fegten die Aschehäufchen in eine Mülltüte.

Dann schien sich der Prozeß zu verlangsamen. Hatten sie Hermelines Gegenzauber etwa noch rechtzeitig gesprochen?

»Cozzens!«

»Cranagh!«

»Creighton!«

Hermeline wappnete sich. »Nigel, geh und setz dich zu deinem Vater!« Sie schloß fest die Augen. »Ich hab' dich lieb!« brachte sie mit zugeschnürter Kehle hervor.

… und nichts passierte.

Nachdem ein paar Minuten vergangen waren und kein Zweifel mehr daran bestand, daß der Fluch gestoppt worden war, begannen die Schüler zu buhen. Ihr Urlaub war ins Wasser gefallen. Instinktiv wußte der Mob, daß Barry Trotter etwas damit zu tun hatte.

»Ich hab' doch schon mein ganzes Taschengeld für einen Rülpsschnorchel ausgegeben!« brüllte ein Junge ihn an. »Barry Trotter ist ein Wichser!« grölte ein anderer, die übrigen stimmten ein, und es artete zu einer Art Hymne aus. Dann begannen, wie nicht anders zu erwarten, Nahrungsmittel durch die Luft zu fliegen

»He, du«, ein dickes Mädchen namens Penny Cthulu packte Junior am Arm, »ich will meinen Schlüpfer zurück!«

»*Shockadelica*«, murmelte Barry und gab dem Mädchen einen Klaps auf die Schulter, der die Wirkung eines Elektroschocks hatte. Ohnmächtig ging sie zu Boden. »Wir hauen lieber ab«, sagte er. Er dirigierte Hermeline, die immer noch damit beschäftigt war, Nigel (und zwischendurch auch Junior) abzuküssen, zum Ausgang. Bevor er die Tür schloß, zeigte Barry der Menge den Stinkefinger. Eine große Woge verfaulten Essens landete – auf der Tür.

»Ihr drei packt eure Sachen fertig«, sagte Barry. »Ich muß noch jemandem einen Besuch abstatten.«

Kapitel neunzehn

DIE BANALITÄT DES BÖSEN

(ODER ZUMINDEST DIESES BUCHS)

Barry riß den Ast zur SOKO Magie hoch und sprang in großen Sätzen die Treppe hinunter. Als er an der Empfangsdame vorbeihastete, neutralisierte er sie mit einem raschen Cruciverba-Zauber. Sie würde solange nach Worten mit drei Buchstaben für einen flugunfähigen Vogel grübeln, bis er den Fluch wieder aufhob. Und schon stand er vor Henrattys Büro.

»*Machuff!*« quäkte Barry mit der hohen Stimme eines Elfjährigen, den Zauberstab in der Hand.

Die Tür ging langsam auf. Zu Barrys Erstaunen waren die Stapel in Henrattys Büro noch höher geworden. Halb verdeckt von der Lawine, die sich aus seinem Eingangskorb ergoß, saß Henratty an seinem Tisch und telefonierte. Er schaute über den Papierstapel hinweg und sagte: »Oh, Joan, ich ruf' später zurück. Hör zu: Ich hinterlasse alles den Kindern.« Gedämpftes Gezeter drang aus dem Telefon. »Schreib's auf, damit du es nicht vergißt. Nein, ich kann beim besten Willen nicht warten, bis du einen Stift gefunden hast. Alles geht an die Kinder.« Am anderen Ende sprach wieder jemand. »Okay, du kriegst auch was. Du kannst dir was aussuchen. Und noch was: Im Schuppen habe ich eine Sammlung von obszönen Cloisonnés, die unser kleiner Mike nicht finden darf. Könntest du sie vernichten? Ja, verkauf sie bei eBuy, wenn du glaubst, daß sich das lohnt. Ich erklär's dir später. Vielleicht. Ich muß Schluß machen.« Am anderen Ende wurde immer noch gesprochen. »Nein, wirklich, ganz im Ernst. Ich muß jetzt auflegen. Hier steht ein Junge in meinem Büro, der will mir ans Leder. Das könnte bös enden.« Weiteres Gesabbel. »Natürlich bist du mir wichtiger als er. Denkst du etwa, ich würde lieber sterben, als mit dir zu reden …? Ja, sogar über deine Familie. Über deine Familie zu reden ist immer noch besser, als zu sterben.« Henratty formte tonlos »Tut mir leid« mit den Lippen und lächelte Barry zu, der mit der Hand eine eindeutige »Mach Schluß«-Geste machte.

»Okay, Schatz … Okay, Liebes … Ich leg' jetzt auf … Ich … Wirklich, ich … Mach's gut … Ja. Ja. Sicher … Mach's gut. Tschüs!« sagte Henratty. »Tut mir leid, meine Frau ist eine furchtbare Quasselstrippe. *Früher* fand ich das süß. Barry, Sie sind ein ganzes Stück schlanker geworden, seit wir uns das letzte Mal gesehen haben.«

»Und kleiner«, sagte Barry, der nicht in der Stimmung für Wortgeplänkel war. »Und jünger. Ist 'ne lange Geschichte.«

»Lassen Sie mich raten: Der Fluch hat nicht funktioniert. Nun, das ist ja offensichtlich – wenn er funktioniert hätte, lägen Sie inzwischen in einer Mülltonne. Also gut.« Er trat hinter seinem Schreibtisch hervor, baute sich vor Barry auf, drehte sich um und präsentierte ihm seinen Hintern.

»Was zum Teufel soll das werden?« fragte Barry. Es war nicht einfach, mit dem präpubertären Kieksen in der Stimme wie ein Kerl zu klingen, mit dem nicht zu spaßen ist, aber Barry tat sein Bestes.

»Ich nehme doch an, daß Sie hergekommen sind, um mich zu bestrafen«, sagte Henratty. »Sie haben gewonnen, da beißt die Maus keinen Faden ab. Und jetzt setzt es eine hübsche kleine Tracht Prügel, vermute ich.«

»Sind Sie …?« Dieser Typ war genauso verrückt wie ein Zauberer. »Nein! Nehmen Sie Ihren Hintern da weg! Ich bin hierhergekommen, um Sie zu fragen, warum Sie das getan haben. Natürlich nur, um die Neugier meiner Leser zu befriedigen, mir ist es schnuppe. Mir geht es nur darum, Sie umzubringen.«

»Wieso? Wozu soll das gut sein?« lachte Henratty. »Außerdem bringen Sie doch nie jemanden um«, sagte er. »Wissen Sie, wie sehr Sie mir die Arbeit erleichtert hätten, wenn Sie Lord Valumart wirklich den Garaus gemacht hätten? Aber nein, Sie mußten ja unbedingt Gandhi spielen …«

Henratty kehrte an seinen Schreibtisch zurück und fuhr fort: »Wenn es aber um einen Muddel geht, jemanden, der keinen Funken kostbarer Magie in sich hat, dann sind Sie plötzlich Al Capone. Sie messen ganz offensichtlich mit zweierlei Maß. Und ich möchte Ihnen sagen, daß Ihnen das schlecht zu Gesicht steht.«

Plötzlich schnappte er sich etwas von seinem Schreibtisch und schleuderte es in Barrys Richtung. Es war eine Anti-streß-Knautschfigur in Form eines Ambosses. Sie prallte wirkungslos an Barrys Brust ab.

»Eigentlich wollte ich jetzt wegrennen. Ach, na ja …«

»Setzen Sie sich«, befahl Barry. »Und legen Sie Ihre Hände gut sichtbar auf den Tisch.« Henratty gehorchte.

»Jetzt sagen Sie mir, Henratty – was sollte das Ganze? Und ihre Mutationen können Sie sich sparen.«

»Mutationen?« fragte der Mann.

»Jetzt hören Sie aber auf!« sagte Barry mit vor Aufregung brechender Piepsstimme. »Henne … Ratte … das ist doch offensichtlich.«

»Ooo-kay«, sagte Henratty, der Barry offenbar für nicht ganz dicht hielt.

301

»Und dabei ist das gar nicht Ihr richtiger Name!« sagte Barry. »In Wirklichkeit sind Sie Niccolo di Pollomusca alias Niccolo, der Unkluge, auch bekannt als Niccolo, der Gehirnamputierte!«

»Mann, Sie sind ja richtig gut!« sagte Henratty sarkastisch. »Jetzt weiß ich, wie sich Valumart fühlen muß.« Die Ironie kam bei Barry nicht an.

»Ich möchte nur wissen, warum Sie so scharf darauf sind, die Zauberer der ganzen Welt zu vernichten. Bringen Sie sich doch selbst um, wenn Sie wollen, aber alle anderen mit ins Verderben zu reißen ist wirklich eine Gemeinheit!«

»Ich bin kein Zauberer, Sie Schlauberger«, sagte Henratty, biß sich einen Niednagel ab und untersuchte ihn kurz, bevor er ihn wegschnipste. »Ich bin ein ganz normaler Durchschnittsmensch. Im Jahre 1533 wurde mir der Keks der Weisen serviert, und seitdem bin ich unsterblich.«

Barry war verwirrt. »Und was haben Sie gegen Zauberer?«

»Wenn Sie glauben, die letzten fünfhundert Jahre waren ein Zuckerschlecken, dann hätten Sie im Geschichtsunterricht besser aufpassen sollen«, sagte Niccolo. »Ich dachte mir, da das Leben mit Zauberern und Hexen beschissen war, wäre es ohne sie vielleicht besser.«

»Das ist doch lächerlich!« sagte Barry.

»Bumblemore sah das genauso. Da stehen über sechshundertdreißig Jahre Lebenserfahrung gegen die Meinung eines Mannes, der nicht mehr wählen, Auto fahren, vögeln und noch nicht mal mehr alle Fahrgeschäfte benutzen darf.«

»Aber Bumblemore ist – nein, war ja auch verrückt!«

»Vielleicht, aber Sie sollten ihm trotzdem nicht die Schuld geben. Ich habe ihm den Zauber geschickt, weil ich wußte, er würde nicht widerstehen können.«

Niccolo legte die Füße auf den Schreibtisch. »Ich bin eher durch Zufall darauf gestoßen. Meine Oma fand eine alte Truhe auf ihrem Dachboden. Sie hatte sie dort nicht hingestellt – wir nahmen an, irgendein Zauberer hätte sie dorthin teleportiert und dann vergessen. Ihr habt ja alle ein Gedächtnis wie ein Sieb. Wie auch immer, sie leuchtete ganz schwach und schien in sich hineinzuglucksen, daher hat meine Oma sie mir geschickt.

Wir öffneten sie und fanden alle möglichen Schriftrollen darin. Das meiste war so Nullachtfünfzehnzeugs – Zaubersprüche zum Öffnen von Marmeladengläsern, Beschwörungen, die einem bei der Steuererklärung helfen sollen –, aber dann gab es da noch eine viel ältere Schriftrolle. Ich hab' sie Bumblemore geschickt – er ist einer unserer Kontaktleute in der Zauberwelt. Es war eigentlich eher als Scherz gemeint. Erst als er mir erzählte, wofür *er* das Ding hielt, kam mir der Gedanke: Soll er den Fluch doch ruhig ausprobieren!«

Niccolo schwang seine Füße wieder herunter und beugte sich über seinen Schreibtisch, wobei er die Ellbogen in den Papierberg bohrte. Er ließ die Fingerknöchel knacken, während er weitersprach. »Barry, ich hasse meinen Job. Früher waren wir zu fünft, aber die anderen wurden wegrationalisiert. Jetzt bin ich ganz allein hier, und Sie sehen ja, wieviel ich zu tun habe. Ich dachte, wenn der Zauber nur ansatzweise funktioniert und vielleicht ein Fünftel der Zauberer in ganz England dahinrafft, dann komme ich vielleicht endlich mal mit der Arbeit hinterher. Und wenn es noch ein bißchen besser läuft, kann ich vielleicht sogar das Liegengebliebene abarbeiten. Und wenn der Spruch jeden magischen Nichtsnutz der Welt für alle Zeit in Asche verwandelt, dann könnte ich mich zur Ruhe setzen!«

Henratty lächelte und machte eine beschwichtigende Geste. »Sie sehen, es ist nichts Persönliches.«

In Barrys Kopf drehte sich alles. »Sie waren also bereit, eine ganze Spezies auszurotten, nur weil Sie Ihren Job hassen?«

»Und Sie verdammen eine ganze Spezies zu Chaos und Elend, nur damit Sie nicht arbeiten müssen?« Niccolo machte eine rhetorische Pause. »Warum etwas kaufen, wenn man es herbeizaubern kann? Herstellen dürfen es jedoch die Muddel oder die Hauselfen! Aber wir wollen uns nicht über die moralische Dimension der Magie streiten. Ich werde Sie nicht überzeugen, und Sie werden mich nicht überzeugen. Der Punkt ist, solange es Zauberer gibt, die alles durcheinanderbringen, sitze ich hier in meinem Büro fest, anstatt Zeit mit meinen Kindern zu verbringen oder auf Ibiza meine Rettungsringe zu sonnen. Und das Beste am Ganzen: Genaugenommen wäre Bumblemore der Täter gewesen. Ich hätte nichts damit zu tun.«

Barry war schockiert. »Das ist alles? Keine Ambitionen auf die Weltherrschaft?«

»Nein. Das wäre ja noch aufreibender. Das ist nichts für mich. Ich wollte bloß in Pension gehen«, sagte Niccolo. »Möchten Sie jetzt ein boshaftes Keckern oder so was hören?«

»Ja, das wäre doch was!« sagte Barry indigniert. »Immerhin ist das hier die Auflösung des ganzen beknackten Buchs. Völkermord als Methode, seinen Papierkram zu reduzieren, ist allerdings nicht gerade der Reißer!«

»Aber die Menschen können daraus etwas lernen. Denn im Grunde ist das Leben doch ziemlich trist. Überhaupt – Sie haben ja nie unsere Ferienwohnung gesehen«, sagte Niccolo. »Der Strand ist sensationell. Sie hätten es auch getan.«

»Egal.« Barry hob seinen Zauberstab. »Haben Sie noch etwas zu sagen?« fragte er.

»Ja«, sagte Niccolo. »Das heißt, eigentlich nein. Dabei hatte ich fast fünfhundert Jahre Zeit, mir etwas Geistreiches zu überlegen. Wie peinlich ...«

»*Jimbenson!*« sagte Barry energisch und schwenkte dabei seinen Zauberstab. Niccolo erschlaffte irgendwie, ohne die Haltung zu verändern, und aus seiner Kehle kamen seltsam erstickte Geräusche. Barry hob die linke Hand und formte sie zu einem Entenschnabel, dann begann er sie abwechselnd zu öffnen und zu schließen.

»... zum Teufel haben Sie mit mir gemacht?«

»Das ist eine der verbotenen Zauberformeln«, sagte Barry. »Der selten benutzte, nicht besonders männliche, aber trotzdem sehr wirkungsvolle Immuppetisier-Zauber.« Niccolo versuchte zu antworten, aber wenn Barry nicht mit der Hand seinen Mund bewegte, blieben ihm die Laute im Halse stecken. »Wirklich ein hübscher, kleiner Zauber – ihm habe ich meine erste sexuelle Erfahrung zu verdanken«, sagte Barry. »Jetzt nehmen Sie diese Plastikgabel von Ihrem Tisch ...« Niccolo hatte sich mittags ein Curry vom Imbiß geholt. »Und ...« Barry tat so, als würde er sich selbst etwas in die Brust rammen, und Niccolo machte es ihm nach. Die Plastikgabel zerbrach mit einem armseligen Knacken.

»Hmm.« Barry ließ Niccolo in seinem Schreibtisch herumwühlen und nach etwas Spitzem suchen. Wieder machte er diese erstickten Geräusche. Barry ließ ihn sprechen.

»... verstehen. Sie haben ja keine Ahnung, wie sehr es nervt, von morgens bis abends hinter Zauberern hinterherzuräumen. Wenn das fette BMW-Motorrad irgendeines Menschen während der Fahrt verschwindet, wer muß dann losgehen und den Angehörigen irgendeine absurde Lüge

305

auftischen? Jedenfalls nicht der Zauberer, denn der ist damit beschäftigt, auf der Standspur der Autobahn mit irgendwelchen Weibern rumzuknutschen! Seit die Satzfahnen von J. G. Rollins' erstem Buch fertig waren, hatte ich keinen Tag mehr frei!«

Barry machte Henrattys Mund zu und ließ ihn weiter in seinen Schreibtischschubladen wühlen. Ein Tacker? Nein. Eine Büroklammer? Vielleicht wenn man sie geradebog und in genau dem richtigen Winkel über dem Auge ins Hirn stieß ... Ah, endlich: ein Brieföffner. Der würde bis ins Herz reichen.

Er zwang Niccolo, ihn sich an die Brust zu führen, machte eine dramatische Pause – und dann tat er etwas, das er wohl lieber hätte lassen sollen: Er ließ Niccolo ein letztes Mal sprechen.

Der Muddel war inzwischen in Tränen aufgelöst. »... fair! Pottagoo haben Sie gehen lassen!« sprudelte er hervor. »Na los, Sie Starzauberer, jetzt bringen Sie den Muddel schon um. Nur weil er versucht hat, Sie und Ihre Famlie auszulöschen.«

»Vergessen Sie meine Freunde nicht«, sagte Barry. »Genaugenommen bringen Sie sich ja selber um. Ich stehe hier nur und hab' nichts damit zu tun.«

»Oh, welch' Ironie! Sie werfen mir meine eigenen Worte an den Kopf! Im Ernst, Barry – verschonen Sie mich. Ich flehe Sie an«, sagte Niccolo. »Ich tu's auch nie wieder.«

Sein ganzes Leben war Barry immer dann in Schwierigkeiten geraten, wenn er nachgedacht hatte. Doch er ließ alle Vorsicht außer acht und tat es trotzdem. Ihm fiel wieder ein, was Hermeline ihm darüber erzählt hatte, wie Bumblemore den Glauben an die Muddel verloren hatte, und was sie ihm darauf entgegnet hatte. Das klang zwar alles nach ihrer alten »Wir müssen nett zu den Muddeln sein, auch wenn wir nichts davon haben«-Leier, aber jetzt, da er ein wenig darüber nachdachte … Was hatte er schon zu verlieren? Dieser Typ war schließlich nicht Valumart.

»Ach, was soll's«, sagte Barry und malte mit seinem Zauberstab ein »X« in die Luft. »*Delete*«, sagte er, und Niccolo war erlöst. Der Mann sackte auf dem Boden zusammen wie eine Stoffpuppe.

Niccolo rappelte sich auf und rutschte dabei auf einem Stapel von Akten aus.

»Puh«, sagte er. »Danke. Ich weiß ja nicht, ob Sie sich jemals selbst damit verzaubert haben, aber es fühlt sich an, als würde einem jemand seine dreckige Pranke in den Arsch stecken.«

Barry drehte sich um und ging zur Tür. »Tun Sie's einfach nicht wieder.« Er schwenkte seinen Zauberstab. »Übrigens«, sagte Barry, »habe ich gerade den Rest der Woche zu Feiertagen gemacht.«

»Nein! Das dürfen Sie nicht …«, sagte Niccolo. »Ich meine, die Muddelwirtschaft …«

Für einen Elfjährigen konnte Barry ein erstaunlich strenges Gesicht machen. Niccolo begriff.

»Sie haben ja recht. Ich rufe noch in dieser Minute im Reisebüro an.«

Draußen in der Herbstsonne fragte Barry sich: War es richtig, ihn laufenzulassen? Sicher, er hätte es verdient, aufgeschlitzt zu werden wie einer der Briefe in seinem Eingangskorb, aber … Jeder verdient eine zweite Chance, nicht wahr?

Barry blies das Rauchwölkchen, das aus der Spitze seines Zauberstabs aufstieg, weg, steckte ihn ins Halfter und hielt den magischen Bus an.

Epilog
EIN JAHR SPÄTER

Das Elternwochenende von St. Balthazar's, einer schönen und freundlichen Schule, die in ganz Großbritannien als das »Eton der Zahnärzte« bekannt war, ging zu Ende. Nachdem er mitten im Schuljahr die Schule gewechselt hatte – was nur in den seltensten Fällen erlaubt wurde –, hatte Nigel Trotter den Wissensrückstand in kürzester Zeit aufgeholt. Er war nun im sechsten Schuljahr und bekam laufend Bestnoten. Professor Maxilla, die Schulleiterin, bezeichnete ihn immer als »unser Wunderkind«. Hermeline hätte stolzer nicht sein können. Barry empfand genauso, schließlich hatte Nigel wahrlich seinen Mann gestanden. Er hatte Hogwash gerettet – und vermutlich auch den Rest der Zauberwelt. Wem so etwas innerhalb der ersten sechs Wochen an einer neuen Schule gelingt, der wird dort ganz offensichtlich nicht genug gefordert. Er interessierte sich für Zahnheilkunde, und so fiel die Entscheidung auf St. Balthazar's.

Nigel und seine Eltern waren gerade mit dem Mittagessen fertig, das natürlich laufend von Zähneputzen und Zahnseide-Gewiener unterbrochen wurde.

»Ist noch jemandem außer mir diese leichte Fluornote in der Krebsfleischpastete aufgefallen?« fragte Barry.

»Ach, das Zeug mischen sie hier überall rein«, sagte Nigel. »Nach einer Weile merkt man es kaum noch.«

Bald standen die drei vor dem neuen Gorgomobil der Trotters, Hermelines Belohnung dafür, daß sie Bumblemores Plan durchkreuzt hatte.

Sie wandte sich ihrem Sohn zu. »Sei schön fleißig«, sagte sie und küßte ihn auf die Wange. »Wir sehen uns in ein paar Wochen.« Hermeline stieg ins Auto und ließ den Motor an. Barry und Nigel, der inzwischen größer war als sein Vater, gingen auf die andere Seite hinüber.

»He, Dad«, fragte Nigel, »wirst du jemals erwachsen?«

»Das fragen die Leute schon seit Jahren«, sagte Hermeline mit einem Lächeln.

»Wegen des Infantilismus, meine ich«, sagte Nigel.

»Vielleicht. Wer weiß?« sagte Barry. »Ich hab' gehört, daß man inzwischen die tollsten Dinge mit Stammzellen anstellen kann. Wußtet ihr, daß man jetzt schon Intimgeruch in einer Petrischale züchten kann? Ich hab's jedenfalls nicht eilig – schließlich hat die Verjüngung aufgehört, als Bumblemore den Höllenhund gebumst hat.«

Nigel machte ein verständnisloses Gesicht.

»Als er gestorben ist, Nigel. Das ist der coole Jargon der hippen Zauberer von heute!«

»Den du dir gerade ausgedacht hast«, meinte Hermeline.

Barry ignorierte ihren Einwand. »Ich hab' mich daran gewöhnt, minderjährig zu sein, und es gefällt mir sogar. Gewisse Sachen müssen andere Leute für einen tun.«

Barry stieg in den Wagen, und zwar auf der Beifahrerseite – er war zu jung zum Fahren.

»Gebt Fiona ein Küßchen von mir, und bestellt ihr ein Dankeschön für das Bild! Meine Kumpel waren total beeindruckt, als es anfing, sich zu bewegen«, sagte Nigel. Er winkte zum Abschied und lief den Abhang hinauf zurück zur Schule.

Nachdem sie auf die Hauptstraße eingebogen waren, fragte Hermeline: »Tut es dir manchmal leid, daß der alte Bumblemore jetzt tot ist?«

Barry lachte. »Alte Schuldirektoren sterben nie, Hermeline – das weißt du doch«, sagte er. »Sie kehren in der nächsten Folge als Geister zurück.«

»Man hat schon Pferde kotzen sehen!« sagte Hermeline, und dabei ließen sie es bewenden.

EIN KURZER FÜHRER

ZU DEN PORNOGRAPHISCHEN STELLEN, DIE AUS DIESEM BUCH HERAUSGESTRICHEN WURDEN

Nun, da das Buch vorbei ist, mögen sich einige von Ihnen fragen: »Und wo bleiben die Sexszenen? Du hast uns heiße Sexszenen versprochen, du Wichser!« Das habe ich in der Tat, und ich hatte auch wirklich vor, soviel Erotik in *Barry Trotter und die überflüssige Fortsetzung* zu packen, daß es Ihnen den Schließmuskel zusammengezogen hätte. Doch dann fiel mir ein, daß meine Großmütter es möglicherweise lesen würden, und *die* Erklärungen wollte ich mir nun wirklich sparen!

Da ich aber zu meinem Wort stehe, habe ich eine Liste der Sexszenen erstellt, die nun nur noch auf meiner Festplatte existieren. Streuen Sie sie in die Geschichte ein, wann immer Ihnen langweilig wird.

Dramatis Personae Kommentar

Barry/Hermeline	Dafür, daß sie verheiratet sind, erstaunlich heiß.
Lon/Valumarts Bein	Leute, nehmt eure Hunde an die Leine!
Snipe/ein eingefetteter Mokassin	Okay, das geht einfach *gar* nicht.

78 Hauselfen	Hoffentlich haben sie hinterher die ganzen Küchenutensilien wieder abgewaschen!
Nigel/*Nackte Nyaden* (die Oktoberausgabe)	»Ich glaub', ich hab' irgendwas falsch gemacht.«
Hertha/Saftsack	Flatterhaft
Hafwid/Fistuletta	Männer, laßt euch das eine Lehre sein: Trinkt nicht *all*zuviel!
Mumblemore/Ponce	Lesen, gegenseitiges Klötenbefummeln, maßlose Doofheit

REGISTER

Anmerkung des Verlegers: Bei jedem Buch fällt ein großer Teil des Originalmanuskripts dem alles verschlingenden Rotstift des Lektors zum Opfer. Das war nie notwendiger als im Falle von *Barry Trotter und die überflüssige Fortsetzung*. Als Mr. Gerbers 2800-Seiten-Manuskript auf unsere plötzlich unter Übelkeit leidende Türschwelle plumpste, nahmen wir natürlich an, daß er es in der Hoffnung eingereicht hätte, wir würden es veröffentlichen. Nach der Lektüre gelangten wir hier im Europa-Verlag jedoch zu der Überzeugung, daß der Autor dem uralten römischen Brauch gefolgt ist, lebensunfähige oder unerwünschte Sprößlinge irgendwo zum Sterben auszusetzen.

Als Mr. Gerber anrief, um sich nach seinem Honorar zu erkundigen (ha!), bezeichnete er das Manuskript als »anspruchsvoll und postmodern«. Wir bezeichneten es als »unfaßbaren Schrott«. Erst nach kompletter Überarbeitung (mit vorgehaltener Waffe – scheiß auf den verdammten Rotstift) konnte dieser Mist überhaupt in den Druck gegeben werden.

Da wir nicht bereit sind, auch nur einen weiteren Cent in dieses Machwerk zu investieren, drucken wir das Register so, wie es nach dem Originalmanuskript erstellt wurde. Das hat zur Folge, daß gewisse hier erwähnte Vorkommnisse und Figuren im Buch womöglich gar nicht vorkommen. Für jegliche dadurch verursachte Verwirrung möchten wir uns entschuldigen, aber je schneller wir das Ganze vergessen, desto besser.

Abgedroschene Klischees zur Erzielung billiger Lacher, *passim*.
Albionesischer Arschbeißer (Drachen) 7; versauter Witz über, 36.
Autor, 7; charakteristische Unreife des, 36; Begleichung geheimer privater Schulden durch den, 105. *Siehe auch* ANGEKLAGTER.
Basilisp, 7. *Siehe auch* ABGEDROSCHENE KLISCHEES.
Bims, Professor (Lehrer), 7; unangenehme exhibitionistische Tendenzen des, 36.

Blödian-Bataillon (Quaddatsch-All-Star-Team), 7; »Blödian, der Flughund« (Maskottchen), 36

Brisket, Frenchy, 7; völliges Fehlen in diesem Buch, 36.

Bumblemore, Alpo (ehemaliger Direktor), 7; glaubt, er werde von einem Luftschiff verfolgt, 36; hat noch nie was von Körperpflege gehört, 105.

Cringer, Hermeline, 7; Pingeligkeit der, 36; und der »Vorfall mit der Hühnersuppe«, 105. *Siehe auch* INTERNATIONALE ARSCH-KRIECHERVEREINIGUNG.

Dimsley, Dicky, 7; wird von Trotter-Fans getötet und verspeist, 36.

Drachen, Stöbern in Mülltonnen, 7.

Eggnog (Riesenspinne), 7; Weihnachtsparty von, 36; Tips fürs festlich geschmückte Spinnennetz, 105; stellt zum Nikolaus acht winzige Socken vor die Tür, 123; neigt dazu, im Schwips vor wildfremden Leuten den Arsch zu entblößen, 188.

Eierkopf (Pub), 7; Schmiergeldzahlungen an Polizisten, 35; selbstpanschende Neppweinflaschen, 105.

Einhorn, 7; nicht so tugendhaft, wie es immer heißt, 36. *Siehe auch* SCHWEINHORN.

E-Kessel, 7.

Flipswitch (Professor), 7; wird von persönlichem Massagezauberstab sitzengelassen, 36.

Fußfee, 7; unverkennbarer Geruch der, 36; Haß auf Aktivkohle, 105.

Hafwid, Ruddy (Wildhüter), 7; »Ein Prosit auf den Weihnachtsmann« (im Zuge der Trottermanie mit Eggnogg aufgenommene Weihnachts-CD), 36; Talgschnaps, 105; Fernsehsendung, 123; ausgiebiges Erbrechen während der Emmy-Verleihung, 188.

Henratty, Nicholas, 7. *Siehe auch* NICHOLAS DER SCHIEFGE-WICKELTE, NICHOLAS DER HALBGARE; NICHOLAS DER VOM SELBSTHASS ZERFRESSENE, NICHOLAS DER GE-HIRNAMPUTIERTE, DER NICHOLAS DER SCHLECHTEN IDEEN.

Hertha, 7; chronische Bronchitis der, 36; ständiges Spucken der, 105.

Hogsbleede (Stadt), 7; »ein schönes Ausflugsziel, wenn man genug Antibiotika dabeihat«, 36.

Hogwash-Schule für Hexerei und Hokuspokus, 7; absurd hohe Schulgebühren, 36; grauenhaftes Essen, 105; notorisch baufällige Schulsporthalle, 188; Sexbesessenheit der Schüler, 193.

Hogwash-Schulhymne, 211; tödliche Wirkung auf alle Muddel in Hörweite, 230.

Knutsch, Madame (Quaddatsch-Lehrerin), 7; Kopfverletzungen der, 36; Schüler verstecken ständig ihre Schlüssel, 105.

Koma-See (der See von Hogwash), 7; unbeschreibliche Verschmutzung des, 36

Korrekturleser: übersieht katastrophale Fehler, 7; arbeitet für einen Hungerlohn, 36; versteckte Aggressivität des, 105.

Kraut, Madame (Professor), 7; und ihr Sabbatical als Roadie von Peter Tosh, 36.

Laie, Blutiger (Geist von Silverfish), 7; macht ins Bett, 36.

Leben, Sinn des, 7; mögliche Bedeutungslosigkeit des, 36.

»Lidmuskeltraining« (Euphemismus für Schlafen), 7.

Malfies, Drafi, 7; und seine abartig enge Beziehung zur Mutter, 36; Tod des, 105; beharrt darauf, in allen Schulaufführungen die Hauptrolle zu spielen, 123: zweiter Tod des, 188; und seine Pläne für eine Modekollektion, 193; und seine Sammlung ausgestopfter Hauselfen, 211.

Malfies, Luderwig, 7; Geltungsdrang, 36; Macht, 105; Skrupellosigkeit, 123; Daumenlutschen, 188.

Malfies, Neurotika, 7; Phobien, 36; Ängste, 105; Nervenzusammenbrüche, 123; ständige lähmende Furcht, 188. *Siehe auch* FÄKALE INKONTINENZ.

Marmisman, 7; andere schützende Brotaufstriche, 7.

Measly, Athos, 7; und der Schlagring von M. L. King, Jr., 36; Tendenz zur Linksauslage des, 105.

Measly, Dolly, 7; strickt Wollhülle à la Christo für die ganze Schule, 36.

Measly, Genny, 7; und ihr Fanzine, 36; und ihre Rockband The Mentholated Socks, 105; und ihre derzeitige Karriere als Performance-Künstlerin/Profi-Nieserin, 123.

Measly, Lonald, 7; Tippfehler auf der Geburtsurkunde (»Lonard«), 36; PETA, 105; unveröffentlichte Autobiographie *(Lon Misli: Ain Lebbn)*, 123.

Mundgeruch. *Siehe* »MAGIERLEIDEN«.

Nasenlochfräse: erhältlich bei ValuDrugs, 7; versehentliche Hirndurchbohrung durch, 36; diesbezügliche Gerichtsverfahren, 105.

Niflheimer, 7.

Otternzucht St. Rhinitatis, 7

Pommefritte, Püppi (Krankenschwester), 7; Auszeichnung für »Innovative Verwendung von Spachtelmasse in der Medizin«, 36.

Ponce, Madame (Bibliothekarin), 7; Spekulationen über Geschlechtsumwandlung, 36; Verhältnis mit David Bowie, 105.

Register, sinnloses, 7.

Riesenschwanz (Insekt), 7; sich mit Absicht stechen lassen von, 36. Siehe auch ROCKHARD, GIRLRBOY.

Der Bestseller

„Tief in die Schatztruhe der Kriminalliteratur greift Franca Permezza in diesem verblüffenden wie vergnüglichen Debüt."   FOCUS

Franca Permezza
Prosciutto di Parma
Roman
ISBN 3-203-81007-7

MANCHMAL „VERGISST" ER seinen Wein zu bezahlen, Commissario Trattoni, und auch sonst schrammt er oft haarscharf an der Legalität vorbei. Aber ein Feinschmecker ist er und bedingungsloser Ermittler. Montalbano und Brunetti bekommen endlich einen ebenbürtigen Kollegen an die Seite gestellt.

EUROPA
VERLAG